CONFESSIONS
POST-RÉFÉRENDAIRES

Révision : Karine Picard
Correction : Odile Dallaserra
Infographie : Johanne Lemay

DISTRIBUTEURS EXCLUSIFS :

Pour le Canada et les États-Unis :
MESSAGERIES ADP inc.*
2315, rue de la Province
Longueuil, Québec J4G 1G4
Téléphone : 450-640-1237
Télécopieur : 450-674-6237
Internet : www.messageries-adp.com
* filiale du Groupe Sogides inc.,
filiale de Québecor Média inc.

Pour la France et les autres pays :
INTERFORUM editis
Immeuble Paryseine, 3, allée de la Seine
94854 Ivry CEDEX
Téléphone : 33 (0) 1 49 59 11 56/91
Télécopieur : 33 (0) 1 49 59 11 33
Service commandes France Métropolitaine
Téléphone : 33 (0) 2 38 32 71 00
Télécopieur : 33 (0) 2 38 32 71 28
Internet : www.interforum.fr
Service commandes Export – DOM-TOM
Télécopieur : 33 (0) 2 38 32 78 86
Internet : www.interforum.fr
Courriel : cdes-export@interforum.fr

Pour la Suisse :
INTERFORUM editis SUISSE
Case postale 69 – CH 1701 Fribourg – Suisse
Téléphone : 41 (0) 26 460 80 60
Télécopieur : 41 (0) 26 460 80 68
Internet : www.interforumsuisse.ch
Courriel : office@interforumsuisse.ch
Distributeur : OLF S.A.
ZI. 3, Corminboeuf
Case postale 1061 – CH 1701 Fribourg – Suisse
Commandes :
Téléphone : 41 (0) 26 467 53 33
Télécopieur : 41 (0) 26 467 54 66
Internet : www.olf.ch
Courriel : information@olf.ch

Pour la Belgique et le Luxembourg :
INTERFORUM BENELUX S.A.
Fond Jean-Pâques, 6
B-1348 Louvain-La-Neuve
Téléphone : 32 (0) 10 42 03 20
Télécopieur : 32 (0) 10 41 20 24
Internet : www.interforum.be
Courriel : info@interforum.be

09-14

Traduction française

© 2014, Les Éditions de l'Homme,
division du Groupe Sogides inc.,
filiale de Québecor Média inc.
(Montréal, Québec)

L'ouvrage original a été publié
par Alfred A. Knopf Canada
sous le titre *The Morning After*

Tous droits réservés

Dépôt légal : 2014
Bibliothèque et Archives nationales du Québec

ISBN 978-2-7619-4092-4

Gouvernement du Québec – Programme de crédit
d'impôt pour l'édition de livres – Gestion SODEC –
www.sodec.gouv.qc.ca

L'Éditeur bénéficie du soutien de la Société de
développement des entreprises culturelles du Québec
pour son programme d'édition.

 Conseil des Arts   Canada Council
du Canada   for the Arts

Nous remercions le Conseil des Arts du Canada de
l'aide accordée à notre programme de publication.

Nous reconnaissons l'aide financière du gouvernement du Canada par l'entremise du Fonds du livre
du Canada pour nos activités d'édition.

CHANTAL HÉBERT
et JEAN LAPIERRE

CONFESSIONS
POST-RÉFÉRENDAIRES
LES ACTEURS POLITIQUES DE 1995 ET LE SCÉNARIO D'UN OUI

Traduit de l'anglais (Canada) par Joseph-Aimé Valcourt

LES ÉDITIONS DE
L'HOMME
Une société de Québecor Média

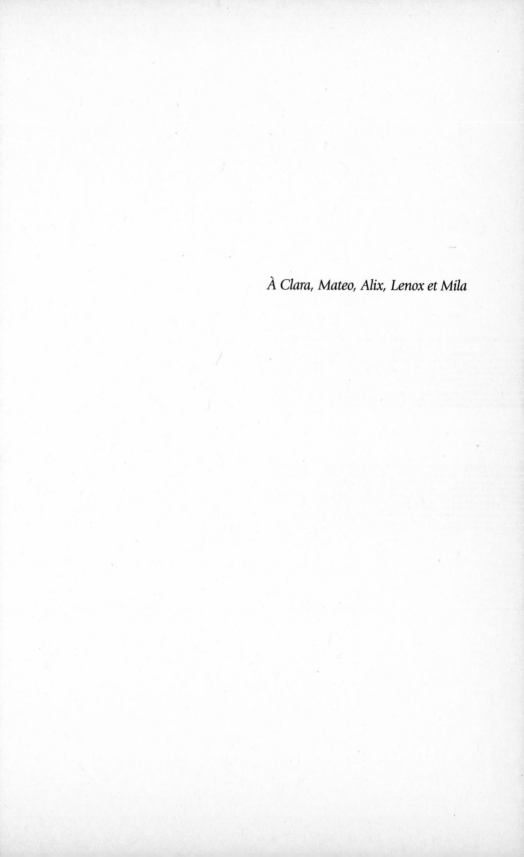

À Clara, Mateo, Alix, Lenox et Mila

CHRONOLOGIE

NOVEMBRE 1976   René Lévesque et le Parti québécois accèdent au pouvoir.

MAI 1980   Premier référendum au Québec.

AVRIL 1981   Le PQ remporte un deuxième mandat majoritaire.

NOVEMBRE 1981   Les premiers ministres, sauf René Lévesque, conviennent de rapatrier la Constitution du Canada.

AVRIL 1982   Rapatriement de la Constitution.

SEPTEMBRE 1984   Le Parti progressiste-conservateur de Brian Mulroney remporte les élections fédérales.

DÉCEMBRE 1985   Retour d'un gouvernement fédéraliste au Québec sous la houlette du premier ministre libéral Robert Bourassa.

MARS 1987   Échec de la ronde constitutionnelle consacrée aux questions autochtones.

MAI 1987   Les premiers ministres proposent unanimement le projet d'accord du lac Meech.

NOVEMBRE 1988   Brian Mulroney obtient un deuxième mandat majoritaire.

SEPTEMBRE 1989   Les libéraux provinciaux de Robert Bourassa réélus forment un gouvernement majoritaire.

JUIN 1990   Mort de l'accord du lac Meech, qui n'est pas ratifié.

AOÛT 1992   Les premiers ministres proposent unanimement l'accord de Charlottetown.

OCTOBRE 1992   L'accord de Charlottetown est rejeté par référendum national.

JUIN 1993   Kim Campbell l'emporte sur Jean Charest à la direction du Parti progressiste-conservateur fédéral et succède à Brian Mulroney au poste de premier ministre.

OCTOBRE 1993	Jean Chrétien mène le Parti libéral fédéral à la victoire et forme un gouvernement majoritaire. Le Bloc québécois arrive second, et Lucien Bouchard devient chef de l'opposition officielle. Preston Manning fait élire cinquante-deux réformistes à la Chambre des communes. Le Parti conservateur est réduit à deux députés.
MARS 1994	Fondation de l'Action démocratique du Québec (ADQ) ; Mario Dumont en prend la direction un mois plus tard.
SEPTEMBRE 1994	Jacques Parizeau mène le Parti québécois à un gouvernement majoritaire.
DÉCEMBRE 1994	Lucien Bouchard est amputé d'une jambe à la suite d'une infection à la bactérie mangeuse de chair.
OCTOBRE 1995	Référendum au Québec.
JANVIER 1996	Lucien Bouchard devient premier ministre du Québec.
JUIN 1997	Jean Chrétien obtient un deuxième mandat majoritaire.
AVRIL 1998	Jean Charest prend la direction du Parti libéral du Québec.
NOVEMBRE 1998	Lucien Bouchard mène le PQ à un deuxième mandat majoritaire.
JUIN 2000	Adoption par le gouvernement fédéral de la *Loi de clarification*.
NOVEMBRE 2000	Jean Chrétien obtient un troisième mandat majoritaire et remporte le vote populaire au Québec contre le Bloc québécois.
JANVIER 2001	Lucien Bouchard annonce sa démission.
MARS 2001	Bernard Landry devient premier ministre du Québec.
AVRIL 2003	Jean Charest et ses libéraux fédéralistes reprennent le pouvoir à Québec.
SEPTEMBRE 2012	Pauline Marois ramène le Parti québécois au pouvoir avec un gouvernement minoritaire.
AVRIL 2014	Le Parti libéral reprend le pouvoir et Philippe Couillard s'y installe à la tête d'un gouvernement majoritaire.

Acceptez-vous que le Québec devienne souverain après avoir offert formellement au Canada un nouveau partenariat économique et politique dans le cadre du projet de loi sur l'avenir du Québec et de l'entente signée le 12 juin 1995?

Do you agree that Québec should become sovereign, after having made a formal offer to Canada for a new economic and political partnership, within the scope of the Bill respecting the future of Québec and of the agreement signed on June 12, 1995?

OUI
YES

NON
NO

Le 30 octobre 1995, la fédération canadienne est passée à un cheveu – en l'occurrence 54 288 voix – d'être confrontée à son éclatement. Ce jour-là, plus de quatre millions et demi de Québécois ont participé au référendum sur l'avenir politique de leur province et, lorsque les voix ont été comptées, une marge d'à peine plus de un pour cent distinguait les gagnants fédéralistes des perdants souverainistes.

Au lendemain du vote, les protagonistes des deux camps pensaient qu'il s'écoulerait très peu de temps – peut-être seulement deux ans – avant qu'ils croisent de nouveau le fer. Le résultat suggérait que le vote n'avait rien réglé, mais aussi qu'il était peu probable que le Québec et le Canada filent sous peu le parfait amour. Convaincus qu'ils devraient bientôt remonter au front, les hommes et les femmes qui avaient dirigé les camps du Oui et du Non n'étaient pas enclins à déposer les armes et à décanter leur expérience.

Pour le dixième anniversaire du référendum, Radio-Canada a produit un documentaire, intitulé *Point de rupture*, sous la direction du journaliste Mario Cardinal, lequel a, par la suite, publié un ouvrage du même titre. Pierre Duchesne, journaliste devenu ministre du Parti québécois entre 2012 et 2014, a rédigé une chronique étoffée du parcours de Jacques Parizeau. Dans le dernier tome de cette œuvre biographique, l'auteur s'attarde longuement sur l'époque du référendum. Les ouvrages de Cardinal et de Duchesne explorent en long et en large la campagne référendaire comme telle.

Mais à l'approche du vingtième anniversaire du référendum, les accrochages qui l'ont précédé ou qui ont marqué la campagne au jour le jour ont perdu de l'importance. Les tranchées du 30 octobre ont fini par se vider. S'il y avait des salles de la légion pour les anciens combattants de la Constitution, on y trouverait les officiers à la retraite des armées de 1995. Il leur aura fallu deux décennies, mais ils sont enfin prêts à revenir sur le résultat crève-cœur pour chacun des deux camps de la campagne qu'ils ont vécue en première ligne.

Au moment de la réalisation des premières entrevues qui forment l'épine dorsale de cet ouvrage, en juillet 2012, il n'y avait pas de référendum à l'horizon. Jean Charest était toujours au pouvoir à Québec. À Ottawa, un an plus tôt, le Bloc québécois avait subi une défaite historique aux mains du NPD. Notre objectif n'était pas de nous aventurer sur le terrain hypothétique d'un nouveau débat sur la question nationale.

Cela dit, si nous avions entrepris de confesser nos interlocuteurs un an plus tard, alors que le Parti québécois était de retour aux affaires à Québec et que les sondages donnaient à Pauline Marois de bonnes chances de transformer son premier mandat minoritaire en second mandat majoritaire, ce livre n'aurait peut-être pas vu le jour. Plusieurs intervenants de 1995 auraient été encore moins bavards s'ils avaient pensé qu'un troisième référendum leur pendait au bout du nez.

Aujourd'hui, la question ne se pose plus, tout au moins à court ou à moyen terme. En renvoyant le Parti québécois dans l'opposition après seulement dix-huit mois au pouvoir le 7 avril 2014, l'électorat a mis le projet souverainiste sur la glace pour l'avenir prévisible. Le scrutin de 2014 a tourné en référendum sur un éventuel troisième référendum et le résultat a été sans équivoque. Pour les tenants de la cause de la souveraineté, le fait que la victoire majoritaire de Philippe Couillard ait été acquise sans l'ombre d'un engagement de sa part ou d'une promesse d'Ottawa de réforme constitutionnelle a de quoi donner au verdict électoral un sens encore plus définitif.

Pour le présent ouvrage, Jean Lapierre et moi n'avons pas demandé à la brochette de politiciens fédéraux et provinciaux que nous avons interrogés de livrer à nouveau, par auteurs interposés, de vieilles batailles. Notre point de départ était le jour même du vote référendaire, et le chemin que nous souhaitions explorer était celui qui n'a pas été emprunté. Nous voulions savoir comment chacun d'entre eux (et elles) avait imaginé une victoire souverainiste et à quoi ils auraient été prêts le lendemain d'un tel événement.

Notre intention n'était pas de rédiger un livre de «révélations», ni même le livre de la vérité. Une vingtaine d'années ont passé depuis le référendum, et aucun d'entre nous n'est la même personne qu'au lendemain du vote. Nos points de vue sont inévitablement influencés par tout ce qui s'est passé depuis. Les dix-huit personnes avec lesquelles nous nous sommes entretenus étaient relativement libres d'embellir leurs souvenirs ou de magnifier leurs propres rôles. La plupart ont toutefois vaillamment résisté à la tentation.

Cet ouvrage est consacré – dans sa quasi-totalité – à des protagonistes élus ou, dans le cas de l'ex-ambassadeur Raymond Chrétien, à un acteur qui a joué un rôle public de premier plan. C'est un choix délibéré. Ni Jean Lapierre ni moi ne croyons que l'histoire devrait être écrite par des stratèges qui n'ont pas eu à rendre compte de leurs actes – si compétents aient-ils été. Nous nous sommes entretenus avec un certain nombre d'anciens fonctionnaires et avec certains des stratèges qui œuvraient dans les coulisses du pouvoir. Ils nous ont fourni des informations de contexte, en général pour combler des lacunes du récit de leurs anciens maîtres politiques. S'ils lisent notre ouvrage, ils y reconnaîtront leur contribution. Comme toujours, il y a une exception à la règle. Pendant longtemps, nous avons ignoré si Jacques Parizeau, l'ancien premier ministre du Québec, accepterait de revivre pour nous ce qui a été pour lui un jour plus douloureux que pour n'importe quel autre de nos interlocuteurs. Jean Royer, son ancien chef de cabinet, est cité nommément dans les chapitres pertinents.

Les hommes et les femmes dont les récits constituent le cœur de cet ouvrage ne sont plus aujourd'hui sur la scène politique. Cinq sont d'anciens premiers ministres du Québec, quatre autres ont été premiers ministres d'autres provinces, et deux ont été premiers ministres du Canada. Ils proviennent de toutes les régions du pays : deux de l'ouest du Canada, trois de l'Ontario et deux de la région de l'Atlantique. Quatre des Québécois ont combattu dans le camp du Oui, et l'un d'eux – Lucien Bouchard – était un politicien fédéral à l'époque. La proportion est inversée dans le cas des Québécois du camp du Non : six étaient députés fédéraux en 1995, et un seul – Daniel Johnson – siégeait à l'Assemblée nationale du Québec.

Pour la dernière partie du livre, nous avons demandé aux chefs actuels des principaux partis politiques fédéraux de nous raconter comment ils avaient vécu le jour du référendum. Nous ne voulions pas discuter de la manière dont ils traiteraient un futur référendum, notre objectif n'étant pas de conjecturer sur un événement aussi hypothétique. Thomas Mulcair et Justin Trudeau ont accepté notre invitation. Stephen Harper, en 1995 critique principal du Parti réformiste sur les relations Canada-Québec, l'a déclinée.

Jean Lapierre, ancien député fédéral, et moi-même avons mené ensemble la plupart des entrevues avec les politiciens du Québec. Les personnes avec qui nous avons parlé, hommes et femmes, étaient généralement plus candides en présence de quelqu'un qui avait été l'un des leurs que si elles s'étaient trouvées face à une seule journaliste. C'est la persévérance de Jean Lapierre qui nous a finalement ouvert la porte de l'ancien premier ministre Parizeau. Pour cela, nous remercions Lisette Lapointe, sa femme et sa partenaire. À l'exception de Sheila Copps, j'ai rencontré seule les politiciens de l'extérieur du Québec. Et c'est moi qui ai rédigé l'ouvrage que vous vous apprêtez à lire.

Nous avons décidé que le meilleur moyen d'illustrer à quel point les chemins qui nous ont menés à la préparation de cet ouvrage sont différents consisterait à raconter brièvement la manière dont chacun d'entre nous a connu nos dix-huit sujets. Les accros de la politique à Ottawa et à Québec ne trouveront pas à la fin de cet ouvrage un index où seraient énumérés les noms de leurs travailleurs de l'ombre favoris ; cette section-là leur est offerte en guise de prix de consolation.

Nous nous sommes lancés dans ce projet comme des voyageurs qui s'embarquent vers une destination bien connue. Mais nous avons vite compris qu'il s'agissait plutôt d'un voyage de découverte, qui nous a ouvert de nouvelles perspectives sur ce qui s'est passé… et qui nous a aussi coûté quelques illusions en cours de route. Surtout, pendant les deux ans passés à regarder le parcours Québec-Canada dans le rétroviseur référendaire, nous ne nous sommes jamais ennuyés. J'espère que ce sera aussi votre cas.

*   *   *

Le référendum de 1995 a été le point culminant d'une guerre constitutionnelle d'une trentaine d'années. Cette saga en plusieurs épisodes a absorbé une grande partie de l'énergie d'une succession de premiers ministres fédéraux issus du Québec. C'est une tendance qui ne s'est pas démentie pendant la décennie qui a suivi le vote de 1995.

Au Canada, une série de rondes de négociations constitutionnelles se sont déroulées entre le début des années 1970, lorsque les premiers ministres s'étaient réunis à Victoria, et le référendum de 1995. Une seule de ces rondes a fini autrement qu'en queue de poisson. À la fin de 1981, le premier ministre libéral Pierre Elliott Trudeau a obtenu le consentement de tous les premiers ministres provinciaux, à l'exception notable du premier ministre du Québec René Lévesque, pour rapatrier au Canada la Constitution canadienne, dont le contrôle était jusqu'alors exercé au Royaume-Uni, et pour y ajouter une charte des droits et libertés.

Quatre conférences des premiers ministres sur les questions constitutionnelles intéressant les Autochtones entre 1983 et 1987 ont eu lieu dans la foulée du rapatriement. Les chefs politiques des

Premières Nations, des Métis et des Inuits ont été des participants à part entière à ces discussions, mais, selon la nouvelle formule d'amendement, il fallait le consentement d'au moins sept premiers ministres représentant 50 % de la population canadienne, en plus de l'accord du Parlement fédéral, pour que le droit à l'autonomie gouvernementale des Autochtones soit enchâssé dans la Constitution. Faute du consentement d'une seule province, une proposition conforme aux aspirations des chefs autochtones n'a pas pu être adoptée.

Pour protester contre le rapatriement de la Constitution sans le consentement du Québec, ses premiers ministres (péquistes et libéral) ont participé à titre de simples observateurs à ces conférences et se sont abstenus de voter sur les projets d'amendements qui ont résulté des discussions. Si le Québec avait participé pleinement aux conférences, l'amendement relatif aux Autochtones aurait été adopté. Cet épisode – le premier où les premiers ministres ont tenté de modifier la Constitution en vertu de la formule d'amendement – a mis les chefs politiques du Canada devant une nouvelle et dure réalité. Tant que le Québec resterait hors du circuit constitutionnel, la modernisation d'institutions comme le Sénat, la constitutionnalisation de l'union sociale de la fédération ou l'expansion des droits des Autochtones, tout cela serait impossible.

Les deux rondes constitutionnelles suivantes, qui ont eu lieu entre 1987 et 1992, ont abouti à la préparation de deux séries distinctes de projets d'amendements destinés à obtenir l'adhésion formelle du Québec à la Constitution de 1982 et à normaliser sa participation au processus de réforme.

Le premier accord – conclu à l'unanimité au lac Meech – proposait d'enchâsser dans la Constitution le statut de « société distincte » du Québec. À l'avenir, les provinces pourraient se retirer, avec pleine compensation, de tout programme fédéral lancé dans des champs qui relevaient de leur compétence constitutionnelle, comme l'éducation ou la santé, et le Québec obtiendrait davantage de contrôle de l'immigration sur son territoire. De plus, l'accord donnait aux provinces voix au chapitre des futures nominations au Sénat et garantissait que trois des neuf sièges de la Cour suprême continueraient d'être occupés par des juges du Québec – formés dans le système de droit civil de la province et proposés par son gouvernement. Enfin, il octroyait au Québec un droit de veto sur les modifications futures de la Constitution.

Le second accord – finalisé en août 1992 à Charlottetown et également conclu à l'unanimité par les premiers ministres – touchait à pratiquement tous les aspects de la vie constitutionnelle canadienne, du caractère distinct du Québec à la réforme du Sénat et aux droits des Autochtones.

L'échec ultérieur de ces deux accords a exacerbé les tensions entre le Québec et le reste du Canada, en plus de mettre en évidence un gouffre entre les élites politiques canadiennes et l'électorat.

Pendant les trois décennies de ce débat souvent répétitif, la possibilité de l'éclatement de la fédération a toujours été sur le radar. À partir de 1976, les leaders souverainistes ont participé directement aux négociations constitutionnelles ou les ont surveillées de près à partir des banquettes de l'opposition officielle à l'Assemblée nationale.

En 1980, à l'initiative du Parti québécois, la question de savoir si les Québécois souhaitaient ou non négocier la souveraineté-association avec la fédération canadienne leur a été posée, et leurs réponses ont été négatives dans une proportion de 60 %. À la faveur des soubresauts qui ont marqué les tentatives constitutionnelles ratées du début des années 1990, un fort contingent souverainiste – sous la bannière du Bloc québécois – a fait son entrée à la Chambre des communes.

En septembre 1995, en prévision du référendum qui allait avoir lieu le mois suivant, le Parti québécois présentait le projet de loi n° 1, intitulé *Loi sur l'avenir du Québec*. Il stipulait que si l'option souverainiste l'emportait au référendum, l'Assemblée nationale serait autorisée à déclarer l'indépendance de la province dans un délai d'un an. La possibilité que les Québécois optent pour la souveraineté n'a jamais été aussi réelle qu'aux dernières heures de la campagne référendaire de 1995. Une semaine avant le vote, alors que les sondages donnaient le Oui gagnant, la classe politique fédéraliste québécoise et canadienne a été forcée de regarder dans ce que ses ténors appelaient le «trou noir» d'une victoire souverainiste et de se préparer – dans un climat d'improvisation généralisée – aux lendemains d'une possible défaite des forces fédéralistes au Québec.

Voici quelques-unes de leurs histoires.

PARTIE 1

Le camp du Oui

CHAPITRE 1

Le tigre de papier : Lucien Bouchard

Rare est celui qui peut prétendre avoir changé, par sa présence, le cours de l'histoire. Le matin du 30 octobre 1995, Lucien Bouchard a cru qu'il était sur le point de le faire. « Le mot "historique" est très galvaudé en politique. Je ne l'employais jamais dans mes discours. Mais ce matin-là, je me suis dit : "Je vais probablement vivre une journée historique dans le vrai sens du mot. Le Québec va entrer de plain-pied dans l'histoire si le vote est ce que je pense qu'il va être." »

En ce lundi référendaire, les sondeurs du camp du Oui débordaient de confiance. Selon eux, la longueur d'avance dont jouissait le Oui depuis la mi-campagne tenait encore le coup. Selon toute vraisemblance, le camp du Oui avait rendez-vous avec l'histoire le soir même.

Les stratèges qui dirigeaient la campagne étaient du même avis. Bon nombre d'entre eux se souvenaient de la raclée que leur camp avait subie au référendum de 1980. Ils avaient perdu ce premier vote par une marge de vingt points de pourcentage. Quinze ans plus tard, le climat de la fin de cette seconde campagne leur laissait présager une issue différente.

En vingt-cinq ans, aucun parti souverainiste n'avait franchi la barre des 50 % dans un vote fédéral, provincial ou référendaire.

Les chefs du mouvement souverainiste québécois étaient convaincus qu'ils allaient, le jour même, enfin tourner la page sur les rendez-vous manqués du dernier quart de siècle. Pour la première fois, une majorité de Québécois allaient rallier leur camp.

Le chef du Bloc québécois n'avait préparé qu'un seul discours – de victoire – à livrer à ses partisans en fin de soirée. « Les gens pensent qu'on fait deux discours. Je n'en ai pas fait deux. J'ai fait le vrai discours », se rappelle-t-il à propos du discours écrit à la main qu'il n'a jamais prononcé.

Bouchard s'attendait à ce que la victoire référendaire pave la voie à la difficile négociation d'une nouvelle relation entre le Québec et la fédération canadienne. Le matin du référendum, bien sûr, cette bataille à venir le préoccupait, mais moins qu'une autre partie de bras de fer qui se jouait déjà sur un autre front.

Avant qu'un seul bulletin de vote ne tombe dans l'urne ou ne soit compté, une sourde lutte de pouvoir pour le contrôle de la suite des événements était engagée entre les partenaires de la coalition pour le Oui. La façade d'unité, imposée par les impératifs de la campagne référendaire, commençait déjà à se fissurer.

Bouchard – que de très nombreux Québécois s'attendaient à voir au centre de la patinoire après une victoire du Oui – sentait que Jacques Parizeau et son entourage voulaient plutôt l'écarter. « Eux autres étaient encore plus certains qu'on allait gagner. J'ai senti que les compromis qui avaient été faits pour nous faire de la place pendant la campagne étaient derrière eux. Maintenant, il fallait laisser la place au premier ministre. »

Lucien Bouchard craignait qu'après un Oui, son utilité comme joueur étoile du camp du Oui tire rapidement à sa fin. Il était déterminé à ne pas laisser son rôle passer d'indispensable à éventuellement remplaçable sitôt la campagne terminée.

Près de vingt ans plus tard, les équipes de Parizeau et de Bouchard ne s'entendent toujours pas sur ce qui s'est passé entre ceux-ci durant le jour du vote. Selon l'ancien chef du Bloc québécois, on lui aurait systématiquement battu froid. Parizeau ne le rappelait pas, et on ignorait les demandes d'information de ses émissaires.

« Jusqu'au début de la soirée, on n'a jamais réussi à parler à Parizeau pour savoir comment ça allait se passer. »

Mario Dumont, chef de l'Action démocratique du Québec (ADQ) et troisième partenaire du triumvirat du Oui, ainsi que Bob Dufour, organisateur politique de longue date de Bouchard, confirment tous deux la version de Bouchard. Mais l'ancien chef de cabinet de Parizeau, Jean Royer, affirme, par contre, qu'il a assuré personnellement la liaison avec Bouchard et son entourage toute la journée.

Cependant, personne ne conteste qu'entre l'ouverture des bureaux de vote le lundi matin et le moment où la défaite du Oui est devenue certaine tard ce soir-là, le chef de l'opposition officielle à Ottawa et le premier ministre du Québec ne se sont pas dit un mot – pas même pour coordonner une soirée dont tous deux croyaient qu'elle serait capitale pour le Québec, et certainement pas pour discuter de leur plan pour les heures critiques qui suivraient une victoire du Oui.

Dans la vie politique, les soirées où chaque mot prononcé pèse lourd sont rares. Pourtant, Parizeau et Bouchard n'ont pas pris la peine de comparer leurs notes avant le rassemblement du soir du référendum. Alors que le regard du monde entier allait être rivé sur eux et sur la province dont ils voulaient faire un pays, les deux hommes n'ont jamais discuté du sens qu'ils entendaient respectivement donner à un résultat historique, certes, mais néanmoins, selon toutes les probabilités, relativement serré. « Pendant la soirée, on n'a pas eu de contact. Aucun contact. Le premier ministre était *incommunicado*. M. Parizeau ne m'a jamais rencontré le jour du scrutin », raconte Bouchard. Durant la journée, Parizeau a enregistré un discours de victoire pour la télévision. « M. Parizeau avait enregistré son grand discours sans nous le dire », relate son allié bloquiste. Si les deux chefs avaient discuté de tout cela, peut-être auraient-ils constaté qu'ils n'étaient pas sur la même longueur d'onde.

Ce soir-là, Bouchard et Parizeau, chacun dans sa suite au Palais des congrès de Montréal, ont regardé les résultats du référendum à la télévision. Mais ce n'est que quelques minutes avant que Bouchard ne prononce un discours – improvisé – au sujet de la défaite qu'ils se sont finalement parlé – par téléphone cellulaire –, alors que le chef du Bloc se dirigeait vers la scène.

Bouchard dit qu'il a exposé au premier ministre la teneur de ses propos : il allait reconnaître la victoire du Non et tenter d'amorcer le processus de réconciliation.

La question de l'avenir politique du Québec avait déchiré les Québécois. Le Non obtenait 50,6 % des voix, et le Oui 49,4 %. Sur un total de près de cinq millions de votes, moins de 55 000 voix séparaient les gagnants des perdants.

Bouchard se souvient que Parizeau lui a dit que son propre discours serait très différent.

* * *

Personne, pas même Bouchard lui-même, ne se souvient de ce qu'il a dit ce soir-là. « Il n'y avait rien de génial, d'autant plus que je n'avais pas écrit de discours. Le souvenir que j'en ai, c'est que j'ai accepté le résultat. Le monde avait de la peine et le monde n'aimait pas mon discours. Je sentais ça. J'ai fini mon discours en disant : "Gardons l'espoir, car la prochaine fois sera la bonne." »

Même si Bouchard avait voulu faire un discours digne des livres d'histoire, il aurait perdu son temps. En imputant l'étroite défaite du Oui à l'« argent » et à des « votes ethniques », Parizeau – pour une rare fois pendant la saga référendaire – a volé la vedette à son partenaire du Bloc.

Au moment où le premier ministre amorçait son discours, Lucien Bouchard et Mario Dumont avaient déjà tiré leur révérence. Ne sachant pas trop ce que le premier ministre allait dire, mais le sentant très abattu, ils avaient convenu de quitter la scène et d'éviter une dernière démonstration de solidarité obligée.

Avec le recul, Bouchard et Dumont estiment tous deux avoir ce soir-là évité de se retrouver dans le pétrin. Leur absence leur a permis de se distancier plus facilement des propos controversés du premier ministre.

« Le souvenir que j'en ai, je suis assis devant la télévision, je vois M. Parizeau apparaître. Et là, ça part. On a tous senti le discours de M. Parizeau comme un suicide politique en direct. Évidemment, on ne voulait pas traîner là ou voir personne », dit Bouchard. Lui, sa femme, Audrey Best, ainsi que son entourage ont quitté le Palais des congrès par une porte arrière et le stationnement souterrain.

Dans la foulée du résultat crève-cœur du référendum, Bouchard se sentait épuisé. L'adrénaline qui l'avait soutenu durant toute la campagne s'était tarie. Le soir du référendum, cela faisait sept ans qu'il carburait à l'adrénaline : sur le plan politique comme sur le plan personnel, ces années-là avaient été les plus intenses de sa vie.

Entre le printemps de 1988 – époque où il avait quitté le poste d'ambassadeur du Canada en France pour se lancer en politique à l'invitation du premier ministre Brian Mulroney – et le soir du 30 octobre 1995, Bouchard avait mené campagne après campagne. Jusque-là, elles avaient toutes été victorieuses.

En juin 1988, quelques mois seulement après être entré dans l'arène politique, Bouchard était élu député progressiste-conservateur au cours d'une élection partielle dans son Lac-Saint-Jean natal. Des élections générales étant imminentes, sa mission principale consistait à redorer le blason du caucus québécois de Mulroney, alors terni sur le plan de l'éthique.

Quelques mois plus tard, Bouchard jouait un rôle déterminant dans une campagne fédérale dont l'enjeu principal était le libre-échange. Sans le Québec, Mulroney n'aurait pu remporter un second mandat majoritaire, et son projet de libre-échange avec les États-Unis aurait été mort-né. Bouchard a contribué largement à la victoire des progressistes-conservateurs en 1988.

Dix-huit mois plus tard, il claquait la porte de son gouvernement. À son entrée au cabinet fédéral, Bouchard avait déclaré qu'il avait été attiré dans l'arène par les efforts constitutionnels de

Mulroney et par l'accord de Meech, alors encore à l'étape de la ratification par les provinces.

Mais, au printemps de 1990, l'échéance prévue pour la ratification approchait, et le premier ministre se débattait encore pour satisfaire trois provinces réfractaires à certaines des dispositions de l'accord. Les efforts de Mulroney inquiétaient Bouchard. En mai, il quittait son équipe pour siéger comme député indépendant, afin de protester contre ce qui selon lui allait inévitablement mener à la dilution de l'entente, et plus particulièrement à la banalisation de la disposition portant sur le caractère distinct du Québec. Un peu plus d'un mois plus tard, l'accord de Meech devenait l'échec constitutionnel le plus polarisant de l'histoire moderne du Canada.

Quelques semaines plus tard, Bouchard recrutait Gilles Duceppe – négociateur syndical et fils d'un acteur aimé et respecté – pour qu'il se présente dans une circonscription de Montréal sous la bannière d'un nouveau parti qui allait devenir officiellement le Bloc québécois. Avec comme toile de fond l'échec de Meech, Duceppe allait remporter 70 % des voix dans Laurier-Sainte-Marie, circonscription traditionnellement libérale du centre-ville de Montréal.

Deux ans plus tard, Bouchard affrontait ses anciens collègues conservateurs à l'occasion du référendum pancanadien sur l'accord de Charlottetown. Ce projet de réforme constitutionnelle était censé remplacer celui de Meech. En octobre 1992, il était rejeté par une mince majorité de Canadiens, qui incluait une majorité un peu plus large de Québécois.

En 1993, Bouchard dirigeait la première campagne électorale de son nouveau Bloc québécois, qui allait remporter cinquante-quatre des soixante-quinze sièges du Québec et le titre d'opposition officielle à la Chambre des communes. Un an plus tard, il faisait campagne pour le Parti québécois et aidait Parizeau à ramener les souverainistes au pouvoir à Québec, après une décennie dans l'opposition.

Durant cette période intense sur le plan politique, Lucien Bouchard s'est remarié et est devenu père de deux enfants. Un an seulement avant la campagne référendaire, il était victime d'une infection à la bactérie mangeuse de chair, un épisode qui lui coûterait une jambe, mais qui l'élèverait au rang de sainteté politique au Québec.

Tard le soir du 30 octobre, au vu du résultat serré du référendum, la plupart des experts et beaucoup de politiciens prédisaient qu'un autre référendum suivrait rapidement et qu'il y avait de fortes chances que son résultat soit différent. Bouchard n'était pas de cet avis. « Je ne voyais pas un autre référendum si vite que cela. Je sentais qu'après un effort comme celui-là, il y avait une fatigue. Peut-être qu'il y aurait d'autres circonstances aussi favorables, mais il faudrait du temps avant qu'on puisse reconstituer ces conditions-là. Le soir du référendum, il manquait un pouce. Mais il n'en restait plus en réserve. On avait fait le plein. J'avais l'impression qu'on était allés au bout de nos forces. »

Il accusait personnellement une grande fatigue. « J'avais le sentiment décourageant d'avoir donné toutes ces années-là pour rien, d'avoir même donné une partie de ma santé pour rien. J'étais passé du sommet de l'espoir aux abysses du découragement. »

Lui et Audrey Best ont convenu qu'il en avait fini avec la politique. « On a décidé que je quittais la politique. Je finissais la session à Ottawa et puis bonjour. On revient à la pratique du droit à Montréal et fini la politique. J'avais rompu avec quasiment tout mon milieu naturel pendant mes années politiques. Je ne pouvais pas compter sur beaucoup de monde pour m'aider. Mais on n'avait pas un gros train de vie. On avait de petits enfants. On était habitués à se serrer la ceinture. »

Le passage à vide de Bouchard a été de courte durée. Moins de vingt-quatre heures plus tard, Jacques Parizeau démissionnait, et le chef du Bloc québécois se voyait offrir le poste de premier ministre. Mais pour autant, Bouchard n'a jamais eu l'occasion de voir s'il aurait pu franchir le pouce qui l'avait séparé de son objectif le soir du 30 octobre 1995.

* * *

On ne saura jamais combien de Québécois se sont résolus à voter Oui en 1995 parce que la présence en première ligne de Lucien Bouchard les rassurait. Beaucoup d'éléments anecdotiques et de données de sondage suggèrent que ce nombre était élevé.

Au cours de la deuxième moitié de la campagne, son apparition soudaine à l'avant-scène comme futur négociateur en chef d'un Québec en quête de souveraineté a renversé la tendance en faveur du camp du Oui. Jusque-là, les sondages indiquaient que l'option souverainiste stagnait à un peu plus de 40 %.

Toutes les personnes interrogées en vue de la rédaction du présent ouvrage estiment que le remplacement du premier ministre Jacques Parizeau par Lucien Bouchard à la direction de la campagne du Oui a complètement changé la donne. Personne n'avait vu venir ce changement, en grande partie parce qu'il allait à l'encontre de toutes les recettes électorales éprouvées.

Il n'y avait au Canada aucun précédent pour une greffe de mi-campagne de l'ampleur de celle que le camp du Oui a opérée durant le référendum, et il n'y avait aucune raison de croire que l'opération réussirait. Théoriquement, remplacer du jour au lendemain le chef d'une campagne aurait dû mener tout droit au désastre. Le geste aurait été interprété comme une mesure désespérée, et l'équipe prête à recourir à une solution aussi radicale aurait été vue comme une équipe d'amateurs politiques. Au contraire. La solution a été d'une telle efficacité qu'elle a fait dérailler le plan de match des stratèges fédéralistes à Ottawa comme sur le terrain au Québec.

Orateur formidable, doté en plus d'un incontestable charisme, Bouchard jouissait d'un lien unique avec l'électorat québécois. Beaucoup de non-Québécois avaient vu sa démission du cabinet de Brian Mulroney pendant les dernières semaines du débat de Meech comme une trahison. Au Québec, par contre, Bouchard était plutôt considéré comme un homme de principes, un héros moderne prêt à mettre sa carrière et sa santé en jeu pour une cause et pour son peuple.

Dans ce contexte, la stratégie qui consistait à le mettre au premier plan et à reléguer le premier ministre Parizeau – dont l'attrait s'exerçait surtout sur les souverainistes les plus ardents – à une sorte de circuit B en marge de la mire des médias était une idée gagnante.

En moins d'une semaine, la confiance en la victoire a changé de camp. Avec elle, l'élan – élément essentiel de tout succès électoral – est passé du côté du Oui.

Une semaine avant le référendum, les sondages indiquaient que l'option souverainiste était largement en avance dans les intentions de vote, et l'état-major fédéraliste cherchait toujours désespérément un antidote efficace à l'effet Bouchard. Dans certains sondages, l'appui au Oui atteignait 56 %.

Sa présence aux commandes avait convaincu un nombre critique d'électeurs craintifs de faire un acte de foi et de rallier le camp souverainiste. Pour beaucoup de Québécois, la présence de Bouchard sur la ligne de front constituait un filet de sécurité psychologique. Ils avaient confiance en ses intentions et en ses talents de négociateur.

Sur le plan stratégique, l'idée de le propulser au premier plan de la campagne était un éclair de génie. En substance, la manœuvre frisait la publicité trompeuse.

Ce que les électeurs ignoraient en se rendant en masse aux bureaux de vote, c'est qu'ils étaient sur le point de confier leur avenir politique à un tigre de papier. Bouchard avait peut-être l'air de dominer l'échiquier souverainiste, mais il n'était, en fin de compte, que le pion le plus important dans le grand jeu de Parizeau, un pion qui risquait fort, par la suite, d'être confiné à un coin de l'échiquier. Sa valeur stratégique était programmée pour décliner dès l'ouverture des bureaux de vote. Son titre de négociateur en chef était une étiquette improvisée à des fins électoralistes.

Ce titre ne reposait sur aucun contrat – moral ou autre – qui aurait été conclu entre Bouchard et Parizeau et son équipe.

« Il n'y a pas eu de discussion sur le mandat. C'est arrivé vite. Ça s'est fait dans des circonstances presque désespérées. Ça s'est passé en quelques heures, cette affaire-là. On m'a dit que j'étais négociateur en chef et on est allés chercher du vote avec ça. Comme négociateur, ils ne m'ont pas fait signer un contrat de cinq ans », raconte Bouchard à propos de son accession à la première ligne de la campagne du Oui.

Même loin des projecteurs, le premier ministre était et restait le seul maître à bord du camp du Oui.

*　*　*

Bouchard affirme qu'il n'était pas au fait des détails des préparatifs de Parizeau en prévision d'un Oui. Il ignorait que le premier ministre avait mis au point un plan pour prévenir, ou du moins amortir, l'impact du référendum sur les marchés financiers, et que des comités avaient été formés pour jeter les bases des négociations subséquentes avec le Canada.

« Il avait mis des équipes de négociation en place sans nous le dire. J'étais supposément le négociateur ! Toutes les affaires d'accumulation de liquidités pour amortir le choc, je n'étais au courant de rien de cela », dit Bouchard.

Il n'a pas participé non plus à toutes les discussions exploratoires que les émissaires de Parizeau ont menées avec des proches des politiciens fédéraux, comme le chef du Parti réformiste, Preston Manning, ni aux opérations lancées par le premier ministre québécois pour tâter le terrain auprès de diverses figures internationales.

« Je n'étais au courant d'absolument rien, dit Bouchard. J'étais dans l'autobus. Je faisais trois ou quatre discours par jour. On ne dormait pas et on y allait. On plongeait dans une piscine sans eau et je voyais que ça marchait. Le plan initial était que je me concentre sur la période des questions à Ottawa avec quelques déplacements ici et là. Des discours, des thèmes, je n'en avais pas. Je ne m'étais aucunement préparé à mener la campagne. »

L'intensité de la campagne en cours et la difficulté de trouver des plages pendant lesquelles Parizeau et Bouchard auraient pu élaborer davantage le rôle post-référendaire de ce dernier n'expliquent qu'en partie le peu d'efforts consentis pour mettre un peu de chair autour de l'os de son noble titre. Si le premier ministre du Québec et le chef du Bloc avaient discuté de leur vision de la suite des choses, des divergences qui auraient difficilement pu être aplanies dans le feu de la campagne auraient inévitablement refait surface. Il était évident depuis déjà un certain temps qu'ils n'étaient pas sur la même longueur d'onde stratégique, et certaines de ces divergences n'étaient toujours pas dissipées le jour du scrutin.

Au départ, Parizeau avait prévu de lancer le référendum avec une question plus « dure », qui n'aurait pas évoqué de future association avec le Canada. Ce que le premier ministre souhaitait, c'était un divorce pur et simple, si possible mais pas obligatoirement à l'amiable.

Si le Oui l'emportait, il était convaincu que le Canada n'appliquerait pas la politique de la terre brûlée. Le Canada ne pourrait pas empêcher un Québec souverain de continuer d'utiliser son dollar (même s'il pouvait refuser que son ancienne province ait voix au chapitre de la politique monétaire). Parizeau était également certain que le Canada n'imposerait pas de blocus à un Québec indépendant, puisque cela couperait le pays de ses provinces de l'Atlantique.

La fédération canadienne amputée du Québec serait dominée par l'Ontario, province voisine du Québec, et dont l'économie était alors davantage liée à celle du Québec qu'à celle de l'ouest du Canada. Les routes commerciales du Québec et de l'Ontario vers les États-Unis se croisent les unes les autres. En outre, Parizeau estimait qu'aucun gouvernement fédéral ne se risquerait à mettre en danger l'ALENA – l'accord de libre-échange entre le Canada, les États-Unis et le Mexique – un an seulement après son entrée en vigueur, en exigeant que le Québec en soit exclu. Si le gouvernement fédéral s'aventurait sur ce terrain, Parizeau croyait que les États-Unis feraient pression pour un règlement rapide de la situation afin de réduire au minimum les perturbations des échanges commerciaux. Il pensait être en mesure de défendre avec succès une clause de droits acquis permettant à un Québec souverain de faire partie de l'ALENA sans renégociation de celui-ci.

Lucien Bouchard, toutefois, ne concevait pas de divorce Canada-Québec qui ne soit assorti d'une entente de garde partagée, reposant sur des institutions communes. Le chef du Bloc québécois était persuadé que la qualité de la relation du Québec avec le Canada après un éventuel Oui pèserait lourd dans l'esprit des Québécois lorsqu'ils voteraient au référendum. Il croyait personnellement que la relation économique privilégiée dont jouissaient le Québec et le reste du Canada était mutuellement bénéfique et devait être protégée. Il était d'avis que des institutions politiques comme un Parlement de style Union européenne devraient être établies pour superviser cette relation.

À ce sujet, Bouchard avait forcé la main au premier ministre en réclamant – publiquement – en ajout à la question référendaire une offre de partenariat économique et politique avec le Canada. Pour que le camp du Oui soit plus rassembleur aux yeux des électeurs, il avait également attiré dans son giron Mario Dumont et le parti « nationaliste mou » qu'était l'ADQ. Il s'attendait à ce que Dumont soit un allié essentiel dans ses tractations avec Parizeau après un Oui.

Le bras de fer qui avait opposé Lucien Bouchard à Jacques Parizeau au sujet de la question référendaire durant le printemps précédant la campagne avait ébranlé l'unité du camp souverainiste. Parizeau avait dû fléchir, mais un Oui au référendum restait tout de même à ses yeux le feu vert qui lui permettrait de faire du Québec un pays souverain, avec ou sans partenariat avec le Canada. Bouchard, par contre, avait la conviction intime qu'il devrait y avoir et qu'il y aurait un second référendum pour confirmer l'appui des Québécois à un type différent de relation avec le Canada avant que le nouveau statut de la province ne se concrétise.

Il avait défendu la cause d'un référendum de ratification auprès de Parizeau peu avant le lancement de la campagne référendaire d'octobre. À cette réunion, chacun des chefs s'était fait accompagner d'un seul adjoint, et Mario Dumont n'avait pas été invité. « J'ai dit à M. Parizeau : "On va aller chercher un mandat de négociation, mais on va dire : 'Peuple du Québec, on va revenir devant vous pour rendre compte du résultat et vous pourrez juger, vous pourrez statuer. Si on fait ça, c'est sûr qu'on va gagner le premier vote. On n'a jamais rien gagné, commençons par en gagner une." »

À ce jour, Bouchard reste convaincu que cette proposition en deux étapes était la « démarche logique », celle du « bon sens » et une approche gagnante. Il croit que, dans ces conditions, il aurait remporté le référendum avec 55 % des voix ou plus. « Les Québécois auraient eu confiance qu'ils auraient encore un mot à dire ; que le peuple du Québec ne se mettait pas entre les mains de deux ou trois gars qui décideraient pour lui. »

Parizeau avait rejeté l'idée d'un second référendum. Il redoutait une répétition de l'épisode de 1980, où 60 % des Québécois avaient refusé au premier gouvernement péquiste de René Lévesque le mandat de négocier la souveraineté-association, en raison du caractère incertain d'une future association.

Plus fondamentalement encore, Parizeau était d'avis que les liens unissant un Québec souverain et le Canada devraient être réduits au minimum. Il se méfiait de tout arrangement qui aurait une trop forte odeur d'intégration. Il ne voulait pas se battre pour gagner un mandat de souveraineté qui aboutirait à un renouvellement du fédéralisme canadien. À ses yeux, le partenariat recherché par Bouchard pourrait facilement faire glisser le Québec sur la pente savonneuse d'un nouveau pacte fédératif plutôt que de mener à son indépendance.

Bouchard croyait le contraire. Et il s'attendait à ce que les autorités du Canada exigent un second vote.

« Je ne pouvais pas imaginer qu'ils disent : "Oui, on accepte votre souveraineté." Ils auraient demandé un autre référendum. Je sais que M. Parizeau n'aurait pas voulu cela. C'est clair qu'il aurait préféré une déclaration unilatérale d'indépendance. Il s'en était réservé le droit. Moi, je me disais que ça allait peut-être prendre un autre vote. Et que si on travaillait bien à la table de négociations, on pourrait aller chercher un autre mandat, encore plus fort.»

La relation entre les deux hommes était empreinte de suspicion. En cas de victoire, la confiance n'allait pas régner entre le négociateur en chef et le premier ministre, et ce dernier était déterminé à mener la barque.

Parizeau et Bouchard étaient tous deux conscients que leur alliance était un mariage de raison – qui durerait le temps de la campagne, mais pas nécessairement beaucoup plus longtemps, à moins qu'ils ne parviennent à réconcilier leurs points de vue sur la suite à donner à une victoire référendaire.

Au fil des mois et des années qui ont suivi la défaite référendaire de 1995, Bouchard en est venu à la conclusion que l'approbation par Parizeau de son rôle de négociateur en chef était strictement opportuniste. Il affirme qu'il a appris après coup seulement l'existence de certaines études sur les enjeux post-référendaires commandées par Parizeau. Il n'a pas été consulté sur la composition de l'équipe que le premier ministre avait commencé à former en vue des négociations qui auraient suivi un référendum gagnant. «C'était normal de faire un comité, sauf que moi, je me demande ce qui me serait arrivé si j'étais tombé de but en blanc là-dedans. Est-ce qu'on prévoyait un rôle pour moi ?»

En juin 1995, quelques mois seulement avant le début de la campagne référendaire, Parizeau s'était rendu à Ottawa pour assister à une réception privée à l'invitation des ambassadeurs du Canada dans les capitales de l'Union européenne. Quelques-uns d'entre eux lui avaient demandé ce qui arriverait si, après avoir répondu oui à sa question référendaire, les Québécois changeaient d'idée avant qu'il n'ait eu l'occasion de proclamer l'indépendance ou de la faire reconnaître par la communauté internationale.

Parizeau leur avait répondu qu'il serait trop tard pour renverser la vapeur. Pour illustrer son propos, il avait eu recours à une analogie. Les Québécois qui voteraient Oui au référendum seraient comme des homards qui nagent et entrent dans un casier : impossible d'en ressortir.

Le jour du référendum, l'esprit accaparé par la victoire attendue en soirée, Bouchard nageait déjà avec ardeur pour éviter de devenir la plus grosse prise de Parizeau.

* * *

Dans ses rêves les plus fous, Bouchard ne s'est jamais attendu à ce que son camp remporte le référendum avec une large majorité. « Il n'y a jamais personne qui a pensé qu'on gagnerait à 55 %, 60 %. N'importe quoi en haut de cinquante, c'était une immense victoire pour la souveraineté au Québec. Les souverainistes n'avaient jamais fait 50 % dans une élection. »

Malgré cette évaluation optimiste, il est loin d'être clair qu'il croyait qu'une victoire au référendum mènerait à un Québec indépendant. Bouchard était convaincu que, après un Oui obtenu avec une très faible majorité, le Canada finirait par accepter de négocier avec le Québec, mais pas nécessairement en vue de la sécession de la province. « C'est certain que 51 %, ce n'est pas comme 60 %, mais c'est un mandat et je me disais : "S'ils ne jouent pas bien ; s'ils refusent de parler ; s'ils sont méprisants, on retourne et on va chercher un mandat à 60 %." »

« Ils [la classe politique canadienne] le savent, ce sont des politiciens, des gens sages. Certains sont très respectueux de la démocratie. Ils auraient réfléchi et dit : "*Let's strike a deal.*" Qu'est-ce que ça aurait été ? Je ne le sais pas, mais certainement quelque chose de pas mal mieux que ce qu'on a actuellement. »

Bouchard est convaincu que si le Canada avait adopté une ligne dure et que ses leaders politiques avaient refusé de négocier avec le camp du Oui, Parizeau aurait rapidement et unilatéralement déclaré l'indépendance du Québec. Il fait remarquer que, en cas d'une impasse rapide avec le Canada, le premier ministre avait déjà annoncé clairement ses intentions aux Québécois. Le projet de loi nº 1 sur l'avenir du Québec prévoyait une échéance d'une année pour les négociations d'un traité de partenariat avec le reste du Canada et, en cas de négociations infructueuses, la proclamation unilatérale de la souveraineté.

« Moi-même, je n'aurais pas pu arrêter Parizeau. Personne n'aurait pu l'arrêter. Il aurait été justifié de le faire. Ce n'est pas vrai que, devant un refus systématique du gouvernement fédéral de prendre acte de cette décision référendaire et de négocier, la population aurait dit : "OK d'abord, on retourne chez nous travailler tranquille comme avant." Ça ne se serait pas passé comme ça. »

Dans l'esprit de Bouchard, et malgré le délai d'un an accordé par Parizeau pour la transition vers l'indépendance du Québec, un refus fédéral du résultat référendaire aurait donné lieu à une déclaration unilatérale d'indépendance immédiate, aussi rapidement que « dans les vingt-quatre heures, avance-t-il. À partir du moment où tu peux déclarer unilatéralement la souveraineté, parce qu'on les aurait invités à négocier et qu'ils n'auraient pas voulu, même les puissances étrangères en auraient pris acte ».

Par contre, si le Canada avait consenti à négocier, Bouchard, négociateur en chef au mandat fragile, n'exclut pas que ses pourparlers avec lui auraient pu déboucher sur quelque chose de moins que la souveraineté.

Deux décennies plus tard, il n'ira pas plus loin que d'affirmer qu'il y aurait eu un marché de conclu. « Je suis sûr que si on avait gagné ce référendum-là, on aurait changé la face des choses. Jusqu'à quel point ? Ce n'est pas évident, mais il y aurait eu des changements. Je ne sais pas trop ce que ça aurait pu être, mais ça aurait été un gain énorme par rapport au *statu quo*, et pas mal mieux que ce que M. Lévesque avait réussi en 1981, quand il a dû aller négocier à genoux, dit-il. Tu as beau envoyer les meilleurs négociateurs – et on en a envoyé de bons –, ils vont toujours se faire battre s'ils n'ont pas de mandat. »

Dans ses rêves, voici ce qu'il imaginait comme entrée en matière face aux représentants du Canada : « "Regardez, vous êtes en face d'un gars qui s'appelle Lucien Bouchard. Ce n'est pas un mauvais gars, mais ce n'est pas Einstein. Mais il est élu et surtout, ce n'est pas vraiment lui qui est là, c'est tout le peuple du Québec qui est derrière lui et qui, à 51 % mettons, lui a donné le mandat de vous dire ce que je vais vous dire." En négociation, c'est fondamental : sans mandat, tu ne vas rien faire. »

Bouchard savait quelle déclaration liminaire il ferait aux négociateurs du Canada, mais il ignorait qui ceux-ci seraient. « Personne du côté fédéral n'avait de mandat pour négocier la souveraineté du Québec. Ce qu'on aurait fait en premier aurait probablement été d'adresser une invitation aux institutions fédérales, aux provinces peut-être, de nous rencontrer assez rapidement. »

Dans l'un de ses scénarios, il imaginait Jean Chrétien assis en face de lui à la table des négociations, mais entouré d'une brochette de surveillants composée de politiciens fédéraux non québécois. « Je me disais que les autres Canadiens allaient vouloir l'entourer. » Dans un autre scénario, il avance l'hypothèse que les autres provinces seraient montées au créneau et auraient insisté pour participer aux discussions aux côtés des représentants fédéraux.

Il croit que l'Ontario, par exemple, aurait réclamé son siège aux négociations. Dans un monde idéal, il dit qu'il souhaitait la pleine participation des autres provinces, parce qu'il « [était] ami avec les autres premiers ministres, vraiment ami avec chacun d'entre eux ».

Il faut toutefois nuancer ce souvenir de Lucien Bouchard. L'effet du temps l'a quelque peu embelli. Pendant ses années de premier ministre du Québec, Bouchard s'est bel et bien lié d'amitié avec bon nombre de ses homologues provinciaux – notamment Mike Harris, de l'Ontario ; Gary Filmon, du Manitoba ; Roy Romanow, de la Saskatchewan ; et Brian Tobin, de Terre-Neuve. Ils parlent tous de lui et de l'époque où ils collaboraient à la table provinciale en bien. Mais ces amitiés ont fleuri après le référendum de 1995. Le lendemain du vote, Bouchard entretenait peu de liens personnels avec la plupart des hommes qu'il allait sous peu côtoyer comme premier ministre.

Dans les faits, il était l'ennemi public numéro un et la bête noire de la classe politique du Canada, premiers ministres provinciaux inclus.

On a dit, au cours des années qui ont suivi le référendum, que Bouchard était secrètement soulagé d'avoir perdu le vote de peu au lieu de l'avoir gagné par une très faible marge. C'est une hypothèse qu'il rejette catégoriquement. « C'est fou raide. Je n'ai jamais dit cela de ma vie. Gagner, c'est gagner. On aurait fait du chemin avec ces quinze mille votes de plus. Ce sont les quinze mille votes les plus lourds qu'il y ait jamais eu. Si on avait gagné le référendum, on était partis pour gagner quelque chose d'extraordinaire pour le Québec. »

Et que dire de Parizeau dans tout cela ? Bouchard savait très bien que, le lendemain d'une victoire référendaire, la balle serait dans le camp du premier ministre. Par définition, son partenaire de Québec aurait eu l'avantage sur lui. « C'est lui qui avait le pouvoir, c'est lui qui pouvait passer des lois à Québec. Il avait un gouvernement et de la légitimité. Il pouvait révoquer le mandat du négociateur en chef. »

Du même souffle cependant, Bouchard ajoute qu'il aurait pu être difficile pour Parizeau de se défaire d'un allié qui se trouvait être chef de l'opposition officielle à Ottawa (et, qui plus est, l'homme politique le plus populaire au Québec). Même s'il continue à affirmer qu'ils auraient tous deux « été condamnés à travailler ensemble », il ne s'avance pas à préciser aux conditions de qui cela serait arrivé.

En fait, dans les jours précédant le référendum, Bouchard avait commencé à se préparer en vue d'une inévitable épreuve de force contre Parizeau. Tandis que les Québécois se rendaient aux urnes, les deux principales figures du camp du Oui filaient déjà vers un affrontement. Les jeux de coulisse du jour du référendum n'étaient qu'un exercice d'échauffement.

CHAPITRE 2

Souverainiste d'occasion : Mario Dumont

Si les Québécois avaient voté Oui au référendum, ni Jacques Parizeau – l'indéfectible guerrier de la souveraineté – ni Lucien Bouchard – le charismatique futur négociateur en chef – n'aurait été le premier chef de la coalition gagnante à monter sur la scène pour évoquer les lendemains chantants de la victoire du Oui. Cette tâche aurait incombé à un chef dans la vingtaine dont le parti était encore si jeune qu'il en était le seul et unique député à l'Assemblée nationale.

Le jour du référendum, Mario Dumont venait à peine de célébrer le premier anniversaire de son arrivée à l'Assemblée nationale. L'Action démocratique du Québec existait depuis moins de deux ans. Le jeune Dumont était le seul des trois chefs de la coalition souverainiste que l'on aurait pu prendre pour l'incarnation d'une génération montante de Québécois progressistes et pro-souveraineté. En réalité, il était plus conservateur et plus porté – tout au moins à l'origine – sur le fédéralisme que la moyenne de ses contemporains. Dumont était surtout le prototype du nationaliste mou dont le soutien était essentiel au camp du Oui. C'était pour attirer cette frange importante de l'électorat que l'offre de partenariat d'un Québec souverain avec le Canada avait été greffée à la question référendaire.

Le soir d'un événement d'une importance aussi historique, le fait d'être le premier à monter sur scène revenait à occuper une position stratégique. En cas de victoire du Oui, Dumont, Bouchard et Parizeau allaient, chacun leur tour, donner le ton à la suite des événements sous le regard du monde entier. Dumont s'adresserait à une foule survoltée, largement composée de fervents souverainistes qui attendaient le « grand soir » depuis des décennies. Cette foule n'aurait pas besoin d'une « vedette américaine » pour la réchauffer. Mais l'objectif de Dumont était complètement différent : il avait l'intention de tenter de refroidir les esprits.

Le chef de l'ADQ était déterminé à utiliser ce qui risquait d'être, vu la modeste représentation de son parti à l'Assemblée nationale, son dernier quart d'heure sous les feux de la rampe jusqu'à nouvel ordre pour tempérer l'élan d'une victoire souverainiste. « S'il y avait eu un Oui, mon discours aurait été vraiment prudent. Mettons que c'était 50 % plus un, j'aurais parlé de victoire, mais en même temps, en laissant toutes les portes ouvertes dans la semaine qui suivait pour ralentir l'ardeur de Jacques Parizeau s'il était parti comme un mustang avec le résultat. »

Cette intention plaçait Dumont sur la voie d'une collision directe avec le premier ministre et l'état-major du Parti québécois. La stratégie de Parizeau pour le soir du référendum consistait à tout faire pour donner au résultat un caractère irréversible. C'était le fil conducteur de l'allocution que le premier ministre avait enregistrée pour la télévision plus tôt dans l'après-midi. Les mesures que son gouvernement entendait prendre immédiatement après le référendum allaient toutes dans le même sens.

Occupé à ces préparatifs, Parizeau n'avait pas consacré beaucoup de temps à s'assurer que son interprétation d'un Oui concordait avec celle de son allié adéquiste. Mais si Parizeau n'était pas nécessairement au fait de l'état d'esprit de Dumont, Bouchard, lui, devait l'être. Dumont, en tout cas, était convaincu d'avoir la bénédiction du chef du Bloc québécois pour appliquer les freins et prévenir un départ canon vers l'indépendance au cours des minutes qui suivraient la victoire référendaire souverainiste.

* * *

Dumont s'était joint à la coalition du Oui sur le tard, à la fin du printemps de 1995, en grande partie à l'invitation de Bouchard. Pour l'ADQ, l'attrait principal de l'opération était la proposition de partenariat Québec-Canada.

Sur papier, l'ADQ – avec son unique député à l'Assemblée nationale – n'avait pas l'air d'une grosse prise pour le camp du Oui. Le mouvement souverainiste ne manquait pas d'appuis au sein de la société civile du Québec. La plupart des chefs syndicaux, la majorité des activistes sociaux ainsi que de nombreux artistes et intellectuels comptaient parmi ses alliés.

Mais Dumont avait tout de même un rôle essentiel. La présence dans le camp du Oui d'un souverainiste réticent comme lui renforçait la crédibilité du projet de partenariat.

De plus, dans la dynamique interne du camp du Oui, l'arrivée de Dumont avait contribué à équilibrer le rapport de forces entre Parizeau, premier ministre à la tête d'un gouvernement majoritaire, et Bouchard, simple chef de l'opposition dans un Parlement fédéral foncièrement hostile à la cause souverainiste.

Dumont n'a jamais caché que ses motivations étaient fondamentalement différentes de celles de Parizeau et du PQ. «La différence entre moi et M. Parizeau, c'est que ce n'était pas si important que cela pour moi qu'il y ait un drapeau québécois aux Nations unies. Je pensais que, à ce moment-là, le meilleur choix pour le Québec était de voter Oui. Je pensais sincèrement que voter Non affaiblirait le Québec. Mais je n'avais pas consacré ma vie à la souveraineté, ni n'entendais le faire. Ce n'était pas mon but ultime.»

La simple présence de Dumont sur la scène du camp du Oui le soir du référendum était un exemple de l'alignement des astres qui avait permis au mouvement souverainiste d'avoir une seconde chance de rallier une majorité de Québécois à sa cause.

Après la défaite sans équivoque du camp souverainiste lors du référendum tenu par René Lévesque, en 1980, les Québécois semblaient avoir définitivement fermé la porte au projet d'indépendance. Peu de souverainistes, même dans les rangs des purs et durs du PQ, imaginaient que, quinze ans plus tard, le reste du Canada allait leur ouvrir une autre fenêtre pour réaliser leur rêve de transformer le Québec en pays.

Contrairement à beaucoup de ses contemporains francophones, Dumont avait toujours été foncièrement fédéraliste. À l'adolescence, il s'était joint au Parti libéral du Québec, au sein duquel il avait rapidement pris sa place. Beaucoup de libéraux – dont le premier ministre d'alors, Robert Bourassa, qui le considérait comme un fils spirituel – voyaient en lui un futur chef, voire un futur premier ministre du Québec.

Au moment de la crise constitutionnelle de Meech, en 1990, Dumont était président de l'aile jeunesse du PLQ et une de ses étoiles montantes. Pour lui, comme pour des milliers de Québécois, le naufrage de l'accord de Meech avait été un moment charnière.

Dès sa négociation en 1987, l'accord avait suscité l'approbation majoritaire des Québécois. Cet appui ne fléchira pas pendant les trois années qui vont s'écouler entre la négociation d'une entente de principe conclue à l'unanimité par les premiers ministres et l'échéance prévue pour sa ratification, au milieu de 1990. Les objections du PQ, qui maintient que l'accord ne va pas assez loin, n'empêchent pas une majorité importante de Québécois – plus de 60 % – de continuer à souscrire au projet défendu par le gouvernement de Robert Bourassa.

La situation est bien différente dans le reste du Canada. D'emblée, l'ancien premier ministre fédéral Pierre Elliott Trudeau monte aux barricades pour s'opposer au marché conclu au lac Meech. Selon lui, l'entente ne présage rien de bon pour la fédération. Elle ne peut que mener à l'émasculation du gouvernement fédéral. Trudeau en a contre la reconnaissance du caractère distinct du Québec. Mais il s'oppose également à la limitation du pouvoir de dépenser du gouvernement fédéral. Il accuse son successeur, Brian Mulroney, d'avoir cédé aux provinces des pouvoirs fédéraux essentiels.

L'opinion de Trudeau va à contresens de l'opinion publique québécoise. À tout prendre, sa prise de position consolide l'appui à l'accord au Québec. Ailleurs au Canada, par contre, la fissure pratiquée par l'ancien premier ministre libéral va s'élargir au fil des trois années du débat de Meech. D'un mois à l'autre, le soutien au projet diminue. Au fil du temps, l'indifférence bienveillante initiale d'une bonne partie de l'opinion publique canadienne cède la place à une antipathie ouverte. Le 23 juin 1990, échéance fixée pour la ratification de l'accord, les signatures du Manitoba et de Terre-Neuve manquent toujours à l'appel, et le projet de Meech meurt de sa belle mort.

Après l'échec de Meech, Dumont fait partie des libéraux qui pressent le premier ministre Bourassa d'adopter une position constitutionnelle plus agressive. Il devient un des critiques les plus acharnés du *statu quo* constitutionnel – et peut-être aussi le plus éloquent.

Mario Dumont participe à la rédaction d'un rapport fortement autonomiste émanant d'une commission du Parti libéral dirigée par le juriste Jean Allaire. Le « rapport Allaire » préconise la dévolution aux provinces de vingt-deux champs de compétence occupés en tout ou en partie par Ottawa.

Le gouvernement fédéral de l'avenir – tel que le décrit le rapport Allaire – exercerait une compétence exclusive dans cinq champs seulement : la défense, la douane, la monnaie, la péréquation et la gestion de la dette fédérale.

En mars 1991, le rapport Allaire devient la politique officielle du Parti libéral du Québec. Le même mois, une commission mise sur pied par Québec sous la coprésidence de Jean Campeau et Michel Bélanger – deux hommes aux antécédents solides dans le monde des affaires, mais aux penchants opposés en ce qui concerne la souveraineté – publie les conclusions de ses consultations sur les choix constitutionnels qui s'offrent au Québec. Tous les partis fédéraux et provinciaux comptant un ou des députés au Québec étaient représentés à cette commission. Elle recommande qu'en l'absence d'une offre constitutionnelle acceptable faite par le reste du Canada au Québec, le premier ministre Bourassa tienne un référendum sur la souveraineté au plus tard à l'automne de 1992.

Une loi qui reflète cette recommandation est préparée et adoptée par l'Assemblée nationale en juin 1991. Mais à l'approche de l'échéance établie pour un référendum quatorze mois plus tard, Bourassa tourne le dos aussi bien à la recommandation du rapport Allaire d'une dévolution massive des pouvoirs fédéraux au Québec qu'au projet d'un possible vote sur la souveraineté. Il choisit plutôt de présenter aux électeurs québécois une nouvelle proposition de réforme constitutionnelle.

Dans la foulée de l'échec de Meech, le ministre fédéral des Affaires intergouvernementales, Joe Clark, et les neuf autres premiers ministres avaient passé près d'une année et demie à forger une solution de rechange. C'est en bout de piste que le premier ministre du Québec se joint finalement aux négociations. Au moment où Robert Bourassa reprend sa place à la table constitutionnelle à l'été de 1992, les autres premiers ministres ont déjà conclu une entente de principe. Le premier ministre québécois signe l'accord à Charlottetown quelques semaines plus tard.

C'est le texte de cette entente qu'il entend soumettre à l'approbation des Québécois au cours d'un référendum prévu pour le 26 octobre suivant, en simultané avec un plébiscite fédéral sur le même sujet à l'échelle du reste du Canada.

Dumont et Allaire font campagne contre l'accord de Charlottetown à titre de dissidents libéraux. Ils estiment que celui-ci ne correspond pas aux attentes du Québec. Après son rejet, ils quittent le PLQ pour fonder l'ADQ. Mais un mois après avoir été choisi comme premier chef du nouveau parti, Allaire démissionne pour des raisons de santé.

C'est cette chaîne d'événements qui fait que Dumont, alors qu'il n'a pas encore vingt-cinq ans, participe en tant que chef de parti aux élections générales de 1994, et qu'il se réveille une petite année plus tard dans sa ville natale de Rivière-du-Loup, face à la probabilité que le Québec va franchir le soir même le premier pas vers l'indépendance.

C'est en regardant les émissions d'information américaines le matin du référendum et en voyant le Québec au centre de l'attention des médias internationaux que Dumont prend la pleine mesure de la journée qu'il est sur le point de vivre et de son propre rôle dans cet épisode.

« J'avais vingt-cinq ans. Tout au long de la campagne et de l'année qui avait précédé, je n'étais pas inconscient de la gravité ou de l'ampleur du processus qui était en marche. Mais en faisant le tour des grands réseaux, en voyant que c'était la première affaire dans le monde ce jour-là, je suis parti prendre ma douche avec les jambes molles, en me disant : "C'est gros, ce que je fais aujourd'hui." »

La destination de sa traversée politique mouvementée semble en vue, mais Dumont n'est pas certain des sentiments que cette proximité lui inspire. Ce matin-là, il est davantage préoccupé par le désir que le Québec ne coupe pas les ponts avec le Canada qu'animé par l'envie de s'aventurer dans l'inconnu d'un projet d'indépendance. Et il se réconforte en pensant qu'un autre chef du camp du Oui partage son ambivalence face à la perspective d'une rupture.

* * *

Du moment où il avait décidé que l'ADQ partagerait le chapiteau référendaire dressé par le Parti québécois et le Bloc québécois, Dumont avait décidé d'accorder son violon sur celui de Lucien Bouchard. En toutes circonstances, il s'assurait d'être sur la même longueur d'onde que son aîné bloquiste. « Moi, je me "backais" toujours avec Lucien. Parce que si j'avais fait une grosse connerie, je l'aurais traînée longtemps. Mais tant que j'avais Lucien derrière moi, je me disais que ça allait aller. Si j'étais aligné sur lui, je ne passerais pas pour un extraterrestre qui faisait une connerie. »

Les deux chefs avaient été en contact presque constant pendant la journée du référendum.

Après avoir pris l'avion à Montréal pour aller voter dans sa circonscription du Lac-Saint-Jean, Bouchard avait envoyé l'appareil chercher Dumont dans son comté de Rivière-du-Loup.

Ils étaient rentrés à Montréal ensemble pour passer la journée à préparer le rassemblement du soir avec leurs conseillers respectifs. Les deux hommes s'étaient rejoints au Palais des congrès au moment où les résultats finaux arrivaient.

Bien avant d'arriver sur les lieux de rassemblement du camp du Oui, Dumont était conscient que les communications étaient difficiles entre Lucien Bouchard et Jacques Parizeau. Durant la campagne, Dumont avait lui-même eu peu de contacts directs avec le premier ministre. Bouchard lui servait d'intermédiaire. Mais le jour du vote, la ligne entre ses deux alliés semblait coupée. « On appelait au bureau de Lucien pour aller aux nouvelles sur le scénario de la soirée et c'était juste des sacres qui se disaient au téléphone. Tout le monde sacrait. On ne pouvait plus parler à Parizeau. »

Avec le recul, Dumont décrit comme « le mystère de [sa] vie » la rupture des communications entre les chefs du camp du Oui au cours des heures précédant une victoire escomptée de l'option souverainiste.

C'était peut-être un « mystère », mais sûrement pas une surprise. Dans la foulée de la montée de l'option souverainiste dans les sondages, Bouchard et Dumont avaient discuté de la possibilité que Parizeau s'empresse de les exclure du processus décisionnel. Ils étaient résolus à le prendre de vitesse et à l'empêcher de leur fermer la porte au nez, même s'il fallait pour y arriver menacer de la défoncer.

Dumont raconte que Bouchard et lui ont passé la dernière semaine de la campagne référendaire à discuter des moyens qu'ils auraient peut-être eu à prendre pour empêcher un Parizeau victorieux de filer à toute vitesse vers l'indépendance. « Pour nous, c'était clair qu'on aurait un mandat de négocier. Oui, on allait vers la souveraineté. Mais on s'était parlé de la possibilité qu'on aurait à poser, après le référendum, des gestes plus musclés pour freiner les élans de Monsieur qui traiterait le résultat de façon trop enthousiaste.

«On avait des discussions sur le fait qu'on aurait à freiner le bonhomme; que ça pourrait devenir nécessaire. Par exemple, devant une déclaration unilatérale d'indépendance à 50,1%, ou encore si le fédéral disait: "Nous, on ne négocie pas" et que le Québec jetait tout par-dessus bord, abandonnait tout projet de négociation et cassait tout.»

Interrogé sur la nature de ces «gestes musclés», Dumont répond que Bouchard et lui étaient prêts à jouer dur pour retenir Parizeau, y compris en mettant des bâtons dans les roues de ses efforts pour obtenir la reconnaissance rapide d'un Québec souverain par les membres clés de la communauté internationale, par exemple la France.

«Mettons que deux des trois chefs qui ont demandé aux Québécois de voter Oui disent une semaine après le vote: "Le monsieur qui, comme premier ministre du Québec, est le premier gardien du résultat ne voit pas la suite des choses comme nous l'avions imaginée." Mettons que dans l'opinion internationale, tu apprends que deux des trois chefs n'interprètent pas le résultat de la même manière, c'est un méchant problème!»

Bien des souverainistes auraient vu un tel geste comme une trahison, mais Dumont avait la conviction qu'il ne faisait que rester fidèle à ses objectifs. «Advenant un Oui, je me voyais un rôle important de garde-fou, et encore plus avec Lucien Bouchard du même bord. J'ai lu ce que M. Parizeau a écrit là-dessus et il semble qu'une fois qu'il avait son Oui, Lucien et moi, on ne comptait plus parce que la loi était la loi. Mais la loi, c'est seulement une partie de la politique.»

«Les interprétations de Jacques Parizeau, *a posteriori*, suggèrent qu'il aurait ramassé le ballon et traversé le terrain jusqu'à la souveraineté. J'en doute. Un peuple ne peut pas devenir souverain sans s'en apercevoir. C'est vrai que le *boss*, le lendemain matin, était Jacques Parizeau. Mais le *boss* n'a pas toujours ce qu'il veut. Il doit composer avec des contraintes politiques.»

Parmi les chefs du camp du Oui, Dumont est le seul à être arrivé au rassemblement de la soirée référendaire avec en poche un discours de défaite. Il dit qu'il était beaucoup moins convaincu que ses deux partenaires que la victoire était acquise. Il pensait que le réflexe de prudence des Québécois risquait d'avoir pris le dessus durant la dernière semaine de la campagne, et que certains électeurs, conscients de l'avance souverainiste dans les intentions de vote, pouvaient être revenus à leur premier choix, celui de s'en tenir à l'option moins risquée du fédéralisme. «Le matin du référendum, il me semblait que l'hypothèse du Oui était très, très réelle. Mais dans mon for intérieur, je croyais que la probabilité était plus grande qu'il y ait un pas en arrière, un petit recul, et que le Non l'emporte.»

Alors que Bouchard et Parizeau n'avaient préparé qu'un seul texte – pour la victoire attendue et ses suites – et qu'ils ont fini par improviser leurs discours à leurs partisans – avec des conséquences désastreuses pour l'un d'eux –, leur partenaire de l'ADQ avait quatre versions de discours, modulées en fonction de la force ou de la faiblesse de la majorité pour une option ou pour l'autre. Mais elles s'articulaient toutes autour de l'idée qu'il a fini par exprimer ce soir-là, à savoir que «les fondations du Canada [avaient] craqué et [que] le temps [était] venu de rebâtir sur de nouvelles bases»

Dans tous les scénarios, la fin privilégiée par Dumont était différente de celle de Parizeau. Le chef de l'ADQ estimait qu'une victoire du Oui à l'arraché n'aurait pas été suffisante pour que le Québec réalise son indépendance. «C'est sûr que si on parle de règle de démocratie, il n'y en a pas d'autres que 50% plus un, mais la vie démocratique des peuples, c'est plus complexe qu'une règle démocratique», avance-t-il.

À son avis, une victoire souverainiste serrée aurait marqué la fin, non pas de la place du Québec dans le Canada, mais plutôt du long parcours de pèlerin de Parizeau. «Dans mon esprit, un Oui aurait fait péter le Canada. Mais il y aurait eu un grand sommet de sauvetage six mois plus tard; une nouvelle confédération à laquelle les Québécois se seraient ralliés. Parizeau n'aurait plus été dans le portrait. Il y aurait eu des élections anticipées et l'ADQ serait passée de un à dix sièges. »

S'il faut en croire ces propos, après une victoire du Oui, Dumont n'aurait pas été mécontent ou surpris de voir Lucien Bouchard – son mentor du référendum – amener, à titre de nouveau premier ministre, le Québec à prendre sa place dans un Canada «reconfédéré». Il n'est pas farfelu de croire qu'il aurait pu se joindre à un tel gouvernement.

CHAPITRE 3

Le maître du jeu : Jacques Parizeau

Parmi les protagonistes du référendum de 1995, Jacques Parizeau – le chef du camp du Oui – était de loin le moins curieux de savoir comment le premier ministre du Canada, Jean Chrétien, réagirait à une victoire souverainiste.

Le 30 octobre, au début de l'après-midi, le premier ministre du Québec enregistrait le discours – en français et en anglais – qui serait diffusé ce soir-là par les principaux réseaux de télévision du Canada et du Québec si, comme il le prévoyait, le Oui l'emportait. « C'était un texte très solennel, indiquant où on voulait aller ; qu'on était bien en contrôle et qu'on appelait au calme », résume-t-il.

Parizeau ne s'inquiétait pas outre mesure du fait que son premier discours à la nation ne tiendrait pas compte de la réaction du gouvernement fédéral à sa victoire référendaire. « J'avais l'impression que ce qui se passerait à Ottawa était hors de ma portée. Il y avait des affaires que je contrôlais et d'autres pas. »

Jacques Parizeau était parfaitement conscient de ce que Jean Chrétien pourrait refuser d'ouvrir des négociations en cas de faible victoire du Oui. « Je connaissais très bien l'état d'esprit de Chrétien, je ne me faisais pas d'illusions là-dessus, mais ce qu'on ne savait pas, c'était jusqu'où les provinces voudraient aller. »

Au total, il s'attendait à une résistance vigoureuse du fédéral à sa victoire, plus particulièrement en ce qui concernait le partenariat économique et politique qui tenait tant à cœur à ses partenaires de coalition, Lucien Bouchard et Mario Dumont.

Parizeau croyait non seulement que Jean Chrétien rejetterait l'idée du partenariat, mais aussi que Preston Manning – selon des discussions privées que l'équipe du premier ministre québécois avait eues avec le Parti réformiste – était disposé à négocier les modalités d'une sécession, mais peu enclin à parler, au-delà du strict minimum, d'association avec un Québec souverain.

Parizeau avait été forcé d'accepter la proposition d'un partenariat par son allié bloquiste. L'idée que le concept allait frapper un mur à Ottawa était loin de l'indisposer. Au référendum de 1980, le camp du Oui avait sollicité un simple mandat pour négocier la souveraineté-association, l'idée étant que les Québécois seraient plus enclins à adhérer à une approche «étapiste» qu'à appuyer une rupture abrupte avec le Canada. En rétrospective, Parizeau était convaincu que la stratégie avait eu l'effet inverse. «On avait tellement bien vendu l'association aux Québécois que quand des politiciens du Canada anglais ont dit: "Pas de négociations, allez au diable", plein de gens ont conclu que la souveraineté n'était pas possible.»

Il était déterminé à ne pas retomber dans le même piège. «Je voulais faire en sorte qu'à tous égards, on ne soit pas dépendants du partenariat. On ne lie pas le sort de la souveraineté à la réalisation d'un partenariat politique.»

Le printemps précédent, quand Lucien Bouchard lui avait forcé la main sur la question, Parizeau avait cédé pour éviter l'implosion du camp souverainiste. Mais ce n'était qu'un repli stratégique. Convaincu que la négociation du partenariat ambitieux recherché par ses alliés du Bloc québécois et de l'ADQ avait peu de chances d'aboutir, il s'était assuré que, dans n'importe quel scénario, il n'aurait pas besoin d'une entente de coopération avec le Canada pour mener le Québec à l'indépendance.

Pendant tout l'été de 1995, il avait laissé les autres développer les éléments du projet de partenariat, acceptant comme il le dit aujourd'hui « à peu près n'importe quoi », pourvu qu'une échéance soit fixée pour sa négociation.

* * *

Le projet de loi n° 1 de 1995, intitulé *Loi sur l'avenir du Québec*, établit une à une les étapes que l'Assemblée nationale devait franchir à la suite d'un Oui référendaire. Il trace les grandes lignes du partenariat qu'un Québec indépendant chercherait à maintenir avec la fédération canadienne. Mais il ne rend pas l'accession à la souveraineté du Québec tributaire de la réussite de ces négociations. L'article 26 affirme que les négociations relatives à la conclusion du partenariat ne devaient pas dépasser le 30 octobre 1996, à moins que l'Assemblée nationale en décide autrement, et que la souveraineté pourrait être proclamée plus tôt s'il était constaté que les négociations étaient dans une impasse. En ce qui concernait le partenariat, cet article était le seul qui importait à Parizeau. « Je ne veux pas être méchant, mais ça [le partenariat] m'était à peu près égal. On peut espérer tout ce qu'on voudra. On me disait : "Soyez ouvert ; acceptez un partenariat, une association" et je leur disais : "Messieurs, vous aurez tout ce que vous désirez." Je voulais juste avoir l'article 26. »

Pour rassurer ses alliés, Parizeau avait accepté de laisser un comité de sages surveiller l'évolution des négociations sur le partenariat. « Le comité devait s'assurer que les gens qui allaient négocier étaient de bonne foi. Mais moi, je suis à peu près le plus suspect de tous les négociateurs possibles parce que je n'y crois pas. »

À tout prendre, ce comité indépendant était une arme à double tranchant pour les tenants du partenariat. Dans le cas où le Canada refuserait de le négocier ou tarderait à participer aux négociations, Parizeau comptait sur le groupe de sages pour valider sa décision de larguer le projet de partenariat et d'opter pour une déclaration unilatérale d'indépendance. « Si, à un moment donné, je trouvais que tout cela n'allait nulle part, je pouvais me tourner vers mon comité de surveillance», explique-t-il.

Du point de vue du premier ministre, plus vite il deviendrait évident aux partenaires de sa coalition que les négociations de partenariat étaient vouées à l'échec, mieux ce serait. «Je savais où je voulais aller et à quel rythme je voulais y aller, selon le degré d'opposition à Ottawa et dans les autres provinces.»

Aux yeux de Parizeau, le scénario le plus souhaitable était celui d'un divorce rapide, comme celui vécu par la Tchécoslovaquie en 1992. «Les Slovaques disent: "On veut s'en aller" et les Tchèques répondent: "Bon débarras. Assoyons-nous à une table et on partage les affaires." Cela s'est fait en un an.»

Le 30 octobre 1995, personne n'était mieux préparé à une victoire du Oui que Jacques Parizeau. Si les souverainistes avaient remporté le référendum, les scénarios de lendemain de veille de Jean Chrétien, Paul Martin, Roy Romanow, Mike Harris, et même Lucien Bouchard et Mario Dumont auraient fait beaucoup de place à l'improvisation. Parizeau, lui, avait consacré la majeure partie de sa vie adulte à se préparer pour le grand soir. Dans sa bibliothèque, un rayon de trois mètres de longueur était consacré à des études sur tous les enjeux possibles et imaginables de la sécession du Québec. C'était la cause qui justifiait son action politique. D'ailleurs, en cas de défaite référendaire, il n'entendait pas s'éterniser au pouvoir. Dans son esprit, une défaite mettrait fin à sa carrière. Il s'était assuré que sa décision de rentrer dans ses terres après un Non serait irréversible.

Plus tôt dans la journée du référendum, Parizeau avait accordé au journaliste de TVA Stéphan Bureau une entrevue sous embargo dans laquelle il évoquait deux scénarios: celui d'une victoire et celui d'une défaite. Plusieurs heures avant le dépouillement du scrutin, il avait confié au journaliste qu'il quitterait la politique s'il perdait le référendum. «Après tous ces efforts, après toutes ces années, si ça ne passait pas, je n'allais pas recommencer. Les plaisirs de diriger une province, j'avais connu ça en masse.»

Parizeau a toujours maintenu qu'il avait l'intention de démissionner dans l'éventualité d'une défaite du Oui, et l'entrevue enregistrée à TVA des heures avant le verdict référendaire va dans le sens de cette affirmation. Mais il est également vrai que, au moment de l'entrevue avec Bureau, Parizeau – comme ses conseillers – avait bon espoir de l'emporter ce soir-là. À l'origine, l'embargo sur l'entrevue devait être levé une semaine plus tard. Le premier ministre s'attendait à ce que bon nombre de pièces de son *puzzle* souverainiste soient déjà en place au moment de sa diffusion.

Quelques heures après l'annonce du résultat, des fonctionnaires du ministère des Finances du Québec se seraient rendus dans les capitales financières du monde pour rassurer les marchés sur la bonne santé fiscale de la province. « Les billets d'avion étaient achetés », se souvient Parizeau. Une réserve de dix-sept milliards de dollars avait été constituée pour permettre au Québec d'intervenir sur les marchés afin d'amortir le choc initial du vote Oui sur les obligations de la province.

Le premier ministre était déterminé à éviter la répétition du scénario qui avait marqué l'arrivée au pouvoir d'un premier gouvernement péquiste en 1976. Le Québec avait alors vu les portes des marchés financiers nord-américains se fermer. À titre de ministre des Finances, il avait dû trouver d'autres prêteurs pour financer le gouvernement souverainiste. Il voulait s'assurer que cette situation ne se reproduirait pas le lendemain du référendum. « Il était important de garder les marchés ouverts, d'éviter des paniques financières, des fuites de capitaux parce que, dans le public, ça fait un tort immense. »

Il avait dressé une liste de personnalités identifiées au camp fédéraliste, lesquelles avaient accepté de prendre acte publiquement du mandat souverainiste et de demander la tenue d'un sommet sur les prochains défis du Québec. La liste devait être publiée dans les quotidiens de la province le lendemain du vote. En outre, le maire de Montréal, Pierre Bourque, devait faire une déclaration dans le même sens.

L'Assemblée nationale aurait été convoquée dans les quarante-huit heures pour adopter une motion confirmant officiellement sa volonté de donner suite au résultat du référendum. Parizeau dirigeait un gouvernement majoritaire. Même sans l'appui de l'opposition libérale, la motion aurait été adoptée. Mais le premier ministre avait également bon espoir de voir certains députés libéraux se désolidariser de leur parti pour soutenir le gouvernement – et il comptait, bien entendu, sur le vote de Mario Dumont.

Parizeau s'attendait également à ce que, simultanément, le chef du Parti réformiste, Preston Manning, se lève à la Chambre des communes afin de réclamer la démission du gouvernement Chrétien et le déclenchement d'élections fédérales pour donner au prochain gouvernement canadien le mandat de négocier la séparation du Québec. En France, les alliés du PQ au sein du gouvernement du président Jacques Chirac et de la classe politique étaient prêts à manifester leur soutien à la motion déclaratoire de l'Assemblée nationale du Québec.

Sur ce dernier front, le premier ministre Parizeau était convaincu d'avoir damé le pion au gouvernement canadien. En cas de victoire, il dit qu'il était certain que la France ne laisserait pas tomber le mouvement souverainiste.

La France jouait un rôle crucial dans le plan de match de Parizeau. « Pour nous, la France, c'était majeur. C'est parce que je savais, depuis le début, que les négociations avec le Canada n'avaient pas grandes chances d'aboutir que je soignais à ce point la communauté internationale. »

Si Parizeau, comme il s'y attendait, devait déclarer unilatéralement l'indépendance du Québec, et le faire relativement tôt, il était, en effet, essentiel que son geste soit rapidement ponctué par la reconnaissance de certains membres de la communauté internationale, et il avait besoin que Paris – siège d'un État membre du G7 – ouvre la marche.

Et, dans tout cela, quel aurait été le rôle de Lucien Bouchard – le soi-disant négociateur en chef de Parizeau ? Selon ce qu'affirme aujourd'hui l'ancien premier ministre, la formation de l'équipe de négociation qu'allait diriger le chef du Bloc québécois aurait été l'un des premiers points à l'ordre du jour du cabinet dans la foulée d'un Oui, ne serait-ce que pour s'assurer que ses propres hommes seraient en place pour tenir à l'œil son allié fédéral.

Si Bouchard avait attendu à côté du téléphone qu'on le consulte sur la composition de son équipe de négociation, il aurait (encore !) perdu son temps. Le premier ministre Parizeau avait déjà son idée là-dessus. « Ça aurait été essentiellement des gens qui avaient toute ma confiance chez les hauts fonctionnaires et parmi les gens de mon entourage immédiat. Je voyais très bien quels fonctionnaires et quels membres de mon entourage feraient l'affaire. »

Contrairement à Lucien Bouchard ou à Mario Dumont, Jacques Parizeau ne s'inquiétait pas de la minceur éventuelle de son mandat. Il ne concevait pas qu'un résultat serré puisse être utilisé pour lui refuser la victoire. « Il n'y avait pas de discussion du 50 % plus un à l'époque. C'est venu plus tard. En 1980, ça avait été la règle et on tenait cela pour acquis en 1995 », rappelle-t-il.

Les préoccupations de Parizeau au sujet de la réaction du Canada étaient d'un tout autre ordre. Il s'inquiétait de ce qu'il appelle « la part d'irrationnel », par exemple le déploiement de l'armée au Québec pour affirmer l'autorité du Canada sur la province. « L'armée peut bien défiler sur la rue Sainte-Catherine en disant : "Votre vote n'est pas bon." Mais c'est ridicule comme situation. Il faut être sérieux et réfléchir à ce qu'on ferait une fois que l'armée serait entrée ! »

Il pensait également que l'opposition de certaines Premières Nations à la souveraineté du Québec pourrait poser problème. Le nord du Québec, riche en ressources hydrauliques, lui semblait à l'abri d'une tentative de partition. Les Cris et les Inuits avaient signé la Convention de la Baie-James et du Nord québécois en 1975. Il croyait que ceux-ci pourraient difficilement revendiquer le droit de demeurer dans la fédération canadienne. Mais Parizeau savait qu'ils allaient vigoureusement défendre ce point de vue. Et la situation aurait été encore plus problématique dans les parties méridionales du Québec, où vivent les Innus et les Mohawks, qui n'avaient pas signé de tels traités. « Il me passait par la tête de temps en temps une idée abominable, celle de laisser le fédéral s'arranger avec la gestion de ces territoires. Mon entourage me suppliait de ne jamais en parler... » se souvient-il.

Ce que Jacques Parizeau craignait le plus, c'était de voir son projet d'indépendance dilué à la table de négociations du partenariat Canada-Québec. « L'enlisement, le marécage, des tables de négociations qui apparaissent, des mois qui passent sans qu'il ne se passe rien. Proposition. Contre-proposition. Les gens se posent des questions. Pour moi, c'était le cauchemar. »

Paradoxalement, le scénario qu'appréhendait le plus le premier ministre Parizeau, son « cauchemar », comme il l'appelle encore aujourd'hui, ressemblait beaucoup au scénario de la renégociation en profondeur de la relation Québec-Canada à laquelle aspiraient Lucien Bouchard et Mario Dumont.

*　*　*

Il ne sert à rien de conjecturer sur la manière dont se serait jouée la lutte de pouvoir qui couvait dans le camp du Oui au lendemain d'une victoire. Deux décennies plus tard, le débat quant à savoir quelle interprétation du résultat aurait fini par prévaloir relève de la pure spéculation.

Mais le fait que le sens à donner à un Oui était sujet à des interprétations si divergentes au sein même du groupe qui défendait l'option souverainiste est à la fois troublant et significatif. Ces divergences se seraient vraisemblablement estompées devant un vote Oui très majoritaire. Mais aucun des trois chefs ne s'attendait à obtenir mieux qu'une mince victoire. Dans le scénario le plus optimiste de Parizeau et de Bouchard, le Oui l'emportait par 52 % ; quant à Dumont, il estimait que si le Oui était victorieux, la marge serait encore plus modeste.

Aussi difficile qu'il ait pu être pour ces trois hommes de concilier leurs divergences dans le feu de la campagne, cela leur aurait été infiniment plus ardu dans la tourmente qui aurait accompagné une victoire souverainiste au référendum.

* * *

Au minimum, le climat de suspicion qui régnait entre les trois chefs du camp du Oui était de mauvais augure pour la suite des choses. Si les Québécois qui ont opté pour le Oui avaient été au fait des fissures qui s'élargissaient dans le mur de la coalition souverainiste au moment où ils se rendaient aux urnes, on peut se demander s'ils auraient tous voté de la même façon.

Dumont et Bouchard étaient convaincus que Parizeau tentait de les marginaliser. Et ils n'avaient pas complètement tort. Jusqu'au virage vers le partenariat imposé par Lucien Bouchard quelques mois avant le vote, Parizeau avait toujours prévu de superviser lui-même les pourparlers qui résulteraient d'une victoire référendaire, avec l'aide d'une équipe de fonctionnaires et de conseillers triés sur le volet. « La dernière chose qu'il souhaitait avoir à la table, c'était un politique. Il se disait : "Si moi je mets un politique à la table, les fédéraux seront dans l'obligation de faire la même chose" », explique son ancien bras droit, Jean Royer.

Parizeau avait en tête une négociation d'affaires, menée par des technocrates habitués à travailler dans un milieu dénué de passion politique. Les pourparlers porteraient exclusivement sur des éléments essentiels, comme le partage de la dette, le traitement des immobilisations fédérales au Québec, les moyens de garantir la libre circulation des biens et des personnes entre les provinces de l'Atlantique, l'Ontario et l'ouest du Canada. Les deux équipes de négociateurs remettraient ensuite à leurs maîtres politiques respectifs un document à saveur bureaucratique à signer.

Parizeau ne sous-estimait pas les vives émotions que susciterait dans le reste du Canada un Oui québécois. S'il souhaitait réduire au strict minimum l'association Québec-Canada, c'est en partie parce qu'il s'attendait à ce qu'il soit difficile de faire davantage dans le climat tendu qui régnerait tout de suite après le référendum.

« Une grande différence entre M. Bouchard et M. Parizeau, c'est que M. Bouchard se disait : "Il faut que nous soyons prêts à aller au maximum dans notre offre d'association avec le reste du Canada dans le but de les rassurer." M. Parizeau disait : "Il faut qu'on ait une offre d'association la plus minimaliste possible parce qu'ils vont être dans un tel état d'esprit que chercher à s'entendre sur certaines affaires ne sera pas possible. Entendons-nous sur un minimum de choses et si, plus tard, des gens veulent élargir le degré d'association, ils le feront" », relate Royer.

L'apport de Lucien Bouchard à la stratégie référendaire de Jacques Parizeau lui avait été imposé. Le chef du Bloc québécois avait lancé publiquement l'ajout d'une offre de partenariat entre un Québec souverain et le Canada à la question référendaire dans un discours prononcé dans le cadre d'un congrès de son parti fédéral. Parizeau, assis dans la première rangée de la salle, ne savait pas que cette proposition allait être mise sur la table. Elle était à prendre ou à laisser. Le premier ministre devait ou bien céder à la demande de son allié bloquiste, ou bien risquer qu'éclate dans son propre camp une guerre interne qui aurait pu anéantir autant son projet de tenir un référendum que tout espoir de le remporter.

Après une victoire du Oui, Parizeau était déterminé à placer ses propres hommes autour de Bouchard ; il comptait sur le comité indépendant de surveillance des négociations pour confirmer plus tôt que tard son sentiment de ce que la voie du partenariat menait à un cul-de-sac. Et même si plus de la moitié des mots de la question alambiquée du référendum portaient sur l'association Canada-Québec, la concrétisation de la promesse d'offre de partenariat après le vote était loin d'être une priorité pour Parizeau.

Ancien ministre fédéral, Bouchard connaissait mieux les réseaux politiques du Canada que quiconque de ses partenaires de l'Assemblée nationale – y compris Parizeau. Avant de fonder le Bloc, il avait travaillé avec une brochette de hauts fonctionnaires fédéraux. Et dans sa vie précédente d'ambassadeur du Canada à Paris, il avait eu ses entrées dans le monde diplomatique canadien et international. Au moment du référendum, cela faisait déjà deux ans que les cinquante-quatre députés du Bloc québécois participaient à des comités parlementaires qui traitaient d'à peu près tous les aspects de la vie fédérale, dont la politique internationale et la politique fiscale.

Pourtant, ceux qui avaient reçu de Parizeau le mandat de préparer le terrain pour de futures négociations sur l'indépendance et le partenariat n'ont pas fait appel à l'expertise des députés bloquistes ni demandé conseil à Bouchard. Et pour cause !

Des études que Jacques Parizeau leur avait commandées sur la transition de province canadienne à État souverain concluaient que le chemin de la négociation d'un partenariat mènerait à une forte intégration du Canada et du Québec. À la lumière de cette constatation, le premier ministre avait rejeté l'analyse de ses fonctionnaires et leur avait ordonné de retourner à la case départ.

Jacques Parizeau mesurait-il vraiment l'ampleur de l'écart qui le séparait de ses partenaires du camp du Oui le jour du référendum ? C'est difficile à dire. Mais il est clair qu'il n'aurait pas partagé la direction des opérations post-référendaires et que cela aurait commencé par le choix de l'équipe de négociation qu'aurait nommément dirigée Lucien Bouchard. « C'est le genre de prérogative qu'on se garde et je ne l'aurais pas partagée. »

Le lendemain d'un Oui, le premier ministre n'aurait pas manqué d'appuis au sein de son gouvernement pour tenir tête à Bouchard. Aux plus hauts échelons du cabinet, on s'attendait, en gros, à ce que le chef du Bloc soit obligé de suivre la cadence de Parizeau.

Bernard Landry était le vice-premier ministre de Jacques Parizeau. Ils avaient tous deux fait partie du gouvernement de René Lévesque au milieu des années 1970 et étaient montés au front référendaire à ses côtés en 1980. Landry avait aussi traité avec Bouchard avant et après la création du Bloc québécois. Le printemps précédent, il s'était rallié à la position du chef du Bloc dans le débat portant sur l'ajout du partenariat Québec-Canada à la question référendaire.

Landry reconnaît volontiers que le chef du PQ et son partenaire du Bloc ne s'aimaient guère. « Le moins qu'on puisse dire, c'est qu'il n'y avait pas de sympathie particulière entre les deux.

Parizeau trouvait Lucien Bouchard un peu trop associationniste à son goût», relève Landry.

Mais il y avait également des facteurs plus humains à la clé des tensions entre les deux hommes. «Tout ce qui peut faire ombrage à un chef a tendance à le rendre méfiant», souligne Landry. Parizeau reconnaît d'ailleurs qu'avoir dû accepter à la mi-campagne que Bouchard prenne les choses en main à sa place avait été «dur pour [son] *ego*».

Landry fait remarquer que ce n'est pas sans raison ou seulement parce que Bouchard l'avait emporté sur la question du partenariat que Parizeau voyait en lui une menace possible à son autorité. «Lucien avait à l'époque une grande crédibilité au sein du Parti québécois. C'était saint Lucien. C'est ce qui l'a conduit à diriger le parti peu de temps après le référendum.»

Malgré tout, Landry n'attribue la rupture des communications entre les deux hommes le jour du référendum à rien d'autre qu'un malaise passager, imputable à la grande nervosité suscitée par la campagne. «Si on avait gagné, ça aurait tout changé. On aurait été en liesse. En liesse, on ne se chicane pas pour des détails.»

Dans l'esprit de Landry, il ne fait aucun doute qu'après un Oui, Parizeau aurait eu les deux mains sur le volant. Il décrit le rôle post-référendaire de Bouchard comme un «rôle accessoire très important».

«Parizeau aurait été triomphant. Ça aurait voulu dire que le combat de sa vie était gagné. C'était plus le combat de sa vie que de celle de Lucien, qui avait fait beaucoup d'autres choses avant.

«Le chef du gouvernement du Québec, c'était Parizeau. C'est lui qui pouvait négocier au nom de la nation québécoise. Lucien est un démocrate. Il aurait accepté ça. Lucien n'était pas agressif. Il était simplement un peu rugueux.»

Du point de vue de Landry, le mandat découlant d'une victoire du Oui – même obtenu de justesse – ne se prêtait à aucune interprétation autre qu'un feu vert pour la souveraineté. «Le Québec aurait eu le mandat de sa population d'aller vers l'indépendance. On n'aurait accepté rien de moins. Rien de moins, ça aurait voulu dire qu'on n'était pas aux Nations unies, par exemple ? Étant donné l'ampleur du changement, je ne pense pas que les tensions internes auraient posé de problèmes particuliers. »

Landry croit qu'il ne faut pas accorder d'importance au fait que Bouchard possédait peu ou pas d'informations sur les mesures prises par Parizeau pour l'après-victoire – y compris la décision de mettre sur les tablettes l'esquisse d'un partenariat Québec-Canada qui aurait entraîné une forte intégration entre les deux États. Selon l'ancien vice-premier ministre, jusqu'à ce que le vote ait lieu, le premier ministre et le chef du Bloc avaient tout simplement des choses plus pressantes à régler.

Pour ce qui était de Dumont, il était le moindre des soucis de Landry. « À l'époque, Mario n'avait pas l'ampleur d'un grand homme d'État. Il ne faut pas se compter d'histoires. Il fonde un parti qui est encore marginal. Ce n'était pas et ce n'est pas encore un intellectuel de ces choses-là. Il n'a jamais discuté ça en profondeur. De ce point de vue, je crois que nous n'aurions pas eu de problèmes avec lui. »

L'optimisme de Landry quant à l'unité et à la cohésion du camp du Oui d'un front uni dans les jours et les semaines suivant la victoire et son point de vue sur le rapport de forces entre les trois leaders tranchent avec le récit que font Dumont et Bouchard.

Le témoignage de Dumont ne laisse pas vraiment de doute sur le fait que Bouchard participait activement à la discussion de gestes susceptibles – si la situation en était arrivée là – de ralentir l'élan post-référendaire de Parizeau. Le témoignage de Dumont indique qu'il n'aurait pas envisagé de tenir tête seul à Parizeau.

Il est plausible que les années écoulées depuis le référendum aient exacerbé les divergences entre Dumont, Bouchard et Parizeau. Après la défaite, ils sont partis chacun de son côté. Le premier ministre Parizeau a démissionné le lendemain. S'il ne l'avait pas fait, la teneur controversée de son discours du soir du référendum aurait pu l'y forcer. Mais l'entrevue enregistrée à l'avance par TVA démontre que sa décision de partir – en cas de défaite – était bel et bien programmée.

Comme il l'avait prévu dès les débuts du Bloc et confirmé à Audrey Best le soir du référendum, Bouchard ne s'est pas attardé sur la colline du Parlement. Il a rapidement pris la direction du PQ et du gouvernement du Québec. Pendant les années qui ont suivi, sa relation avec Parizeau a continué de se détériorer à mesure qu'il est devenu évident que le nouveau premier ministre n'allait pas réunir les «conditions gagnantes» d'un référendum victorieux.

Peu de temps après le vote de 1995, Dumont a demandé un moratoire de dix ans sur la question de la souveraineté. Bouchard, Landry et Parizeau ont écarté cette suggestion du revers de la main, et Dumont s'est distancié de ses anciens partenaires. Lui et Bouchard ont croisé le fer pendant la campagne électorale de 1998 au Québec.

Ni Dumont ni Bouchard ne croient aujourd'hui que la souveraineté se réalisera dans un avenir prévisible, ce qui est loin de fendre le cœur de l'ancien chef de l'ADQ. (Ils nous l'ont dit avant les élections du 7 avril 2014.)

En 2007, Dumont a mené son parti à la deuxième place et au rang d'opposition officielle à l'Assemblée nationale avec quarante et un sièges. Mais aux élections suivantes, dix-huit mois plus tard, l'ADQ a été repoussée au troisième rang, et il a démissionné. Aujourd'hui, Dumont est animateur à la télévision.

En 2012, l'ADQ et la Coalition avenir Québec ont fusionné. François Legault, ancien ministre péquiste, a pris les rênes de la CAQ. Malgré les antécédents souverainistes de son chef, il ne faudrait pas compter automatiquement sur la présence du parti dans le camp du Oui dans un éventuel référendum.

Pour ce qui est de Bouchard, depuis qu'il a quitté la direction du Québec il y a une décennie, il a régulièrement affirmé que la province avait des problèmes plus pressants à régler que son avenir constitutionnel.

Parizeau, quant à lui, est resté fidèle à ses convictions souverainistes, s'éloignant néanmoins peu à peu du Parti québécois. Aucun de ses successeurs – dont Bernard Landry, qui a occupé le poste pendant deux ans, entre 2001 et 2003 – ne s'est engagé dans la quête de la souveraineté avec la même ténacité que Parizeau. Mais aucun d'entre eux n'a hérité d'une crise Québec-Canada propre à déchaîner les passions au Québec comme l'ont fait les guerres constitutionnelles de la fin des années 1980 et du début des années 1990.

PARTIE 2

Le camp du Non

CHAPITRE 4

La bonne à tout faire : Lucienne Robillard

Lucien Bouchard, Mario Dumont et Jacques Parizeau n'étaient pas les seuls personnages politiques à ne pas avoir le cœur à la fête après l'annonce du résultat du référendum. Au Métropolis, le camp du Non a accueilli sa victoire à l'arraché dans le désordre et, curieusement, en l'absence de Lucienne Robillard, la députée libérale fédérale qui jouait le rôle d'intermédiaire entre les forces du Non au Québec et le gouvernement de Jean Chrétien. Les alliances tissées entre les partenaires du camp fédéraliste dans le feu du combat contre la souveraineté s'effilochaient aussi rapidement que les liens qui avaient précairement uni la direction tricéphale du camp du Oui. Le fait que la mince victoire fédéraliste avait un arrière-goût de défaite n'avait rien pour arranger les choses.

Les équipes du triumvirat du Oui avaient passé la soirée au même endroit, mais leurs chefs s'étaient à peine adressé la parole. Quelques rues plus loin, au Métropolis, les problèmes de communication étaient aggravés par les quelque deux cents kilomètres qui séparaient physiquement le premier ministre Chrétien des principaux acteurs du camp du Non réunis à Montréal pour commenter, à chaud, le résultat de la soirée.

Jean Chrétien avait suivi à la télévision le dépouillement du scrutin à sa résidence officielle du 24, promenade Sussex. Il était prévu qu'il commente le résultat en direct plus tard dans la soirée à partir d'un studio de télévision d'Ottawa. Le sort a fait que le premier ministre est apparu à l'écran alors que son rival conservateur, Jean Charest, avait à peine entamé son discours devant les partisans fédéralistes rassemblés au Métropolis. Quand les réseaux ont interrompu sa diffusion pour passer au discours de Chrétien, des conservateurs y ont vu un coup fourré libéral.

À ce jour, des fidèles de Charest croient qu'il s'agissait d'un coup monté, concocté par la garde rapprochée de Chrétien pour priver le chef conservateur de l'occasion de rappeler au pays – à une heure de grande écoute et de grand émoi – le rôle de premier plan qu'il avait joué dans les tranchées fédéralistes du référendum. Ils demeurent convaincus que les stratèges libéraux s'inquiétaient de voir Charest marquer des points en contrastant sa performance efficace avec celle de Chrétien, lequel venait d'éviter seulement de justesse d'encaisser – comme premier ministre fédéral – un vote susceptible de mettre fin à l'appartenance de sa province au Canada.

Les anciens membres de l'entourage de Chrétien ont toujours maintenu que l'incident était le fruit du hasard. Selon eux, c'est par coïncidence que Chrétien est entré en ondes avant que Charest ait eu le temps de terminer son discours. Si c'est le cas, le hasard qui a fait que Jean Chrétien est entré en ondes à ce moment précis de la soirée a bien fait les choses pour le premier ministre fédéral, et cela, plutôt deux fois qu'une.

Dans la confusion qui régnait au Métropolis, peu de gens ont remarqué l'absence de Lucienne Robillard. L'allocution télévisée du premier ministre a occulté son absence du groupe des personnalités du camp du Non réunies, une dernière fois, sur la scène montréalaise.

Robillard était la ministre déléguée par Chrétien auprès de l'équipe québécoise qui pilotait le camp du Non. C'est le rôle qu'il avait lui-même joué sous Pierre Trudeau au référendum de 1980. Seule ministre du cabinet Chrétien à avoir déjà siégé sur les banquettes ministérielles de l'Assemblée nationale, Robillard se distinguait de ses collègues d'Ottawa d'une autre façon. Parmi les ténors du gouvernement fédéral, elle était considérée comme celle qui serait la plus susceptible d'accepter un Oui, ou encore d'interpréter une victoire fédéraliste aussi courte que celle remportée ce soir-là comme un appel à un changement en profondeur de la relation Canada-Québec.

À sa sortie d'une réunion du cabinet quelques semaines avant le référendum, des journalistes lui avaient demandé comment son gouvernement réagirait à une victoire, même serrée, du Oui. Elle se souvient de sa réponse : « J'ai répondu que peu importe le résultat, nous allions respecter la volonté des Québécois. »

Cette conviction, exprimée publiquement, avait de quoi faire de Robillard une bombe à retardement pour son propre gouvernement dans le cas d'une victoire souverainiste. Le soir du référendum, les fédéralistes québécois avaient le pouvoir, avec quelques paroles en appui au verdict, de consolider un mince mandat en faveur de la souveraineté. En indiquant qu'ils étaient disposés à prendre acte de la victoire du Oui et à se rallier au verdict, ils auraient considérablement réduit la marge de manœuvre dont aurait disposé Jean Chrétien pour en appeler du résultat. Et si la propre émissaire référendaire du premier ministre fédéral le prenait de vitesse et légitimait la victoire souverainiste, la situation serait devenue carrément intenable pour les libéraux d'Ottawa. Les événements ont fait en sorte que la question du positionnement de Robillard sur le résultat du référendum ne s'est pas posée. Elle ne s'est jamais rendue au Métropolis.

Le chef du Parti libéral du Québec, Daniel Johnson, tout comme Jean Charest, était sur place pour suivre le dépouillement du scrutin. Mais Lucienne Robillard, elle, a passé la soirée avec ses adjoints et ses gardes du corps dans une suite de l'hôtel Sheraton, au centre-ville de Montréal. « C'est seulement plus tard dans la soirée que j'apprends que messieurs Charest et Johnson se sont rendus au Métropolis dès le début du dépouillement des résultats », se souvient-elle.

Il y a vingt ans, les ministres fédéraux ne recevaient pas aussi systématiquement des notes de discours avec l'ordre de les réciter comme des perroquets. Le régime imposé aujourd'hui aux ministres, qui sont obligés de reproduire textuellement la position du gouvernement sans déroger d'une virgule au copié-collé qu'on leur donne à lire, n'avait pas encore été complètement instauré. Il était prévu que Robillard prononcerait une allocution au nom du gouvernement fédéral plus tard ce soir-là au Métropolis, mais elle n'avait pas reçu de commande précise du bureau du premier ministre quant à la teneur de son intervention.

Le résultat du vote était trop incertain pour remettre à la ministre un texte définitif. Il lui en aurait fallu deux versions, une pour commenter une victoire fédéraliste et l'autre – nettement plus problématique – pour discourir sur une défaite du camp du Non. Il est plus que probable que Chrétien ne voulait pas dire à Robillard ce qu'il avait l'intention de faire si le Oui l'emportait avant d'y être forcé par les événements. Leur relation n'avait jamais été basée sur la transparence totale. La ministre l'avait découvert à ses dépens en cours de campagne alors que des décisions sur la stratégie référendaire fédérale avaient été prises à son insu.

.Quelques semaines auparavant, ses déclarations aux médias au sujet du respect par Ottawa du résultat du référendum avaient suscité tout un brouhaha au bureau du premier ministre.

Robillard en avait déduit que sa position ne s'accordait pas avec celle de son patron. « J'ai été convoquée au bureau de M. Chrétien. Il me dit : "Tu as fait une déclaration. Peut-on s'en parler ?" C'est là que j'ai compris, sans qu'on me le dise, que ça voulait dire que si le Oui gagnait par 52 %, 53 %, on ne l'accepterait pas. Mais entre moi et M. Chrétien, il a seulement été question de ce que j'ai dit, des mots que j'avais utilisés et de ce que j'avais voulu dire. Le reste n'a jamais été clairement dit ou mis sur la table. »

Le soir du référendum, les instructions données à la ministre référendaire de Jean Chrétien se résumaient à attendre de recevoir le feu vert d'Ottawa avant de se rendre au Métropolis pour prendre la parole. « On m'a dit [et répété] : "Peu importe les résultats, tu ne parles pas publiquement avant que M. Chrétien sorte. Le patron va parler et tu parleras après." »

Ce jour-là, la ministre n'était pas accompagnée par son garde du corps habituel. Pour la campagne référendaire, la GRC avait pris sa sécurité en main. Quand Mme Robillard a finalement reçu l'autorisation d'Ottawa de se rendre au Métropolis, les agents chargés de l'accompagner ce soir-là l'ont informée qu'il y avait trop de pagaille dans les rues de Montréal pour assurer sa sécurité. « Il semble qu'il y avait seulement une porte par laquelle ils pouvaient me faire entrer et que dans les rues, il y aurait eu trop de grabuge. C'est ce qu'ils me disent. Les discours commencent à la télévision. C'est là que je m'aperçois que Johnson et Charest sont là et moi pas. J'étais en furie. »

Robillard aurait sans doute été encore plus en colère si elle avait su que Radio-Canada rapportait, à peu près à la même heure, que le centre-ville de Montréal était relativement calme et certainement beaucoup plus qu'après une partie éliminatoire de hockey. Lorsqu'on lui a demandé si elle avait eu l'impression qu'on la séquestrait (en douceur) ce soir-là, Robillard a répondu qu'à l'époque, l'idée ne lui était jamais passée par la tête. Néanmoins, le récit qu'elle en fait vingt ans plus tard peut facilement mener à cette conclusion.

* * *

Si Lucienne Robillard s'était rendue au Métropolis et avait livré le fond de sa pensée le soir du 30 octobre 1995, il est probable que ses propos se seraient davantage apparentés à ceux que Mario Dumont avait tenus plus tôt dans la soirée au ralliement du Oui qu'au circonspect discours à la nation de son premier ministre.

Dumont avait rejoint le camp du Oui parce qu'il estimait que c'était la seule voie pour arriver à une réforme constitutionnelle à la hauteur des aspirations du Québec. Robillard avait fait le choix opposé et s'était jointe au gouvernement de Jean Chrétien avec un objectif analogue.

Dans son discours ce soir-là, Dumont avait réclamé des changements en profondeur aux rouages de la fédération. Robillard interprétait le résultat du référendum à peu près de la même façon que le chef adéquiste. « Je suis allée à Ottawa en toute naïveté. J'avais encore l'illusion qu'on pourrait apporter des changements à partir du fédéral. Je l'ai eue, cette illusion, jusqu'au moment où j'ai réalisé, après le référendum, qu'il n'y aurait pas de changements.

« J'étais dans un gouvernement majoritaire, mais pour réaliser ce genre de changements-là au Canada, il faut plus que ça. De toute façon, M. Chrétien n'avait aucun appétit pour avancer dans ce domaine. Et il aurait fallu que les provinces soient partantes, elles aussi. »

Au soir du référendum, Robillard n'avait pas encore eu beaucoup de temps pour prendre acte de la dynamique politique canadienne. Elle avait remporté un siège fédéral pour la première fois au cours d'une élection partielle tenue en février de la même année. Au moment du vote, elle n'avait pas encore célébré son premier anniversaire en politique fédérale.

Robillard avait fait ses classes politiques dans l'arène de l'Assemblée nationale. Elle avait été une ministre de premier plan du gouvernement libéral du Québec – titulaire de grands portefeuilles comme ceux de la Santé et de l'Éducation – jusqu'à ce qu'elle perde son siège aux élections générales qui avaient reporté le PQ au pouvoir en 1994.

La politique coule dans les veines de certains politiciens. Leur passion frise la dépendance et leur carrière politique devient une vocation qui dure toute leur vie. Robillard n'était pas prédisposée à faire de la politique à perpétuité. Elle reconnaît qu'elle n'a jamais été une grande oratrice, du calibre de Lucien Bouchard ou de Jean Charest. De son propre aveu, « parler à des salles » n'était pas un de ses talents.

« Quand j'ai perdu mon siège en 1994, ce n'était pas une catastrophe personnelle. J'avais fait de la politique pendant cinq ans et, dans ma carrière, j'ai toujours changé d'emploi aux cinq ans. D'avoir perdu, ce n'était pas grave. J'allais me réorienter ailleurs.

Les offres avaient commencé à rentrer, mais j'avais décidé de me donner six mois de réflexion. Avant de recevoir un appel d'Ottawa, je n'avais jamais pensé à faire de la politique fédérale. Si j'ai dit oui, c'est vraiment parce que le référendum s'en venait. Pour moi, c'était une question fondamentale et je ne me voyais pas dire non. »

La loi québécoise sur les consultations populaires stipule que c'est le chef de l'opposition à l'Assemblée nationale qui préside le comité du Non. Le premier ministre fédéral n'a aucun rôle officiel dans ce processus, mais il peut toujours déléguer un émissaire à ce comité. Chrétien avait recruté Robillard au conseil de Daniel Johnson, parce qu'il avait besoin d'une ministre qui connaissait les façons de faire des libéraux provinciaux et qui pourrait faire le pont entre lui et le chef du PLQ. Aucun de ses députés fédéraux du Québec ne répondait à ces critères. Celui qui se rapprochait le plus du profil recherché, le ministre André Ouellet, avait été l'entremetteur politique de Pierre Trudeau au Québec, un rôle qui lui avait valu davantage de détracteurs que d'admirateurs. De plus, Ouellet, à titre de ministre des Affaires étrangères, passait beaucoup trop de temps à l'extérieur du pays pour assurer le suivi de la campagne référendaire québécoise.

Marcel Massé, le ministre des Affaires intergouvernementales de Chrétien, était un fonctionnaire de carrière qui avait occupé le sommet de la pyramide de la fonction publique fédérale à titre de greffier du Conseil privé sous le gouvernement conservateur précédent. Son point fort, c'était les politiques, et non pas la politique ; ce qui ne le prédisposait pas pour le rôle d'émissaire fédéral au comité du Non. Quant à Paul Martin, l'autre ministre influent du Québec, la lutte au déficit fédéral monopolisait son attention. En outre, lui et Chrétien avaient eu d'importantes divergences sur le dossier Canada-Québec dans le passé, notamment au sujet de l'accord du lac Meech. Chrétien s'était rallié au point de vue des détracteurs de l'accord qui y voyaient un projet susceptible de fragmenter davantage le Canada, tandis que Martin croyait, au contraire, qu'il rétablirait l'harmonie entre le Québec et le reste du Canada.

Au total, le Québec francophone était faiblement représenté au sein du caucus de Jean Chrétien. Ensemble, le Bloc et le PQ dominaient le terrain où le camp du Oui s'attendait à faire le plein de votes référendaires.

Pire encore dans les circonstances, la relation entre les libéraux québécois d'Ottawa et ceux de l'Assemblée nationale – déjà loin d'être chaleureuse la plupart du temps – était au plus bas. Les libéraux provinciaux et fédéraux, ou tout au moins ceux du clan Chrétien, s'étaient battus dans des camps opposés pendant le débat de Meech. Et la relation personnelle entre Jean Chrétien et Daniel Johnson n'était pas particulièrement cordiale.

On espérait que la présence de Robillard contribuerait à adoucir le climat entre les fédéralistes à Ottawa et au Québec, et à assainir la relation entre leurs deux chefs. Avec le recul, il appert que cette dernière mission était impossible. Robillard se rappelle un souper que Chrétien et Johnson avaient partagé à sa demande : elle espérait un rapprochement de leurs stratégies référendaires. Aussi bien vouloir animer des chiens de faïence. « Il n'y avait aucune chimie entre ces deux-là. J'avais un bloc de glace à ma gauche et à ma droite. Je suis sortie de là aussi fatiguée que si j'avais lavé un plancher ! » raconte-t-elle.

Lucienne Robillard se souvient de son expérience référendaire comme d'une traversée du désert. Ses racines étant ancrées dans la terre de l'Assemblée nationale, sa transplantation dans le champ fédéral a été pénible. « Les libéraux fédéraux n'étaient pas ma famille. Quand j'ai atterri là, j'ai eu un choc culturel. Quand je me suis assise à la Chambre des communes et que j'ai entendu les discours du Parti réformiste, de Preston Manning, ça a été un choc. Comme Québécoise, j'avais très peu suivi le Parti réformiste. À écouter cela, je me demandais si j'étais encore au Canada.

« Mes collègues libéraux fédéraux n'étaient pas particulièrement amicaux. J'ai été parachutée dans Westmount – Ville-Marie. C'était un geste important pour le premier ministre que de déplacer un député en poste pour me faire une place. Mes collègues me regardaient en se disant : "C'est qui ça, cette petite Québécoise francophone qui arrive et à qui M. Chrétien fait une telle place ?"

« Je ne connaissais pas non plus le non-dit fédéral. Tout ce fonctionnement de l'appareil gouvernemental fédéral, je ne le connaissais pas. J'étais dans un contexte nouveau avec des interlocuteurs nouveaux, avec lesquels je n'avais pas de liens personnels ou d'équipe. André Ouellet, je ne le connaissais pas. Marcel Massé non plus. Ils avaient toutes sortes de réputations. Et eux non plus ne me connaissaient pas. Si c'était à refaire, dans un contexte où je ne connaîtrais pas la machine fédérale, sa façon de fonctionner et les individus qui en font partie, je n'irais pas. »

Au terme de la campagne référendaire, Robillard n'était dans le secret des dieux ni au comité du Non ni à Ottawa. Les conseillers de Johnson, convaincus qu'elle n'avait pas vraiment l'oreille de Chrétien, préféraient faire affaire directement avec les conseillers du premier ministre. Et elle n'était guère mieux branchée sur son propre gouvernement. Certains stratèges d'Ottawa trouvaient qu'elle passait trop de temps à leur présenter le point de vue de Johnson et pas assez à pousser le chef libéral provincial dans la voie privilégiée par le gouvernement fédéral. « C'est la partie de ma vie politique que j'ai trouvée la plus difficile. J'étais en sandwich entre Québec et Ottawa, et mon équipe [le gouvernement Chrétien] a fait des choses dont je n'étais pas au courant. J'étais sur la route au moins la moitié du temps et plein de choses se passaient dans les officines d'Ottawa dont je n'avais pas connaissance. J'étais à faire des discours ici et là. Je n'avais pas d'yeux ou d'oreilles en haut lieu. »

Devant les sondages qui donnaient une avance substantielle au Oui pendant la dernière semaine de la campagne, Lucienne Robillard, comme Daniel Johnson d'ailleurs, avait insisté pour que Chrétien lance un signal fort de changement. Pour autant, elle n'a eu aucun apport direct dans le discours solennel que le premier ministre du Canada a prononcé à l'aréna de Verdun vers la fin de la campagne. Et l'ouverture qu'il a manifestée pour la reconnaissance du caractère distinct du Québec ne l'a pas impressionnée. Au total, Robillard estimait que Chrétien promettait trop peu trop tard.

Tout juste avant le discours, l'un des principaux conseillers du premier ministre avait annoncé à Robillard que le propos de Jean Chrétien la réjouirait. « Il m'a dit : "On va promettre la société distincte." J'ai répondu : "Bon, pis ? *So what* ? Quoi d'autre ?" C'était la trouvaille du siècle ! J'étais un peu désespérée. »

Elle était absente lorsque certains de ses collègues ministres du reste du Canada ont lancé l'idée de la vaste manifestation de la fin de la campagne qu'on allait par la suite qualifier de *love-in* fédéraliste. Déployé le vendredi précédant le vote, le grand rassemblement, au centre-ville de Montréal, de milliers de Canadiens provenant des quatre coins du pays – dont beaucoup s'étaient déplacés sur le bras du gouvernement fédéral ou de grandes entreprises, en violation des limites imposées par la loi référendaire québécoise – se voulait une manifestation de l'attachement du reste du Canada pour le Québec. « Ils n'ont pas eu ma bénédiction pour faire la manifestation de Montréal. Jamais de la vie. Je me suis opposée à cela. Et d'autres collègues du Québec aussi. Parce que c'était très risqué et qu'on s'était engagés à respecter la loi concernant les dépenses référendaires au Québec. J'étais pas mal furieuse de cela. »

Le matin du 30 octobre, Robillard s'est préparée à une possible victoire des souverainistes. Mais ceux qui redoutaient qu'elle répète sa déclaration selon laquelle le gouvernement fédéral allait respecter la volonté des Québécois quoi qu'il arrive n'avaient pas à s'inquiéter.

Encore une fois à l'instar de Mario Dumont, Lucienne Robillard ne croyait foncièrement pas qu'une majorité simple était suffisante pour enclencher la sécession du Québec. « J'ai toujours pensé que des souverainistes intelligents comme Lucien Bouchard ne feraient jamais la souveraineté à 50 % plus un. Tout le monde sait que c'est la recette d'une crise. Je crois que des souverainistes comme M. Bouchard ont toujours pensé que c'était peut-être faisable à 53 %, 54 %, mais pas à 50 % et des poussières. »

Elle n'avait pas non plus l'intention de démissionner en cas de vote serré en faveur du Oui. « Beaucoup de postes importants à Ottawa étaient occupés par des Québécois. Moi, je n'ai jamais pensé que ce ne serait pas cette équipe-là qui ferait face à la situation. Par contre, qu'est-ce qu'on aurait fait, en vertu de quels scénarios ? Je n'en sais rien. À l'époque, je n'ai entendu aucun plan de match. J'ai été en contact hebdomadaire avec les hauts fonctionnaires du Conseil privé. Ensuite, il y avait le comité de stratégie avec les gens du PLQ. Je n'ai jamais entendu parler de ce qu'on aurait fait si on avait un Oui ou encore de quelle serait notre position sur ce genre de résultat. Le lendemain d'un Oui, avec un micro en dessous du nez, je n'ai aucune idée de ce que le premier ministre ou nous, les ministres, aurions dit. »

Comme leurs adversaires de l'autre camp, les chefs du Non à Ottawa et à Montréal n'avaient rien fait pour s'assurer qu'ils parleraient d'une même voix si le Oui l'emportait ce soir-là. Et lorsque leur camp, contre bien des attentes et à leur grand soulagement, a remporté la plus mince des victoires, ils ne s'entendaient guère davantage sur le sens à donner au résultat.

CHAPITRE 5

L'enfant dans un magasin de bonbons :
Jean Charest

Jean Charest s'est réveillé à son chalet de North Hatley, au matin du référendum, inquiet de ce que le Canada ne se retrouve en chute libre le soir même. En cas de victoire du Oui, le chef du Parti progressiste-conservateur avait convenu, avec ses conseillers, d'appuyer sur pause dans l'espoir d'empêcher Jacques Parizeau de réaliser l'indépendance en mode accéléré. Mais Charest savait qu'il est impossible de rembobiner une cassette endommagée sans, au préalable, la réparer. Et, à titre de chef du cinquième parti à la Chambre des communes, il n'était pas particulièrement bien placé pour jouer un rôle de premier plan dans une opération aussi délicate.

Ce jour-là, Jean Charest pouvait facilement imaginer que le vote référendaire marquerait le début de la fin de sa carrière fédérale. À terme, le scénario d'une victoire du Oui n'était pas porteur d'un brillant avenir pour un député fédéral dont les électeurs viendraient de voter, majoritairement, pour ne plus être représentés au Parlement canadien. L'intuition du chef conservateur était juste sur un point : le vote du 30 octobre allait bel et bien mener à son départ d'Ottawa. Ce qu'il ne soupçonnait pas, ce sont les circonstances qui allaient entourer ce départ.

Même dans le comté de Sherbrooke – une circonscription qui l'avait élu à la Chambre des communes dans les meilleurs comme dans les pires moments pour le Parti progressiste-conservateur –, Charest avait senti, au cours des dernières semaines de campagne, que l'option fédéraliste ne passait plus et il craignait un résultat irréversible. « Pour moi, le pays était en péril parce qu'une fois que le geste est posé, c'est de la pâte à dents qu'on ne pourra pas remettre dans le tube. Il va s'enchaîner une suite de gestes, de part et d'autre, qui vont mener à la brisure du pays avec une part d'imprévu qui fait que personne n'aura vraiment le contrôle des événements. À mon avis, un Oui ne serait pas seulement une étape, ce serait une brisure. »

Des quatre chefs fédéralistes à la Chambre des communes, seul Charest avait fait campagne sans arrêt depuis le déclenchement du référendum, parcourant, bannière fédéraliste en main, les salles paroissiales, les centres d'accueil et les chambres de commerce.

Preston Manning ne parlait pas français, et certaines des politiques de son parti – à commencer par l'abandon de la politique fédérale des langues officielles et la réimposition de limites au droit à l'avortement – n'avaient rien pour aider le camp fédéraliste au Québec. Le chef réformiste s'est tenu loin de la mêlée.

La campagne référendaire coïncidait avec le dernier droit de la campagne à la direction du Nouveau Parti démocratique. Alexa McDonough a été choisie pour remplacer Audrey McLaughlin à la tête du NPD fédéral seulement deux semaines avant le référendum. En 1995, les néo-démocrates fédéraux qui pouvaient se vanter de jouir d'un minimum de notoriété au Québec se comptaient sur les doigts d'une seule main. L'ex-chef du NPD et celle qui lui a succédé en octobre 1995 n'étaient pas du nombre.

Lors de sa première élection à la Chambre des communes dans la circonscription du Yukon, Audrey McLaughlin avait été autorisée à déroger à la ligne de son parti et à voter contre l'accord de Meech, qu'elle estimait nuisible aux intérêts des femmes et des Autochtones du Nord canadien. Cette prise de position n'avait rien pour lui ouvrir des portes au Québec.

Deux députés néo-démocrates – Lorne Nystrom, de la Saskatchewan, et Svend Robinson, de la Colombie-Britannique – se distinguaient, néanmoins, de leurs collègues parce qu'ils parlaient couramment le français et connaissaient bien la politique québécoise. Mais ils étaient tous deux candidats au leadership contre McDonough, et donc monopolisés par la course néo-démocrate pendant l'essentiel de la campagne référendaire.

Quant à Jean Chrétien, il avait été décidé dès le début dans la campagne qu'à titre de premier ministre fédéral, il limiterait sa participation à quelques apparitions triées sur le volet.

Après avoir passé plus d'un mois au centre de la glace fédéraliste au Québec sans devoir jouer du coude avec d'autres chefs fédéraux pour garder la rondelle, Jean Charest avait des sentiments mitigés quant à la fin de la campagne référendaire. Ses inquiétudes face au résultat appréhendé n'étaient pas seules en cause.

Depuis la mi-campagne, il était devenu la vedette d'un camp du Non désespéré de faire contrepoids à l'éloquence de Lucien Bouchard. La campagne fédéraliste – avec ses accents d'exercice comptable – souffrait d'un déficit criant de passion. Le chef conservateur était un des rares orateurs fédéralistes à faire vibrer la corde sensible de ses auditoires. Son appel aux Québécois à ne pas renoncer à leur passeport canadien avait le don de galvaniser des salles normalement peu portées aux manifestations d'entrain.

En 1995, la brochette de défenseurs du fédéralisme n'était pas dépourvue d'exécutants compétents, mais elle manquait de tribuns efficaces. Sur ce front, personne dans le camp du Non n'égalait Charest, une bête politique que rien ne semblait déchaîner autant que l'odeur d'une campagne électorale. Avec le temps, il allait finir par être considéré comme l'un des meilleurs chasseurs de votes de sa génération politique.

* * *

Ceci expliquant cela, on peut affirmer, sans se tromper, que parmi les ténors fédéralistes du camp du Non, Jean Charest aura été l'un des rares – sinon le seul – à avoir trouvé l'expérience grisante. « De 1993 à 1995, je ne suis nulle part. Je ne suis sur l'écran radar de personne. En 1995, c'est comme s'ils avaient ouvert le magasin de bonbons. J'ai toute la couverture du monde. Mais dès que ça a été fini, le rideau est tombé. »

Deux ans avant le référendum, le Parti progressiste-conservateur avait été décimé par l'électorat canadien. Seulement deux conservateurs – dont Jean Charest – avaient survécu au scrutin fédéral de 1993. Même l'ancienne première ministre Kim Campbell avait été défaite dans sa circonscription. Le député de Sherbrooke avait hérité d'office de la tâche ingrate de recoller les morceaux de son parti. Mais avec seulement deux députés, le caucus conservateur était loin du compte (douze) pour être reconnu officiellement à la Chambre des communes.

Charest, qui avait été le vice-premier ministre de son ancienne rivale au leadership au déclenchement des élections de 1993, devait désormais se battre pour obtenir quelques minutes de temps de parole en Chambre.

La descente aux enfers de son parti aidant, Charest – même après qu'il fut devenu une des principales attractions du camp du Non – n'a jamais fait partie du cercle restreint au sein duquel se décidait la stratégie référendaire fédérale. Pendant la première moitié de la campagne, quand tout allait encore bien pour le camp du Non, le premier ministre Chrétien et son état-major ne voyaient pas la nécessité d'associer le chef d'un parti rival à la prise de décisions. Et, même lorsque les choses se sont gâtées pour le camp fédéraliste et que les talents d'orateur de Charest sont devenus indispensables, son influence sur le déroulement de la campagne et sur les réflexions sur l'éventuel lendemain d'un Oui est demeurée marginale.

La semaine avant le vote, Charest avait suivi en première loge les efforts de Jean Chrétien pour battre la montre et renverser la tendance en faveur de l'option fédéraliste. Il était à Verdun pour le rassemblement au cours duquel le premier ministre avait fait volte-face au sujet de la reconnaissance du Québec comme une société distincte. Jusque-là, Chrétien – tant à l'époque où il était candidat à la direction du Parti libéral du Canada qu'à celle où il était chef de l'opposition officielle à la Chambre des communes – n'avait jamais été un apôtre (ou même un disciple) de l'enchâssement du caractère distinct du Québec dans la Constitution.

En principe, Chrétien avait appuyé l'accord de Charlottetown négocié par Brian Mulroney et les premiers ministres provinciaux en 1992, y compris une clause portant sur la société distincte. Mais c'est discrètement qu'il avait participé à la campagne référendaire pancanadienne qui avait abouti au rejet de ce projet d'accord. En octobre 1995, les libéraux fédéraux étaient toujours profondément divisés sur la question. L'ancien premier ministre Pierre Trudeau ne s'était jamais réconcilié avec le concept de « société distincte ». Alors même que Chrétien faisait campagne pour l'accord de Char-lottetown à l'automne de 1992, Trudeau l'avait taillé en pièces dans un discours enflammé livré dans un restaurant chinois de Mont-réal. Ses paroles sur le sujet, plutôt que celles de Chrétien, avaient encore valeur d'évangile pour bien des libéraux fédéraux.

Jusqu'à son discours de Verdun, Chrétien s'était toujours gardé à bonne distance de l'idée de société distincte. En le voyant faire volte-face, Jean Charest, tout comme Lucienne Robillard, n'a pas été impressionné. « C'était un aveu de l'échec de sa stratégie. Tout le monde savait que ça ne venait pas du fond du cœur, que c'était dicté par les circonstances. Je ne voyais pas dans cette approche quelque chose qui allait donner des résultats par la suite. J'avais défendu le concept de société distincte à l'époque de Meech, mais dans un contexte qui était significatif. »

Pour éviter, *in extremis*, le naufrage référendaire, Jean Chrétien s'était résolu à jeter du lest en promettant aux Québécois un chan-gement constitutionnel, mais Jean Charest avait de solides raisons de croire que le premier ministre, même s'il voulait rester fidèle à sa promesse après le vote, ne pourrait pas la remplir.

* * *

Laissé à lui-même durant la période pré-référendaire, le chef conservateur avait multiplié les consultations pour camper la position de son parti en vue de la bataille québécoise. Charest savait qu'il ne pouvait pas se contenter de reprendre, à son compte, les positions du gouvernement fédéral. Le Parti progressiste-conservateur – s'il voulait renaître de ses cendres – devait offrir aux Québécois quelque chose de différent des libéraux de Jean Chrétien, mais de réalisable.

Il avait demandé des suggestions à une douzaine d'experts de divers horizons universitaires et politiques. Parmi eux, il y avait d'anciens mandarins fédéraux comme Gordon Robertson et Roger Tassé. Ron Watts – spécialiste de l'Université Queen's recruté par Brian Mulroney pour la ronde de négociations constitutionnelles de Charlottetown – avait participé à l'exercice, tout comme le chroniqueur politique Gordon Gibson, ex-chef du Parti libéral de Colombie-Britannique. Stéphane Dion – que le gouvernement de Chrétien recruterait pour piloter le dossier post-référendaire quelques mois après le vote du 30 octobre – comptait parmi la poignée d'universitaires québécois consultés par Charest.

Comme on peut s'y attendre, il y avait un peu de tout dans les suggestions de ces experts, mais, selon une note préparée pour le chef conservateur, leurs évaluations concordaient sur un point et c'était qu'une nouvelle tentative de réforme constitutionnelle était « extrêmement improbable pour l'avenir prévisible au Canada ».

Selon la même note, il y avait consensus sur l'idée que le Oui ne pourrait remporter un vote majoritaire si les Québécois croyaient qu'il y avait une solution de rechange à la souveraineté qui n'était pas le *statu quo*.

Mais Gordon Gibson avait ajouté un bémol important pour la suite des choses à cette conclusion : « La première caractéristique de toute troisième option crédible [en marge du *statu quo* ou de la souveraineté] doit être qu'elle soit définie dans l'intérêt du reste du Canada et *non pas* pour faire plaisir au Québec. Même si le résultat est acceptable pour tout le monde, y compris le Québec, l'humeur politique dans le reste du Canada est telle que toute option conçue en fonction du Québec sera suspecte et impossible à vendre. » Comme les épisodes antérieurs de la saga constitutionnelle l'avaient démontré, aucune réforme du fédéralisme n'était possible sans l'appui non seulement d'une majorité de provinces, mais également de leurs électorats. Si Gibson voyait juste – et les preuves à l'appui de sa thèse ne manquaient pas –, la promesse référendaire de Jean Chrétien de reconnaître le caractère distinct du Québec dans la Constitution était vouée à l'échec.

Chef du plus modeste des caucus de la Chambre des communes, Charest était mal placé pour faire de grandes promesses pendant la campagne référendaire puisqu'il n'était pas vraiment en mesure de livrer quoi que ce soit d'autre que de bons mots. La prise d'engagements au nom du Canada relevait du premier ministre. Mais certaines idées formulées par son groupe d'experts lui sont restées en tête après le référendum et, une fois premier ministre du Québec, il a fini par y donner suite.

Parmi les propositions reçues par Charest, il y avait celle d'un nouveau forum intergouvernemental conçu pour permettre aux gouvernements fédéral et provinciaux d'articuler ensemble une vision plus coopérative du fédéralisme. Presque une décennie plus tard, la première initiative intergouvernementale de Charest à titre de premier ministre du Québec a été de convaincre ses homologues provinciaux de créer un Conseil de la fédération. Sur papier, le projet visait à sortir les provinces de leurs silos respectifs, à les amener à coopérer davantage et, à terme, à jouer un rôle plus efficace dans la gestion de la fédération. Plus d'une décennie plus tard, on est encore loin de cet idéal.

*   *   *

Le 30 octobre au soir, l'heure n'était plus aux considérations constitutionnelles. Au moment du dépouillement du vote, la perspective d'une éventuelle victoire souverainiste était dans tous les esprits dans les coulisses fédéralistes du Métropolis. Mais personne n'était pressé de prendre acte de cette possibilité et encore moins – semble-t-il – de sonder les autres ténors du camp du Non sur leurs intentions respectives face à un Oui.

Jean Charest n'était pas davantage au courant que Daniel Johnson de ce que Jean Chrétien allait faire si le Oui l'emportait. Il affirme que le gouvernement fédéral n'a jamais tenté de le sonder sur l'hypothèse d'une défaite fédéraliste, ni de s'informer de ses intentions, et encore moins de lui conseiller une approche qui ne le placerait pas en porte-à-faux avec le premier ministre.

Charest dit qu'il n'a discuté de cette question avec personne à l'extérieur de son parti. «Je m'en souviendrais si quelqu'un m'avait approché pour me dire: "Jean, le soir du référendum, s'il y a un Oui, il faut éviter de concéder quoi que ce soit." Le souvenir que j'ai, c'est qu'on est proche de l'improvisation. On présume qu'au Conseil privé, des gens ont planché là-dessus et élaboré des scénarios et que tout ça va être révélé au lendemain du vote…»

Au fil des ans, Charest a élaboré une théorie pour expliquer le silence radio maintenu par Chrétien et ses conseillers. «À leur place, je me serais posé la question: à quel moment doit-on l'aborder là-dessus? Est-ce qu'on en parle trois jours avant, pour qu'il ait la chance d'en discuter avec son équipe, ou est-ce qu'on lui en parle au moment du résultat et qu'on profite du maximum de pression qui puisse être appliqué pour qu'il aille dans le sens de ce qu'on souhaite?»

Tout cela pour dire que Charest se considérait comme un électron libre ce soir-là. Il présumait que si la situation tournait au vinaigre pour les fédéralistes, ce serait chacun pour soi.

Dans le scénario qu'il s'était préparé, il n'était pas question qu'il réclame la démission immédiate de Jean Chrétien. (En tant que chef fédéral issu du Québec, il pouvait difficilement demander au premier ministre de démissionner sans se mettre lui-même dans une position délicate.) «La démission immédiate de Jean Chrétien aurait ajouté à l'instabilité. Ça n'aurait pas été dans l'intérêt du Canada ou du Québec que le premier ministre fédéral démissionne le soir même. Ça aurait ajouté une autre grosse couche d'instabilité sur une situation qui était déjà imprévisible. Il aurait mieux valu qu'il reste en poste le temps de prendre le nécessaire recul et de répondre à la question : qui parle pour le Canada ? »

Pour autant, Charest était convaincu que sa propre position aurait été très fragilisée, tout comme celles de Chrétien et de son gouvernement libéral, lequel comptait un fort contingent de Québécois dans des rôles clés. « La question de la légitimité du gouvernement du Canada se serait posée rapidement. Et si tu es un député du Québec dont l'électorat vient de voter Oui, peux-tu encore parler au nom du Canada ? Il aurait fallu refaire le gouvernement. »

Les circonscriptions de Saint-Maurice et de Sherbrooke, les comtés de Jean Chrétien et de Jean Charest, ont fini la soirée référendaire dans le camp du Oui en 1995. Ce simple fait aurait rendu leurs positions respectives encore plus intenables si leur camp avait perdu.

Jean Charest était convaincu que, dans l'éventualité d'un Oui, personne n'aurait le contrôle de la suite des choses pendant bien longtemps. Mais il était résolu à utiliser au maximum le peu de capital qui lui resterait après une défaite de son camp. « Mon instinct aurait été de me donner du temps, de ne pas dire : "C'est fini ce soir." Face à l'inconnu, je n'aurais pas jeté la serviette. Je n'aurais pas contesté le résultat, mais j'aurais voulu prendre un peu de recul pour voir de quelle façon tout se plaçait par la suite. »

À l'instar de Lucien Bouchard, Charest avait préparé un seul discours en vue du rassemblement de son camp le soir du vote, et il avait été écrit en fonction d'une faible victoire du Oui. Rédigé, selon ses instructions, par le consultant Bruce Anderson, le texte reflète la détermination de Charest d'attendre de voir comment la situation allait évoluer avant de tirer des conclusions définitives sur le sens du résultat et, également, sa volonté de minimiser les conséquences d'un Oui.

L'ébauche de discours ne concédait rien. Il se résume davantage à un refus de rendre les armes qu'à la reddition d'un chef dont le camp vient de perdre une bataille décisive. « Si je croyais vraiment que la majorité des Québécois a opté pour se séparer du Canada, je serais tenté de concéder que le rêve [d'un Canada uni] est mort. Mais ce que bien des Québécois qui ont voté Oui ont dit ce soir n'est pas qu'ils veulent quitter le Canada, mais plutôt que, comme des millions d'autres Canadiens, ils veulent le changer. Ils veulent se le réapproprier », peut-on lire dans le texte.

À propos de Lucien Bouchard, de Jacques Parizeau et de leur victoire, on peut lire : « Je ne doute pas de leur engagement vis-à-vis la cause de la séparation. Mais même eux ne peuvent interpréter ce résultat comme un mandat pour sortir le Québec du Canada. Pour ma part, je vais prendre un peu de temps pour écouter ce que les gens du Québec et du Canada vont penser de ce résultat [...] Mon amour pour le Canada, mon amour pour le Québec, ma conviction que leur meilleur destin est de rester ensemble n'ont pas plus été diminués par le résultat de ce soir que par les échecs du passé [...] Nous ne pouvons et ne devons pas choisir de faire autre chose que de continuer à nous battre pour que le Québec continue de faire partie du Canada. »

Malgré le texte qu'Anderson lui avait préparé (et dont il aurait peut-être arrondi certains coins s'il avait dû le livrer), Charest affirme qu'il n'était pas sûr qu'on pourrait jamais reculer l'horloge sur un vote référendaire en faveur de la souveraineté, même un vote acquis avec une très faible majorité. Il s'attendait à ce que Jacques Parizeau saisisse la balle au bond et profite de la déroute du camp fédéraliste pour enclencher son projet d'indépendance. Il craignait que le premier ministre du Québec ne prenne des mesures qui provoquent rapidement un durcissement irréversible dans le reste du Canada.

« Je pense que Parizeau aurait présenté une déclaration unilatérale d'indépendance rapidement, au cours des semaines qui auraient suivi. Je pense que le gouvernement français était prêt à reconnaître le résultat assez rapidement. En posant un geste comme cela, Parizeau aurait, aux yeux de plusieurs acteurs, à l'intérieur et à l'extérieur du Canada, justifié des gestes plus musclés. Il aurait déclenché un mouvement dont il n'aurait pas eu, lui non plus, le contrôle. »

Jean Charest n'a jamais été de ceux qui croient que Jean Chrétien aurait pu faire fi du résultat du vote – même si la majorité avait été minuscule. « Un Oui, c'est une défaite. Il y a quelqu'un qui a gagné et quelqu'un qui a perdu. Celui qui a perdu ne peut pas faire comme s'il avait gagné et continuer comme avant. Chrétien aurait eu beau jeu de dire qu'il n'y avait rien à négocier parce qu'il n'y avait rien de décidé, car la question n'était pas claire. Mais on avait fait toute la campagne en disant aux gens que de voter Oui, c'était de voter pour la brisure. Difficile de revenir là-dessus. »

En tant que chef fédéral, Charest était au fait de l'état d'esprit du Canada. Il doutait que les Canadiens aient envie de mener une longue guerre de tranchées pour garder le Québec dans le giron de la fédération. « L'attitude dans le reste du Canada, ça aurait été d'en arriver à un dénouement. Les gens n'aimaient pas l'idée que ça se prolonge, qu'on allait vivre la même chose pendant une période indéfinie. Cette pression-là aurait eu un effet. Le sentiment que je détectais ailleurs au Canada, c'était "finissons-en". Ça ne s'articule pas dans une loi sur la clarté. »

Quand Charest a quitté le Métropolis tard ce soir-là, il pensait, comme la majorité de ses collègues et la plupart des commentateurs, que le Québec et le Canada vivraient bientôt une autre épreuve de force. Il craignait que si Lucien Bouchard avait le plein contrôle du camp du Oui lors d'un match de revanche, les souverainistes ne gagnent haut la main.

Charest avait une autre certitude ce soir-là : Bouchard allait quitter la Chambre des communes plus tôt que tard. Si on avait dit à Jean Charest que le chef du Bloc québécois allait rapidement remplacer Jacques Parizeau, il n'aurait pas été surpris. Ce dernier n'avait jamais caché son intention de ne pas s'éterniser à Ottawa après une défaite référendaire.

Mais le chef conservateur n'imaginait pas, en quittant le rassemblement du Non, que la campagne référendaire allait entraîner son propre départ pour l'Assemblée nationale et que, à peine trois ans plus tard, il allait – en tant que successeur de Daniel Johnson à la tête du Parti libéral du Québec – faire face à Bouchard, non pas à l'occasion d'un autre référendum ou d'une campagne fédérale, mais dans des élections provinciales.

En 1998, le dernier duel de Jean Charest et Lucien Bouchard s'est conclu par la défaite du Parti libéral, qui a tout de même remporté le vote populaire contre le Parti québécois. Cette victoire morale fédéraliste a été la première d'une série noire post-référendaire pour le mouvement souverainiste. Deux ans plus tard, au scrutin fédéral de 2000, Jean Chrétien remportait à son tour le vote populaire au Québec, contre le Bloc québécois, au terme d'une campagne dont un des enjeux principaux avait été la loi sur la clarté référendaire.

Ces victoires subséquentes s'inscrivent dans une tendance qui ne s'est pas vraiment démentie au fil des vingt années écoulées depuis le dernier référendum. Elles ont fini par confirmer que le médiocre Non référendaire dont a dû se contenter le camp fédéraliste le soir du 30 octobre 1995 était un vrai Non.

CHAPITRE 6

Docteur Non : Daniel Johnson

Il est habituellement plus facile d'être beau joueur dans la victoire que dans la défaite, mais pas dans le cas de Daniel Johnson, le chef du Parti libéral du Québec qui dirigeait les troupes du Non au référendum de 1995. De toutes les entrevues réalisées en vue de la rédaction du présent ouvrage, celle que nous avons menée avec l'ancien premier ministre a été la seule à se dérouler sur le mode d'un arrachage de dents. Même s'il a accepté assez volontiers de s'entretenir avec nous, il a passé plus de temps à nous dire de quoi il était résolu à ne pas parler qu'à jeter un peu plus d'éclairage sur l'épisode historique dans lequel il a joué un rôle marquant. Vers la fin de l'entrevue, il s'est demandé si nous n'avions pas perdu notre temps en le rencontrant. De notre côté, nous nous sommes demandé pourquoi il avait accepté de nous donner quatre-vingt-dix minutes à même un ordre du jour vraisemblablement chargé si c'était pour les passer à résister à la plupart de nos questions. Le temps n'a manifestement pas effacé les mauvais souvenirs que lui inspire le référendum. Même si son camp a fini par l'emporter le 30 octobre 1995, Johnson ne semble avoir tiré aucune satisfaction de son expérience. À l'entendre, cela aurait été pour lui et pour tout le monde une perte de temps monumentale.

Le soir du référendum, Jacques Parizeau a vécu la plus grande déception de sa vie politique et Lucien Bouchard a subi une défaite d'autant plus crève-cœur qu'il s'en est fallu de très peu pour qu'il en soit autrement. Pourtant, c'est Johnson – le chef du camp victorieux – qui parle de la campagne avec le plus d'amertume.

Aujourd'hui encore, il trépigne à l'idée que le PQ a imposé aux Québécois un second vote sur leur avenir politique et qualifie les référendums à répétition de «tragédie débilitante». Il martèle: «On va en politique pour faire avancer une société et pas, comme disait l'autre, l'amener au bord de l'abîme et lui faire faire un grand pas en avant!»

Selon lui, le PQ a miné le rapport de forces du Québec avec le Canada pour satisfaire ses ambitions référendaires. Il parle du credo souverainiste comme d'un «agenda imposé, dont les gens ne veulent pas et dont on a la certitude qu'à la fin, ils voteront Non et qui affaiblit la position de négociation du Québec».

Ce qu'il omet de dire, c'est que c'est le gouvernement libéral de Robert Bourassa qui a le premier rapproché l'allumette de ce que Johnson considère comme un coûteux feu de paille référendaire, en inscrivant à l'ordre du jour un autre vote sur l'avenir du Québec après l'échec de Meech. Pendant l'année qui a suivi cet échec, Bourassa avait déposé à l'Assemblée nationale un projet de loi qui prévoyait la tenue d'un référendum sur la souveraineté pour l'automne de 1992 si aucune offre constitutionnelle acceptable n'émanait du reste du Canada d'ici là.

Le projet de loi 150 a été adopté le 20 juin 1991, avec l'appui de Johnson, alors ministre du gouvernement de Bourassa.

* * *

Après le référendum de 1995, Paul Martin a subi l'épreuve de perdre, après la moitié seulement d'un mandat normal de quatre ans, le poste de premier ministre du Canada qu'il avait convoité pendant plus d'une décennie. Lorsque nous avons interviewé Jean Charest, il venait de perdre le pouvoir et son siège de député provincial après dix ans passés à la tête du Québec. Au cours de l'année précédente, il avait affronté une crise sociale, ponctuée par la descente dans la rue, semaine après semaine, de milliers de Québécois. Raymond Chrétien, diplomate de longue date et ambassadeur du Canada à Washington durant la période référendaire de 1995, a, lui, eu à mener des opérations diplomatiques sur fond de guerre, de famine et, dans le cas du Rwanda, de génocide. Tous nous ont pourtant affirmé que le référendum de 1995 avait été l'expérience la plus intense qu'ils aient vécue au cours de leurs diverses carrières. Mais pas Daniel Johnson.

Johnson parle de la direction du camp du Non comme d'un pensum, une tâche imposée. «Je n'ai pas cherché à être chef du Non. Savoir de quoi on est le plus fier : de ce qu'on a accompli ou de ce qu'on nous a imposé ? Poser la question, c'est y répondre. »

Malgré les hauts et les bas de la campagne du Non, Johnson affirme qu'il n'a jamais douté de la victoire. «J'ai toujours eu la profonde conviction que les Québécois ne voulaient pas voter Oui à une question qui mettait fin à l'expérience canadienne. »

Il reconnaît que l'ascendant de Lucien Bouchard, après qu'il a été propulsé au premier plan de la campagne souverainiste, a altéré la dynamique du camp du Non. «C'était comme si le soleil avait cessé de se lever à l'est», lance-t-il. Il dit qu'il avait trouvé «presque grossier» la décision de «tasser» Jacques Parizeau pour faire toute la place à son allié bloquiste.

Aux yeux du chef du camp du Non, le partenariat Québec-Canada proposé par ses adversaires souverainistes ne réhabilitait en rien leur projet. «Toutes ces histoires d'association, de monnaie, d'intégration, personne n'a manifesté le début du commencement d'une volonté ou de la possibilité pour le reste du Canada de se mobiliser autour d'un projet comme celui-là, avec un nouveau pays dans son sein. Les chances de succès étaient entre zéro et nulles et donc d'aucun intérêt pour le Québec. »

Si certain de la victoire qu'il soutient avoir été, Johnson avait tout de même préparé un discours pour réagir à une défaite éventuelle du camp fédéraliste. Il refuse de dire s'il y acceptait la victoire du camp adverse ou si son texte s'apparentait plutôt au refus de reddition préparé pour Jean Charest. Les anciens conseillers de Johnson jurent qu'il ne leur a rien dit de ses intentions ni ne les a consultés. Mais parlant sous le couvert de l'anonymat, aucun d'eux ne croit que le chef libéral était disposé à accepter un Oui sans regimber. Les propos de Johnson vont somme toute dans le même sens.

Par exemple, au sujet de la réaction négative probable de Jean Chrétien à une défaite des fédéralistes, Johnson affirme : « Compte tenu de ce qui est arrivé après, je crois qu'il aurait dit : "Ben cou-donc, la question n'était pas claire." Je n'aurais pas été contre cela non plus. C'est une bonne réponse. La question n'était pas claire et j'ai longtemps cru qu'on ne sépare pas un pays avec un recomptage judiciaire. Ce n'est pas sérieux de changer le mode de vie d'un peuple, sa place dans le monde sur cette base-là. »

Au moins un ancien proche de Johnson croit que son patron aurait préféré démissionner de la direction du PLQ plutôt que de s'associer à une tentative péquiste de conduire le Québec à la souveraineté. Un autre de ses conseillers de l'époque est certain « à 100 % » que son patron n'aurait pas accepté la victoire des souverainistes, que son instinct lui aurait dicté de déclarer que le mandat n'était pas assez fort et que les Québécois allaient changer d'avis. Mais cet ancien conseiller pense aussi que Johnson aurait pressé le Canada de tendre la main aux Québécois et de leur proposer de renégocier le fonctionnement de la fédération – plus particulièrement, mais non exclusivement, le partage des pouvoirs entre les gouvernements fédéral et provinciaux.

Ce qui est plus sûr encore, c'est que le rôle de Johnson après une victoire du Oui aurait compté surtout pendant les heures et les jours suivant immédiatement le vote. Chef vaincu d'un camp fédéraliste déstabilisé, son influence au Québec et ailleurs au Canada aurait rapidement diminué. Le lendemain d'un Oui, Daniel Johnson se serait réveillé au milieu d'un champ de mines, et il est très peu probable que lui ou son parti en seraient ressortis indemnes.

Quand ils scénarisaient une victoire souverainiste au référendum, les stratèges du Parti québécois concevaient que rien n'ajouterait autant de crédibilité à leur mandat de négocier l'indépendance, au Canada et à l'étranger, que le ralliement rapide de champions défaits du fédéralisme à l'option du camp gagnant. Si le résultat était aussi serré que le prévoyaient les sondages, le premier ministre Parizeau aurait besoin d'un certain appui de ses ex-adversaires du camp du Non pour consolider sa victoire et atténuer la division profonde qui avait coupé le Québec en deux.

Il ne s'attendait pas à obtenir l'appui de compatriotes québécois en poste à Ottawa, comme le premier ministre du Canada ou encore le chef conservateur fédéral Jean Charest, ou même de la demi-douzaine de ministres fédéraux du Québec. Jacques Parizeau comptait sur les représentants du reste du Canada – au sein du gouvernement libéral et hors de celui-ci – pour écarter du pouvoir les Québécois fédéralistes qui œuvraient à Ottawa et les remplacer rapidement par des politiciens issus de l'extérieur du Québec.

Parizeau voulait que l'Assemblée nationale entérine le verdict référendaire dans la semaine suivant le vote et, dans un monde idéal, avec des appuis libéraux. Pour réussir à mener le Québec à l'indépendance en un an, Jacques Parizeau avait besoin soit de rallier Daniel Johnson et son parti à sa cause, soit de neutraliser l'opposition fédéraliste. Pour y arriver, le premier ministre avait prévu de mettre un couteau politique sur la gorge de son adversaire libéral. Si Johnson refusait de conduire ses troupes dans le camp souverainiste, d'autres fédéralistes le feraient à sa place.

John Parisella était l'un des principaux conseillers de Johnson et, surtout, le stratège libéral avec lequel Jean Royer entretenait la relation la plus cordiale. La veille du vote, le chef de cabinet de Parizeau était entré en contact avec Parisella pour l'avertir des intentions post-référendaires du gouvernement. Les sondages indiquant que l'avance du camp du Oui se maintenait, Royer voulait tâter le pouls des libéraux pour savoir comment ils entrevoyaient leur rôle dans la foulée d'une victoire souverainiste.

Si le Oui l'emportait, le gouvernement péquiste prévoyait saisir l'Assemblée nationale de la motion qui validerait le résultat à la première occasion. Royer voulait savoir si l'opposition libérale appuierait cette motion et quelles modalités la rendraient acceptable au plus grand nombre d'entre eux. « On savait bien qu'on n'amènerait pas les libéraux à applaudir le résultat, dit Royer, mais au moins qu'ils reconnaissent que l'exercice a eu lieu et que voici le résultat qu'il a donné. Je voulais que Parisella me donne son évaluation sur une motion à être soumise à l'Assemblée nationale. Je ne m'attendais pas à avoir l'unanimité là-dessus, mais pouvait-on espérer qu'une majorité de libéraux allait accepter le verdict ? »

Lancée sur le ton d'une mission de bonne volonté, la conversation a rapidement pris une tournure un peu plus musclée. Parisella avait encore des raisons d'espérer que le Non battrait le Oui au fil d'arrivée. Il y avait suffisamment de volatilité dans les sondages pour croire qu'un revirement de la tendance le jour du vote était possible ; il était prématuré, ou du moins contre-intuitif, pour un camp ou pour l'autre, de déposer les armes. En outre, Parisella n'avait reçu de Daniel Johnson aucun mandat pour participer à ce qui n'aurait pu être vu autrement que comme une négociation préalable de l'acceptation du résultat. Si la chose s'ébruitait, le moral des troupes fédéralistes serait sapé au moment même où le camp du Non avait besoin de sortir son vote. Parisella n'était donc pas enclin à s'aventurer sur le terrain glissant de scénarios post-référendaires.

Royer raconte qu'il voyait bien qu'il n'arriverait à rien, mais qu'il se disait que cela pourrait changer rapidement si le Oui l'emportait le lendemain. À ce moment-là, les proches conseillers de Johnson devraient forcément avoir une discussion sérieuse sur les avenues qui s'offraient à leur parti et à leur chef. Avec l'idée d'influencer le cours de ces éventuelles réflexions, Royer a joué une carte dont il espérait qu'elle forcerait la main de l'état-major libéral.

« Nous avions une forme d'assurance que si nous obtenions 52 %, des gens bien vus de la société civile, qui faisaient partie d'une liste, étaient prêts non pas à dire que c'était une bonne chose, mais à accepter ce que l'exercice référendaire avait donné. »

Royer dit qu'il n'a pas divulgué à Parisella tous les noms de ces convertis en puissance, mais qu'il lui a donné un avant-goût de sa liste. Selon Jacques Parizeau, le nom de Gérald Tremblay, un député qui avait siégé au cabinet avec et sous Johnson à Québec (et futur maire de Montréal), y figurait, comme celui de l'ancien ministre Claude Castonguay. S'y seraient trouvés également les noms du cardinal Jean-Claude Turcotte, qui trônait au sommet de la hiérarchie catholique de Montréal ; du sénateur libéral Pietro Rizzuto, solidement lié au clan Chrétien au Québec ; de même que celui d'Yvon Picotte, un autre député libéral provincial. En tout, deux cents leaders d'opinion de tous les milieux de la société civile du Québec avaient consenti à ce que leurs noms soient publiés par le PQ dans les journaux au lendemain d'un Oui. L'encart – que Parizeau et Royer disaient prêt à être publié – ne parlait pas d'indépendance. Mais les signataires y reconnaissaient la victoire référendaire des souverainistes et réclamaient un sommet sur les défis auxquels le Québec allait faire face à la suite du vote.

Ce n'était pas une menace à laquelle Johnson, en tant que chef des forces fédéralistes du Québec, était prédisposé à bien réagir ; mais sa teneur illustre à quel point sa position de chef de l'opposition officielle aurait pu être fragilisée par une défaite référendaire. Le thème sous-jacent de la conversation de Royer et Parisella était clair : si Johnson n'appuyait pas de son plein gré les plans post-référendaires du camp victorieux, des défections libérales risquaient de transformer son caucus et son parti en coquilles vides.

Il y a un envers à cette médaille. Toujours sous le couvert de l'anonymat, d'anciens membres de la garde rapprochée de Johnson reconnaissent, sans hésiter, que oui, le caucus libéral à l'Assemblée nationale aurait pu imploser sous la pression d'une victoire référendaire souverainiste. Mais ils croient également que l'unité du parti aurait été encore plus difficile à préserver si Johnson avait accepté de se rallier au plan du PQ. Selon eux, un vote serré en faveur de la souveraineté aurait coûté des plumes au PLQ quelle qu'ait été la décision de Johnson. S'il avait décidé de coopérer avec Parizeau, l'aile ultra-fédéraliste de son caucus ne l'aurait pas suivi. Une partie du caucus libéral provenait de circonscriptions farouchement fédéralistes. Dans les secteurs anglophones et allophones de Montréal, par exemple, on a voté Non dans une proportion écrasante en 1995.

Ces députés et leurs électeurs se seraient rebiffés à la perspective de voir leur parti soutenir une opération destinée à mettre fin au lien fédératif Québec-Canada – à plus forte raison sur la foi d'un résultat serré. Mais, s'il refusait de jouer le jeu de Parizeau, Johnson risquait de perdre les éléments plus nationalistes de son caucus. Certains fédéralistes bien en vue – dont des membres du caucus libéral – étant prêts à prêcher par l'exemple en se rangeant derrière Parizeau, le chef libéral risquait fort de voir le sol se dérober sous ses pieds dans les jours, sinon les heures qui suivraient une victoire des souverainistes.

Le Parti libéral dont avait hérité Daniel Johnson après les échecs constitutionnels de Meech et de Charlottetown n'était plus celui que Robert Bourassa avait ramené au pouvoir au milieu des années 1980. Depuis cette époque, les guerres constitutionnelles et les déchirements internes qu'elles avaient provoqués avaient fait perdre au PLQ un pan de son aile nationaliste. Ceci expliquant cela, des anciens apparatchiks libéraux ont tendance à croire que leur chef aurait risqué plus gros en validant un Oui qu'en rejetant le résultat parce qu'il découlait d'une question dénuée de clarté ou que la marge de la victoire était trop faible. Au moins un stratège de l'époque estime que si Johnson avait refusé d'appuyer une victoire du Oui, dix députés libéraux au maximum seraient passés du côté du PQ. (NDA: il n'est pas impossible que ce genre d'estimation soit devenue plus optimiste avec le temps.)

Johnson lui-même refuse de dire ce qu'il aurait fait si, le soir du 30 octobre, il s'était trouvé entre l'arbre de son parti fédéraliste et l'écorce d'une victoire souverainiste. Le quasi-ultimatum que le camp souverainiste lui a lancé aux dernières heures de la campagne n'est qu'un des nombreux développements de celle-ci que

Johnson tourne en dérision lorsqu'on lui demande d'en parler. Mais il n'est guère plus tendre au sujet de certains des événements qui ont marqué la campagne de son propre camp.

La relation de Daniel Johnson avec Jean Chrétien n'était guère moins tendue que celle de Lucien Bouchard avec Jacques Parizeau. L'ancien chef du Parti libéral du Québec n'a pas de souvenirs précis du souper avec Chrétien qui avait tant épuisé Lucienne Robillard, mais il compare certains de ses contacts de l'époque avec le premier ministre du Canada à ceux de gens qui « mangent à la même heure la même chose dans le même restaurant, mais pas à la même table ». Selon Johnson, lui et ses alliés fédéraux n'étaient pas programmés pour être sur la même longueur d'onde référendaire. « Pour Chrétien, c'était *in* ou *out* du Canada. C'est une position compréhensible pour un premier ministre fédéral, mais comment est-ce qu'on intègre cela dans une campagne qui oppose des nationalistes québécois à d'autres nationalistes québécois ? »

En principe, Daniel Johnson, à titre de président du comité du Non, devait avoir le dernier mot sur tous les aspects de la campagne fédéraliste. En pratique, Johnson affirme qu'il est irréaliste de s'attendre à ce qu'un premier ministre du Canada subordonne ses actions et ses stratégies à celles d'un chef de l'opposition à l'Assemblée nationale. Mais le moins que l'on puisse dire, c'est que la situation était propice aux guerres de territoire. « Dans ce genre de situation, le gouvernement du Canada va se prendre pour le gouvernement du Canada et pas pour un membre comme les autres d'une coalition. Chrétien et son équipe auraient peut-être aimé prendre le contrôle des opérations, mais je ne leur aurais pas conseillé d'essayer ! »

La campagne du Non a vécu certaines de ses heures les plus sombres quand Jean Chrétien et Daniel Johnson se sont contredits, par médias interposés, sur les perspectives de réforme constitutionnelle. En tournée référendaire, le chef du PLQ avait exprimé le souhait de voir Chrétien s'engager à la reconnaissance constitutionnelle du caractère distinct du Québec. De New York, où il assistait aux célébrations du cinquantième anniversaire de l'ONU, le premier ministre canadien – qui ne s'était pas encore résolu à faire une telle promesse – avait riposté que c'était de séparation qu'il avait envie de parler, pas de la Constitution.

Pour les deux principaux ténors du camp fédéraliste, le moment n'aurait pas pu être plus mal choisi pour se chamailler sur le dossier constitutionnel. Le camp du Non se débattait déjà pour garder la tête hors de l'eau. Quelques jours plus tard d'ailleurs, Chrétien se ravisait, changeait de stratégie et promettait qu'un vote pour le Non le 30 octobre serait suivi de changements constitutionnels.

Cette tardive volte-face n'a pas mis un point final aux désaccords stratégiques des Johnson et Chrétien. Johnson est encore furieux quand il évoque le rassemblement pro-Canada de fin de campagne. Il considère toujours que cette manifestation a été une distraction nuisible. Avant le rassemblement, Johnson avait même demandé aux membres de son équipe de téléphoner au plus grand nombre possible de sièges sociaux canadiens pour les presser de ne pas offrir de transport gratuit ou d'autres services aux gens qui souhaitaient se rendre à Montréal pour manifester leur appui au fédéralisme.

Vingt ans plus tard, il a encore le sentiment d'avoir perdu un temps précieux en serrant la main à certains des visiteurs venus au ralliement. «J'aurais dû les ignorer», dit-il. Parmi les nombreux politiciens qui ont participé au rassemblement, Mike Harris semble compter parmi les rares dignitaires à avoir fait une impression durable: Johnson dit se souvenir que le premier ministre de l'Ontario portait une casquette bleu et blanc!

Plus sérieusement, Daniel Johnson affirme qu'il ne regrette rien du résultat du dernier référendum – même si la réforme constitutionnelle que lui et son parti avaient espérée à l'époque ne s'est jamais matérialisée. «Je considère que j'ai empêché le Québec de faire quelque chose qui n'était pas dans notre intérêt. Ce n'est pas dans notre intérêt de nous séparer du reste du Canada. Sachant que le Oui est affaiblissant au point de vue économique, au point de vue social, au point de vue de notre place dans le monde, on est mieux amanchés qu'on le serait autrement.»

Deux décennies plus tard, regrette-t-il encore la victoire fédéraliste décisive à laquelle il semblait en droit de s'attendre au début de la campagne référendaire, une victoire si retentissante qu'elle aurait mis fin au débat existentiel du Québec dès 1995 ? À l'entendre, on a l'impression que, dans son album photos politique, il reste un espace vide pour la photo du gros poisson qui lui a échappé.

Après le référendum, Daniel Johnson n'a plus jamais mené ses troupes en campagne. Aux élections générales suivantes, trois ans plus tard, il avait cédé sa place à Jean Charest, un *campaigner* que les élites fédéralistes du Québec et du reste du Canada en étaient venues à voir comme le candidat le plus susceptible de tenir Bouchard en échec. Comme dans le cas de Claude Ryan, qui avait dirigé le camp du Non en 1980, le référendum de 1995 a été la seule campagne qu'a jamais remportée Daniel Johnson comme chef, et il en est ressorti vainqueur mais néanmoins toujours mal-aimé.

PARTIE 3

Les fédéraux

CHAPITRE 7

La cousine canadienne : Sheila Copps

Sheila Copps, alors numéro deux du cabinet de Jean Chrétien, a passé la soirée du 30 octobre seule dans son salon d'Ottawa. De mémoire, l'ancienne vice-première ministre du Canada dit que son frère, qui suivait la même émission spéciale à Montréal, a été la seule personne avec laquelle elle a parlé des résultats qui défilaient à l'écran ce soir-là. « On se parlait, raconte-t-elle, aux cinq minutes. » Selon Copps, personne d'autre ne lui a passé de coup de fil. Même quand le camp du Oui a pris de l'avance et que la soirée a semblé devoir mal finir pour les fédéralistes, aucun fonctionnaire, aucun conseiller du premier ministre n'a tenté de la joindre pour la mettre au fait d'un éventuel plan de match fédéral. Si le vent n'avait pas tourné, la vice-première ministre du Canada aurait appris comment Jean Chrétien réagissait à un Oui en même temps que les millions d'autres Canadiens qui, comme elle, étaient rivés à leur téléviseur.

En consultant l'organigramme du cabinet fédéral, quelqu'un à qui les rouages du gouvernement canadien ne sont pas familiers pourrait s'étonner de ce que la vice-première ministre n'ait pas été aux côtés du premier ministre pendant une soirée aussi cruciale pour l'avenir de la fédération et du gouvernement. Mais ceux qui connaissent les coulisses du pouvoir fédéral ne s'en surprendront aucunement. Depuis quarante ans, les députés et les ministres qui siègent à Ottawa ont vu leur influence fondre comme neige au soleil, au profit de la garde rapprochée de conseillers non élus qui entourent le premier ministre.

De Pierre Trudeau, pendant les années 1970, jusqu'à Stephen Harper, en passant par Brian Mulroney et Jean Chrétien, l'information et le pouvoir qui en découle ont été, à chaque mandat davantage, concentrés au bureau du premier ministre.

Sous Jean Chrétien, la question du Québec – puisque c'est de celle-là qu'il est question ici – était gérée par un groupe encore plus restreint au sein de ce bureau. Comme pendant les mandats de Trudeau et de Mulroney, le dossier Québec relevait, pour l'essentiel, de conseillers issus de cette province, et l'information stratégique pertinente à leurs activités était distillée au compte-gouttes au reste du gouvernement et, même, aux ministres québécois du cabinet.

C'est ainsi que, durant ses derniers mois au sein du cabinet Mulroney en 1990, Lucien Bouchard, malgré son rôle de ministre politique du Québec, n'était pas toujours au fait des intentions et des stratégies du premier ministre dans le dossier de Meech.

Un soir, un adjoint de Bouchard a même téléphoné au bureau du quotidien *Le Devoir* sur la colline du Parlement pour tenter de savoir à quoi s'en tenir sur les manœuvres fédérales-provinciales entourant le projet d'accord et sur ce qu'Ottawa disait, en coulisses, aux provinces récalcitrantes. On peut penser qu'un ministre ne ferait pas passer un coup de fil au bureau d'un quotidien s'il parvenait à obtenir les réponses aux questions qu'il se pose de son propre gouvernement. (Encore récemment, on a eu un échantillon de la façon dont le dossier de « l'unité canadienne » est jalousement gardé par le bureau du premier ministre. Quand le premier ministre Stephen Harper a présenté une résolution sur la nation québécoise en 2006, son ministre aux Affaires intergouvernementales, Michael Chong, n'a même pas été consulté au préalable.)

À ce portrait global Sheila Copps ajoute que le rôle de vice-première ministre qui était le sien est nettement moins important que son titre ne le laisse croire. Le rôle de vice-premier ministre n'est en effet pas officiellement assorti de pouvoirs précis ou réels. La personne prend normalement la relève du premier ministre quand il est absent de la période des questions aux Communes. Mais aucun ministère n'est lié au poste de numéro deux du cabinet. «La bureaucratie exècre l'idée de vice-premier ministre parce que, dans la tradition parlementaire, c'est un rôle qui n'existe pas», dit Copps, sur la foi de sa propre expérience.

Depuis 2006, Stephen Harper s'est dispensé de désigner un vice-premier ministre. Peu de Canadiens s'en sont rendu compte – et rares sont ceux qui pourraient argumenter qu'il manque un rouage essentiel à un gouvernement qui se prive de cette fonction. Plus souvent qu'autrement, une telle nomination répond à des impératifs politiques, pour envoyer, par exemple, le message à une région qu'elle a du poids au sein du gouvernement.

La nomination de Copps en 1993 est survenue dans la foulée de la défaite de Kim Campbell, première femme à avoir été première ministre du Canada. Au cours du même scrutin, le NPD, sous la houlette d'Audrey McLaughlin – première femme à diriger ce parti –, n'était pas parvenu à garder les douze sièges nécessaires pour conserver le statut de parti officiel à la Chambre des communes. Ces élections avaient eu l'effet d'une douche froide pour ceux et celles qui pensaient que l'absence chronique des femmes dans les lieux de pouvoir fédéraux tirait à sa fin.

En nommant Copps au poste de vice-première ministre, Jean Chrétien la récompensait de sa loyauté pendant toutes les années qu'il avait passées dans l'opposition. Mais le premier ministre voulait également envoyer un signal de ce qu'il entendait faire entrer davantage de femmes dans les couloirs du pouvoir fédéral. Jusqu'à un certain point, Jean Chrétien a tenu ses promesses. Durant ses trois mandats, un nombre plus élevé que jamais de femmes ont été nommées au Sénat, à la Cour suprême, aux échelons élevés du service diplomatique et dans le groupe restreint des officiers du Parlement (vérificateur général, commissaire aux langues officielles, etc.).

Pour autant, les leviers du pouvoir politique ont largement continué d'échapper aux femmes. En 1995, on ne trouvait guère davantage de femmes aux premières loges du pouvoir dans les provinces qu'à Ottawa, mais aujourd'hui, le décalage entre hommes et femmes en politique fédérale est plus frappant. Alors que les quatre plus grosses provinces – Québec, Ontario, Colombie-Britannique et Alberta – ont toutes été gouvernées (plus ou moins longtemps) par des femmes ces dernières années, les quatre principaux partis aux Communes sont dirigés par des hommes. On attend encore qu'une femme devienne, pour la première fois, ministre fédérale des Finances.

En 1995, les élues étaient encore davantage reléguées à des rôles de soutien dans leur parti et leur gouvernement qu'aujourd'hui, et des titres ronflants comme celui de vice-première ministre (ou encore, dans le cas de Lucienne Robillard, de porte-parole fédérale au comité du Non) ne changeaient pas grand-chose à l'affaire.

Il n'y avait pas eu de femme à la table des premiers ministres lors des multiples rondes constitutionnelles qui ont précédé le référendum de 1995, et les comités de stratégie des camps du Oui et du Non au Québec étaient majoritairement composés d'hommes, élus ou non. La seule femme à avoir vraiment été dans le feu de l'action de la prise de décisions référendaires à Ottawa faisait partie de la fonction publique fédérale et non des rangs des élues. Peu après l'arrivée au pouvoir de Jean Chrétien, Jocelyne Bourgon avait été nommée au poste de greffière du Conseil privé. Elle dirigeait la fonction publique pendant le référendum et, à ce titre, avait ses entrées au cénacle du bureau du premier ministre.

Même à titre de ministre fédérale chargée du référendum, Lucienne Robillard n'a pas toujours été partie prenante à la prise de décisions de son gouvernement. Elle a passé la campagne à être tiraillée à gauche et à droite au gré de stratégies plus souvent qu'autrement élaborées à son insu ou en son absence. Sheila Copps, toute bilingue et populaire qu'elle ait été au Québec et sans égard pour son titre de vice-première ministre, a été encore plus mal logée. Ministre issue du reste du Canada, elle n'a pas eu droit au moindre rôle particulier dans l'opération référendaire, et cela, à Ottawa comme sur le terrain. Plus souvent qu'autrement, elle s'est sentie aussi inutile que la mouche du coche.

Au Québec, elle a passé la campagne à prêcher à des convertis. Pendant presque un mois, la vice-première ministre a été dépêchée à des endroits où les électeurs qui n'étaient pas déjà convaincus des vertus du fédéralisme étaient plutôt rares. C'est par accident, et en dépit des meilleurs efforts du camp du Non, raconte-t-elle, qu'elle a, parfois, rencontré des indécis.

Copps dit qu'elle a fini par comprendre que la mission des coordonnateurs de ces visites au Québec était d'occuper les politiciens provenant du reste du Canada, quitte à leur inventer des tâches. «Ils avaient peur d'être attaqués pour avoir amené des gens de l'extérieur afin de gagner le référendum.»

Confinée dans ce qu'elle appelle aujourd'hui le «circuit C» de la campagne du Non, elle a été envoyée à Québec – une ville massivement francophone – pour prononcer une allocution devant un groupe... anglophone. Un autre jour, pendant un arrêt dans le quartier Rosemont, elle s'est retrouvée devant un «groupe» de deux bénévoles du camp du Non qui, comble de malheur, l'attendaient en compagnie d'un nombre de journalistes beaucoup trop imposant à son goût.

Pour sauver la face, elle a prétendu que son plan avait toujours été de se rendre à la station de métro la plus proche pour serrer des mains d'usagers. Les caméras la suivant comme son ombre, elle s'exécuta. «J'avais l'air d'une idiote», se souvient-elle.

Aux derniers jours de la campagne Sheila Copps a finalement eu l'occasion de s'adresser à un grand rassemblement fédéraliste. Le vendredi précédant le vote, elle s'est jointe à son collègue ministre Brian Tobin sur la scène érigée place du Canada, à Montréal, pour accueillir et réchauffer la foule du méga-rassemblement pro-Canada. Mais l'électricité, rapporte-t-elle, a été coupée et les microphones ont momentanément cessé de fonctionner juste au moment où elle allait prendre la parole. «Je crois que quelqu'un dans l'équipe de son avait décidé qu'à titre de non-Québécois, nous ne devrions pas prendre la parole. »

* * *

Il n'y avait rien de personnel dans la mise à l'écart de Sheila Copps. Elle était relativement populaire au Québec, mais les stratèges du camp du Non ne voulaient pas, pour des raisons de principe mais également d'image, que des politiciens du reste du Canada se retrouvent à l'avant-scène de leur campagne. La participation de Jean Chrétien lui-même, malgré son titre de premier ministre et de député fédéral du Québec, n'était pas particulièrement souhaitable aux yeux de la plupart de ses partenaires provinciaux.

Le rythme des interventions du premier ministre dans la campagne avait fait l'objet d'un débat animé tant à Ottawa qu'à Québec. Son propre cabinet n'était pas unanime au sujet du rôle accru qu'il s'était résolu à jouer pendant la dernière semaine de la campagne. Ses ministres n'étaient pas tous convaincus non plus de la pertinence de faire miroiter, *in extremis*, la perspective qu'un vote pour le Non aboutisse à une réforme constitutionnelle susceptible de correspondre aux aspirations des Québécois.

Sheila Copps n'était pas parmi les sceptiques. Elle avait appuyé avec vigueur la reconnaissance du caractère distinct du Québec à l'époque de Meech. Elle avait interpellé Jean Chrétien à ce sujet à plusieurs reprises lorsqu'ils avaient croisé le fer dans le cadre de la course à la direction du PLC en 1990. Elle était plus que partante pour le virage à 180° du premier ministre sur la société distincte et elle appuyait totalement sa décision de jouer un rôle plus actif durant la dernière semaine de campagne. « Il m'a posé la question : "Est-ce que je devrais le faire ?" J'ai répondu que oui, que s'il ne faisait rien plutôt que de poser un geste, cela reviendrait le hanter si les choses tournaient mal. Je lui ai dit que si ça ne marchait pas, il aurait au moins fait quelque chose. »

Sur le suivi à donner à une défaite fédéraliste, par contre, le premier ministre n'a pas demandé conseil à Copps. Et, même si elle comptait parmi les fidèles de Chrétien, elle est loin d'être convaincue qu'il aurait longtemps survécu à un vote pour le Oui. « Il aurait toujours été élu démocratiquement, mais aurait-il eu encore l'autorité morale de continuer ? C'est autre chose. S'il n'était pas capable de convaincre les Québécois de rester dans le Canada, il est certain que sa propre autorité aurait été mise en doute. Plus que n'importe qui d'autre, on l'aurait montré du doigt. Il aurait porté l'odieux du résultat. »

Copps n'est pas certaine qu'un vote pour le Oui aurait conduit à la dislocation de la fédération. Mais elle n'est pas persuadée du contraire non plus. Elle croit qu'un Oui aurait entraîné un changement négocié de la relation Québec-Canada. « La question n'était pas trop claire et c'était un problème. À cause de la façon dont la question était posée, il y aurait pu y avoir des contestations de tous bords, tous côtés. Mais la question parlait de négocier une nouvelle entente Québec-Canada, et je présume que si le Québec avait voté majoritairement pour négocier une nouvelle entente, il aurait fallu le faire. »

Lorsqu'on lui demande comment auraient réagi à un Oui les électeurs qu'elle connaissait le mieux, ceux de la région de Hamilton – qui l'avaient élue et réélue depuis le début des années 1980 à l'Assemblée législative de l'Ontario et à la Chambre des communes –, Copps répond qu'une certaine fatigue à l'égard du Québec et du débat existentiel canadien se serait installée plus tôt que tard.

Elle ne croit pas que les électeurs de sa circonscription auraient bien toléré une longue période de suspense et d'incertitude. « À un moment donné, les gens se posent la question : si le Québec veut vraiment se séparer, pourquoi on l'arrêterait ? Parce que ça devient vraiment répétitif. Si vraiment c'est quelque chose que les Québécois ont à cœur, négociez-le et nous deviendrons un pays à part. »

Elle ajoute toutefois un bémol à sa propre évaluation, se demandant si elle ne serait pas le résultat d'une réflexion influencée par le passage du temps qui s'est écoulé depuis le référendum. «Ça, c'est ce que je dis aujourd'hui, dans la clarté d'un recul de vingt ans. Mais peut-être que le soir même, le lendemain, l'émotion aurait dicté autre chose. Parce qu'on se serait sentis rejetés. C'est comme un divorce. Ça peut être bien laid. Bien qu'il y ait souvent de bonnes raisons pour lesquelles les gens divorcent, quand le processus commence, c'est comme de gratter une plaie ouverte.

«C'est facile de dire, vingt ans plus tard, qu'on aurait négocié pour partir chacun de notre côté, mais dans le climat de l'époque, il y aurait eu des bavures. Il y a des gens qui sont incapables de se raisonner dans un tel climat. Et il y aurait eu les provinces qui auraient pu avoir des réactions contradictoires.»

Comme chez bien des fédéralistes qui se sont battus dans les tranchées du référendum du Québec, l'expérience a provoqué chez Copps des frustrations que n'a pas compensées la satisfaction découlant d'une mince victoire. «Ce qui n'a jamais été résolu pour moi, c'est comment il peut être concevable que, dans un débat pour la survie d'un pays, certaines des parties prenantes de ce pays n'ont même pas le droit de se faire entendre. Je voulais défendre mon pays et je me suis fait dire d'aller me faire foutre. D'une part, nous nous sommes fait dire que c'était un débat qu'il appartenait aux seuls Québécois de régler entre eux et, de l'autre, on s'attendait à ce que nous sachions quoi faire si le Oui l'emportait.»

*   *   *

Pendant la décennie qu'elle a passée dans l'arène fédérale après le référendum, Sheila Copps n'a pas eu à résoudre la quadrature du cercle du rôle des non-Québécois dans le débat national du Québec puisque la question ne s'est pas posée de nouveau. Mais elle n'a pas, pour autant, quitté le front Canada-Québec. À la suite du référendum, les stratèges fédéraux – sous la direction de Jean Chrétien – se sont lancés dans une guerre de drapeaux dans l'espoir de rendre le Canada plus visible au Québec. Du même coup, le gouvernement fédéral cherchait à canaliser la vague de patriotisme qui avait déferlé sur le reste du Canada pendant la campagne référendaire. Chrétien voulait atténuer le sentiment d'exclusion et d'impuissance qu'avaient éprouvé de nombreux non-Québécois en voyant la fédération frôler une possible sécession.

Aujourd'hui, bien des libéraux déplorent la montée, sous le règne de Stephen Harper, de ce qu'ils perçoivent comme des efforts soutenus pour faire mousser le patriotisme canadien à des fins idéologiques. Certains croient que les tentatives des conservateurs pour mettre en valeur la monarchie et l'histoire militaire canadienne s'inspirent de la volonté d'importer au Canada un patriotisme à l'américaine. Ils n'ont pas tout à fait tort. Mais si on remontait en amont du gouvernement actuel et de sa propension à manipuler des symboles pour remodeler, à l'image de sa philosophie politique, l'idée que les Canadiens se font de leur pays et de leur histoire, on trouverait les concepteurs libéraux du genre de politique post-référendaire qui a amené le gouvernement Chrétien à vouloir couvrir le Québec d'unifoliés.

L'un des objectifs fédéraux de l'après-référendum était de remédier au déficit affectif qui avait failli coûter le vote au camp fédéraliste. En gros, l'idée était de cultiver l'attachement des Québécois à l'égard du Canada en y enracinant davantage de symboles comme le drapeau. On créa donc, de toutes pièces, un jour du Drapeau (le 15 février) et des instructions furent données à la fonction publique fédérale pour que l'anniversaire soit souligné. Simultanément, on décidait de distribuer – sur demande – des milliers d'unifoliés. Dans l'esprit du premier ministre et de certains de ses stratèges, l'époque où la bataille pour le Canada au Québec se déroulait derrière une cape d'invisibilité était révolue.

La plupart des ministres québécois de Jean Chrétien étaient rébarbatifs à l'approche concoctée par leur gouvernement. Pendant toute la campagne référendaire, ils avaient affirmé qu'il n'y avait pas de conflit entre l'appartenance au Québec et l'appartenance au

Canada. Ils avaient martelé l'idée que le reste du Canada appréciait la «différence» québécoise. Ce soudain engouement fédéral pour l'unifolié leur semblait être une idée contre-intuitive.

À titre de ministre du Patrimoine, Sheila Copps a hérité du programme du drapeau, une tâche dont elle s'acquitta avec zèle. Sans surprise néanmoins, le programme ne finit par séduire que des fédéralistes convaincus. La plupart des Québécois – surtout parmi les nationalistes mous que le gouvernement Chrétien essayait de reconquérir – ont vu d'emblée le programme comme le début d'une futile guerre des drapeaux. Beaucoup souffraient de fatigue référendaire. Après une longue décennie de guerres constitutionnelles et référendaires, ils voulaient surtout qu'on leur fiche patience. Le message subliminal que beaucoup d'entre eux ont décodé des messages cousus de fil blanc patriotique du gouvernement fédéral était qu'Ottawa voulait plutôt les amener à choisir entre le Québec et le Canada. Dix ans après le référendum, un sondage révélait que la majorité des Québécois préféraient ne porter ni l'étiquette fédéraliste ni l'étiquette souverainiste. Si le programme fédéral du drapeau a eu un effet, c'est peut-être d'avoir rendu un certain nombre de Québécois réfractaires à tous les drapeaux.

Comme la politique de diffusion du drapeau, le programme des commandites était une variation sur le thème de la quête fédérale de visibilité au Québec. Loin de redorer le blason du fédéralisme et du parti fédéral qui était, alors, le plus identifié à cette cause au Québec, les abus et le scandale auxquels le programme des commandites a donné lieu ont puissamment contribué à leur exil du pouvoir à Ottawa en 2006. Sheila Copps n'a jamais été éclaboussée par l'affaire des commandites un peu pour les mêmes raisons pour lesquelles elle avait été marginalisée pendant le référendum. Comme la campagne de 1995, la direction et l'administration du programme de commandites étaient assurées par un groupe essentiellement composé d'organisateurs politiques, de fonctionnaires et d'agences de marketing du Québec.

Mais la cote de Sheila Copps dans la province a néanmoins souffert de son association avec la politique post-référendaire de son gouvernement. En 2003, sa (deuxième) campagne au leadership libéral (contre Paul Martin) n'a jamais levé au Québec. Ses états de service d'apôtre du drapeau lui ont valu d'être plus que jamais perçue par bien des Québécois comme une cousine du Canada, certes pleine de bonne volonté, mais dont les mœurs politiques étaient celles d'une touriste.

CHAPITRE 8

De colombe en faucon : Brian Tobin

Sur l'échiquier, c'est le sort du roi qui détermine le résultat d'une partie. Une fois qu'il est tombé, la partie est finie, quel que soit le nombre de pièces restantes. Mais les règles sont différentes en politique. Le roi est un personnage jetable, vulnérable à toute attaque lancée par des pions de la même couleur.

Au moment du référendum de 1995, Jean Chrétien était entouré de Québécois. Des ministres comme Paul Martin, aux Finances, André Ouellet, aux Affaires étrangères, et Marcel Massé, aux Affaires intergouvernementales, étaient tous des figures d'une importance stratégique sur l'échiquier libéral.

L'infrastructure politique du cabinet du premier ministre était essentiellement faite du même matériau. Dans la capitale fédérale de Jean Chrétien, beaucoup de pouvoir était concentré entre les mains de Québécois – plus particulièrement dans le dossier de l'unité canadienne.

Au lendemain d'un Oui, les cavaliers, les tours et les fous du reste du Canada qui occupaient les autres cases avaient en tête une reconfiguration radicale de l'échiquier libéral. Après une défaite référendaire, le premier ministre aurait à composer avec eux et ils étaient prêts, au besoin, à faire échec à leur propre roi pour accéder à des positions plus stratégiques.

Si le camp fédéraliste avait perdu le référendum, Brian Tobin – alors ministre des Pêches et Océans et fidèle de longue date de Chrétien – aurait été l'un de ceux qui auraient mené la charge. «Mon bon ami Jean Chrétien ne serait sans doute pas content de moi, mais la réalité, c'est que, dans le système parlementaire britannique, nous n'élisons pas le premier ministre. Stephen Harper n'a pas été élu premier ministre, Jean Chrétien non plus.

«Tous deux étaient chefs d'un parti ayant remporté un mandat majoritaire. C'est en tant que chefs de ces partis qu'ils ont été appelés à former un gouvernement, mais ils n'ont jamais été élus comme l'est, par exemple, le président américain. Vous ne devenez le patron que si vous pouvez dire au gouverneur général que vous avez l'appui de la majorité de la Chambre. Mais, parce que cela se produit rarement, les gens oublient qu'un caucus dans le système parlementaire britannique peut démettre un chef, y compris le premier ministre.

«C'est pourquoi, dans une situation comme celle-là [une défaite au référendum], la capacité traditionnelle du chef à dicter la conduite à adopter, ou même à décider de la composition du cabinet et du rôle de chacun de ses membres, est limitée par son obligation d'écouter davantage et de prendre acte de la réalité. La discipline habituelle et le pouvoir sans entraves d'un chef disparaissent dans ce genre de circonstances. Ils ne sont pas simplement affaiblis. Ils n'existent plus.»

Tobin n'est pas arrivé seul à cette évaluation. Pendant la semaine qui a précédé le référendum et devant la tournure, négative pour le fédéralisme, de la campagne, un groupe de ministres s'est réuni pour discuter des scénarios possibles du lendemain d'un Oui. La rencontre s'est tenue à l'extérieur de l'enceinte du Parlement, dans la salle privée d'un restaurant d'Ottawa, et il fallait y avoir été invité pour y participer.

Une demi-douzaine de ministres était de la partie. La plupart occupaient des postes en première ligne du gouvernement libéral. Aucun collègue du Québec ne figurait parmi les invités. Selon Tobin, les ministres du reste du Canada qui avaient été conviés à la rencontre se sont tous présentés. L'absence la plus flagrante était celle de la vice-première ministre, Sheila Copps. Comme Tobin, elle était considérée comme l'un des ministres les plus loyaux à Chrétien. Mais elle pense qu'elle n'a pas été invitée parce qu'elle était à l'extérieur de la ville lorsque la réunion a été organisée. Tous les participants ont parlé d'autant plus librement qu'aucun compte rendu des discussions n'allait être rédigé. Ce n'était pas le genre d'échanges qu'on allait coucher par écrit pour la postérité ministérielle.

« Aucune décision n'a été prise. Un certain nombre de ministres avaient simplement choisi de se rencontrer, au moins pour reconnaître que le résultat [du référendum] était incertain. Nous étions des ministres élus à l'extérieur du Québec. À cette époque, les principaux acteurs qui auraient eu la responsabilité de la négociation qui aurait pu suivre un Oui étaient tous Québécois. Mais il y avait une réalité évidente à laquelle les Québécois auraient à faire face dans le scénario d'un Oui : l'idée qu'un groupe de Québécois négocierait avec un autre groupe de Québécois ne tiendrait pas la route. Cela n'arriverait jamais.

« Constitutionnellement, Jean Chrétien était premier ministre. C'est vrai. Mais si une négociation pour donner suite à un Oui avait commencé, la négociation aurait été menée – et le dialogue aurait été animé – par des personnes qui voyaient, de manière tangible, aux intérêts des deux parties. »

Pendant la rencontre, les ministres de Jean Chrétien n'ont pas discuté de son abdication. Mais ils ont envisagé l'hypothèse de négocier les modalités possibles d'une séparation du Québec après un vote pour le Oui. « Nous avons participé au référendum sur la base de la règle de 50 % plus un, dit Tobin. On ne peut pas changer les règles après coup. Selon moi, devant une victoire claire (de 52 à 53 %), vous participez à une négociation sur la réorganisation du pays. J'avais le sentiment que nous avions joué selon ces règles et qu'il nous fallait être prêts. »

Les armes qu'ils fourbissaient en vue d'une victoire possible du Oui n'étaient pas dirigées contre le premier ministre, du moins pas directement. Mais les ministres présents à la rencontre convenaient néanmoins que, pour assurer la survie d'un gouvernement libéral affaibli par un Oui et aux abois au Parlement et dans l'opinion publique canadienne, les ministres du Québec, titulaires des postes les plus importants, devraient être réaffectés à des rôles moins stratégiques ou, dans certains cas, simplement appelés à quitter le cabinet.

«Il y aurait évidemment eu une réorganisation du gouvernement fédéral reflétant la réalité d'un verdict qui serait allé dans le mauvais sens et un réalignement, en conséquence, des personnes responsables.»

Tobin ne le dit pas explicitement, mais il dépeint Jean Chrétien après un Oui comme un otage de ses princes ministériels plutôt que comme un roi pouvant compter sur eux pour assurer ses arrières. «Je ne crois pas qu'il aurait proposé de démissionner ou de partir, et je ne crois pas non plus que le caucus l'aurait invité à le faire, mais je pense que le caucus et le cabinet auraient vraiment tenu à être engagés dans ce qu'était la stratégie pour l'avenir. Je ne pense pas que maintenir tout le monde à sa place et continuer comme avant aurait été recommandable ou possible. J'en resterai là.»

Tobin croit que Jean Chrétien aurait reconnu la défaite fédéraliste, mais qu'il aurait reporté une interprétation plus poussée à plus tard – après avoir eu l'occasion de faire le point avec son caucus et son cabinet. «Le soir du référendum, je me serais attendu à ce que Jean Chrétien déclare: "Il y a eu un vote en faveur d'une nouvelle relation entre le Québec et le Canada, mais la question n'était pas particulièrement claire, ce qui fait que le résultat non plus n'est pas clair. Il devra y avoir entre le gouvernement du Canada et celui du Québec un dialogue pour interpréter ce pour quoi le peuple du Québec a voté. Nous savons qu'il a voté pour le changement. Nous reconnaissons qu'il a voté pour un nouvel arrangement. Cet arrangement reste à déterminer."»

La dernière semaine de la campagne, Tobin et certains de ses collègues avaient réfléchi à la direction qu'ils donneraient à la conversation Québec-Canada après un Oui. Dans un premier temps, ils ne voulaient pas que les Québécois de leur gouverne-ment définissent les termes de la conversation. «Il était très clair que s'il fallait que l'on s'engage dans ce genre de dialogue après le référendum, cela ne serait pas fait par un groupe de Québécois parlant au nom du Canada, parce que le Canada ne l'accepterait pas.

«Je ne présumerai même pas que le premier ministre dans son rôle [...] aurait été menacé, mais je dis que tous les postes clés étaient occupés par des Québécois. C'était bon pour une cam-pagne référendaire, mais, si le résultat du vote avait été différent, il aurait fallu apporter certains changements pour refléter le fait que le reste du Canada devait être à la table pour participer à cette difficile négociation sur son avenir.

«Au fond de nos cœurs, nous pouvions penser que ces Québé-cois étaient les meilleurs ministres au monde, mais, sur le plan pratique, cela n'aurait pas pesé lourd. Il n'y aurait pas eu, de la part du reste du Canada, une négociation fondée sur des sentiments.»

Les ministres du ROC (*rest of Canada*) ne voulaient pas non plus que les modalités d'éventuels pourparlers avec le Québec soient déterminées par les souverainistes qui négocieraient avec eux. «Cela ne serait pas un processus en une étape où le gouvernement du Québec dirait : "D'accord, on a eu 52 %, voici notre interprétation du résultat. Voici les documents : signez sur la ligne pointillée."

«Nous partirions plutôt de l'idée que si le Canada était divi-sible, le Québec l'était aussi ; il y aurait eu un débat vraiment inté-ressant là-dessus. Immédiatement. Le Parti réformiste aurait joué un rôle important dans ce débat dans la mesure où il aurait adopté une ligne très dure à ce sujet ; il aurait attisé le ressentiment de certaines régions du pays.»

Au début de la campagne référendaire, Brian Tobin et ses col-lègues du reste du Canada étaient des colombes. La plupart d'entre eux avaient appuyé les tentatives de réconciliation constitution-nelle ébauchées à Meech et de Charlottetown. Mais devant la menace d'un Oui, ils étaient prédisposés à se transformer rapide-ment en faucons.

* * *

Il n'y a franchement rien d'étonnant à ce que, à la fin de la campagne référendaire, les membres non québécois du cabinet fédéral en aient été à ronger leur frein, à vouloir s'installer aux commandes après un Oui, ou à vouloir serrer la bride à Chrétien si cela se produisait. On pourrait plutôt se demander pourquoi il leur a fallu si longtemps pour décider de prendre leur place dans un débat qui avait de si grandes conséquences pour leurs électeurs. Il faut dire que, depuis des mois, on martelait aux députés libéraux qu'il n'y avait pas lieu de se faire du mauvais sang au sujet du référendum. C'était un message qu'ils retransmettaient fidèlement dans leurs circonscriptions respectives. Ce n'est que vers la fin de la campagne que le ton a changé. Le message officiel voulant que tout allait pour le mieux dans le meilleur des mondes a été abandonné au profit d'assurances que le référendum était simplement sous contrôle. Devant la tournure de plus en plus évidente des événements, la confiance plus ou moins aveugle que bien des députés et ministres du reste du Canada avaient accordée à la garde rapprochée québécoise de Jean Chrétien a décliné abruptement.

Tobin, par exemple, recevait ses propres résultats de sondages et non pas la version expurgée que l'on servait régulièrement au cabinet. Et plus la campagne avançait, plus il devenait évident qu'elle ne se déroulait pas vraiment bien. « Les chiffres que j'ai reçus la dernière semaine provenaient de trois sondeurs différents, et je leur parlais directement ; ils n'étaient pas payés pour me faire la conversation. Selon eux, le camp du Non traînait de l'arrière de sept à quatorze points. »

Même s'il suivait la campagne à partir d'une loge éloignée à Ottawa, même s'il était coupé du terrain québécois par des centaines de kilomètres et par la barrière de la langue, qui le forçait à se fier à de l'information en grande partie traduite, Tobin sentait que le camp fédéraliste était dur d'oreille. De son point de vue, son camp ne saisissait pas l'effet qu'avait Lucien Bouchard sur la campagne. « Les fédéralistes n'écoutaient pas ce qu'il disait. Ils se contentaient de dire : "C'est un séparatiste. Les séparatistes sont mauvais. Le gars a des cornes sur la tête." Mais ils n'écoutaient pas ce qu'il disait, et ce qu'il disait était plutôt brillant.

« Il ne disait pas que les anglophones du reste du Canada étaient des méchants, dont il fallait s'éloigner. Il disait aux Québécois : "Les Canadiens sont en fait des gens bien. Ils doivent être en train de se lasser de nous parce que nous n'arrivons pas à nous décider. Ce n'est pas juste pour eux. Le moment est venu de leur donner une réponse claire. Nous allons vivre côte à côte par la suite et nous allons déterminer ensemble ce que sera la nouvelle relation, mais vous savez que le Canada est si fatigué de ce débat sans fin qu'il ne s'y intéresse plus. Le Canada s'en fiche. Il veut simplement que nous soyons clairs. Alors, soyons-le."

« C'était un argument de bon sens très efficace, très puissant, pour convaincre le Québécois moyen qui ne s'intéresse ni aux détails de la Constitution ou de l'ALENA, ni à la dette et à la manière de la partager. Certains éléments de l'intelligentsia veulent savoir tout cela ; ils veulent discuter des arrangements à venir dans le détail. Mais pour le citoyen moyen, pour le travailleur qui n'a ni le temps, ni l'aptitude, ni l'intérêt de fouiller dans le droit constitutionnel, la suggestion d'être simplement clairs pour rester tous des amis était un argument puissant. »

Brian Tobin a été l'un des principaux artisans du controversé rassemblement pro-Canada qui a eu lieu à Montréal le dernier vendredi de la campagne. Il a téléphoné lui-même aux sièges sociaux des grandes entreprises canadiennes pour trouver du financement. Il a donné un jour de congé aux fonctionnaires de son ministère pour les inciter à participer au rassemblement.

Tobin dit aujourd'hui que la rhétorique de Lucien Bouchard selon laquelle le reste du Canada se fichait désormais que le Québec parte ou reste l'a motivé à promouvoir le projet de rassemblement. Il reconnaît toutefois que si la manifestation a fourni un exutoire émotionnel à beaucoup de participants du reste du Canada, elle a aussi indisposé des électeurs québécois. « Pour les gens de l'extérieur du Québec, c'est un souvenir mémorable. Ils l'ont fait pour eux-mêmes, pour pouvoir vraiment dire qu'ils n'étaient pas restés les bras croisés à un tel moment. Le souvenir du rassemblement est probablement différent au Québec. C'est probablement le souvenir d'une grande controverse au Québec.

« Je ne sais pas si j'ai changé quelque chose. Je suis d'avis qu'un grand défaitisme avait envahi les forces fédéralistes du Québec et que ce ralliement a, au moins, contribué à inciter les fédéralistes à aller voter. Mais il a peut-être également encouragé des souverainistes à le faire. »

*   *   *

Deux décennies après le référendum, des hommes et des femmes qui, par ailleurs, ont livré bataille dans le même camp fédéraliste n'arrivent toujours pas à s'entendre sur l'utilité du rassemblement pro-Canada du 27 octobre. Leurs points de vue ne seront jamais réconciliables.

Mais, en bout de ligne, le fait que le rassemblement ait eu lieu compte davantage que son effet discutable sur le résultat du vote référendaire. En rétrospective, il marque un jalon important sur la voie d'un virage du reste du Canada. Le rassemblement pro-Canada a marqué la fin d'une époque à Ottawa, celle où la conception et la mise en œuvre de la politique Québec-Canada étaient, pour l'essentiel, la chasse gardée de politiciens et de stratèges de cette province.

Lorsque Brian Tobin propose que des milliers de non-Québécois se rendent, aux frais de la princesse s'il le faut, au centre-ville de Montréal pour manifester en faveur du Canada aux derniers jours de la campagne référendaire, il se heurte à un mur d'objections québécoises. La plupart des députés fédéraux québécois, dont la ministre responsable du référendum, Lucienne Robillard, s'opposent avec véhémence à ce projet. Comme la vaste majorité des dirigeants du comité du Non qui œuvrent au quartier général des forces fédéralistes à Montréal, ils sont convaincus que c'est un geste téméraire, qui va se retourner contre leur camp. Ils insistent sur le fait que les dépenses engagées violeraient la loi québécoise, et que cette violation coûterait des votes. Dans des circonstances plus normales, l'avis presque unanime du caucus fédéral du Québec combiné à celui des leaders du comité du Non l'aurait sans doute emporté. Jusque-là, la règle, non écrite, avait toujours été que, en ce qui concernait le Québec, les Québécois étaient les meilleurs juges. Mais face à la perspective – impensable quelques semaines auparavant – d'un Oui, les réflexes acquis au fil d'une trentaine d'années de débat Canada-Québec n'ont pas tenu le coup. Selon Tobin, il a fallu moins d'une demi-heure à Chrétien pour décider de passer outre à l'avis de ses ministres québécois, de donner sa bénédiction au projet de rassemblement et d'ordonner à son ministre terre-neuvien de mettre le projet d'une méga-manifestation fédéraliste à exécution. Pour une rare fois, l'avis des ministres du reste du Canada sur un enjeu stratégique québécois l'a emporté. Ce ne serait pas la dernière fois. Pour le meilleur ou pour le pire, la bataille perdue par les ténors fédéraux du Québec au sujet de la pertinence de convier les Canadiens de toutes les régions à un ralliement référendaire à Montréal n'était que la première manifestation d'un nouveau rapport de forces autour de la table du cabinet fédéral.

En apparence, l'ancienne manière de faire les choses est demeurée inchangée après le référendum. Jean Chrétien a continué à gouverner pendant presque une décennie. Il a remporté deux autres élections. Après son départ, il a été remplacé, en rapide succession, par deux autres chefs issus du caucus fédéral du Québec : Paul Martin et Stéphane Dion.

Une victoire – même remportée à l'arraché et de justesse – reste une victoire. Après le référendum, Tobin et ses collègues ministres du reste du Canada n'ont pas tapé sur la table pour réclamer que des ministres du Québec soient rétrogradés au profit d'élus non québécois.

Le dossier de l'unité canadienne a continué d'être piloté par une équipe québécoise au sein du bureau du premier ministre, et de nouvelles recrues du Québec, comme Stéphane Dion et Pierre Pettigrew, ont été parachutées dans des châteaux forts libéraux de Montréal, avant d'être nommées à des ministères de premier plan qui les plaçaient sur la ligne de front post-référendaire.

L'habitude de gérer le dossier du Québec en vase clos – comme l'avaient fait à chaque mandat davantage les premiers ministres fédéraux depuis Pierre Trudeau – semblait devoir perdurer comme s'il ne s'était rien passé en octobre 1995.

En réalité, la grande frousse fédéraliste du 30 octobre a suscité une petite révolution culturelle à Ottawa. Le débat du cabinet au sujet du rassemblement pro-Canada avait été le premier signe d'un mouvement irréversible. Dans la panique, plus ou moins contrôlée, de la dernière semaine de campagne, les ministres du reste du Canada avaient joué du coude avec succès pour se faire une place à la table Québec-Ottawa et ils n'allaient plus la quitter par la suite.

Plutôt que de laisser aux seuls Québécois au sein de leur gou-vernement le soin de veiller au grain après la courte victoire du Non, ils allaient s'assurer d'avoir voix au chapitre de l'après-réfé-rendum – au nom de leurs électeurs – et ils allaient chercher des réponses aux interrogations que leur avait inspirées la tournure inquiétante de la campagne référendaire.

* * *

Tobin ne fut pas personnellement témoin de cette évolution. Après le référendum, sa relation avec Chrétien a changé, tout comme celle qu'il avait avec Lucien Bouchard. Quelques mois plus tard, lui et le chef du Bloc québécois quittaient la colline du Parlement pour devenir premiers ministres de leurs provinces respectives. C'est pendant cette période de sa carrière politique que Tobin a eu l'occasion de connaître Bouchard autrement que comme un homme à battre à tout prix.

Le premier contact entre les deux hommes – à l'époque où Bouchard était ministre conservateur, et Tobin critique de l'opposition – n'avait pas été prometteur. Ils avaient eu un accrochage spectaculaire vers la fin du débat sur Meech au sujet de l'opposition du gouvernement libéral de Terre-Neuve à l'accord constitutionnel. Bouchard avait déclaré, de son siège de ministre aux Communes, que le moment était peut-être venu pour le Canada de choisir entre Terre-Neuve et le Québec. Ses paroles suggéraient que le choix était évident. Tobin était furieux. Encore aujourd'hui, il pense que lui et Bouchard auraient facilement pu en venir aux coups.

Mais une fois devenu premier ministre, Tobin a eu l'occasion de connaître Lucien Bouchard sous un jour différent et les deux hommes ont fini par bien s'entendre. D'ailleurs, avec le temps, le premier ministre Bouchard, tout souverainiste qu'il ait été, en est venu à apprécier davantage la compagnie de ses homologues provinciaux que celle de bon nombre de ses partenaires péquistes.

C'est pendant la période où les deux hommes étaient premiers ministres que Tobin a acquis la conviction que Lucien Bouchard n'aurait pas laissé Jacques Parizeau mettre les bouchées doubles pour arriver à tout prix à l'indépendance sur la foi d'un mandat référendaire mince comme une peau de chagrin. « Je ne pense pas, juge Tobin, que Jacques Parizeau ait jamais été le patron de Lucien Bouchard. La vérité, c'est que si le vote avait été Oui, M. Parizeau aurait été, de manière générale, beaucoup moins influent auprès des Québécois que Lucien Bouchard. Dans des circonstances aussi extraordinaires, le pouvoir émane réellement de l'électorat.

« J'avais toujours estimé que si le gouvernement du Québec déclarait unilatéralement l'indépendance, c'était ce qu'il pouvait y avoir de mieux pour le gouvernement fédéral. Parce que cela aurait validé l'argument fédéraliste selon lequel il ne s'agissait pas d'un mandat pour négocier un nouvel arrangement, mais plutôt d'un raccourci souverainiste pour propulser le Québec sur la voie de la sortie du Canada.

« Je pense connaître plutôt bien Lucien Bouchard, et savoir qu'il a trop de fierté et trop de personnalité pour avoir fait le petit calcul que certains auraient pu faire : "Oh ! Nous avons gagné ; je suis dans l'équipe gagnante. Je vais accepter une déclaration unilatérale d'indépendance parce que je vais partager la gloire de créer un nouveau pays. " Je pense que je le connais assez bien pour savoir que s'il s'était senti trahi, s'il s'était senti mis sur la touche, s'il s'était senti trompé, il n'aurait pas gardé le silence. Je ne peux pas le jurer, mais je ne crois pas qu'il aurait estimé que le pouvoir passe avant tout. Il aurait estimé que l'intégrité passe avant tout.

« Le rêve d'avoir son propre pays est quelque chose de très enivrant. Si vous abordez les gens qui ont un rêve comme s'ils formaient un groupe de mauvaises personnes, vous allez perdre toute capacité de dialoguer avec eux. Mais le rêve ne peut pas se fonder sur un mensonge. Si vous sollicitez un mandat de partenariat et que vous posez un geste de rupture unilatéral à la place, c'est un mensonge. Ce n'est pas quelque chose que Bouchard aurait fait. »

*   *   *

En 2000, Tobin est retourné dans l'arène fédérale juste à temps pour la troisième (et dernière) campagne électorale de Jean Chrétien. Son retour a été interprété comme un signal de ce qu'une course à la succession était imminente. Au moment où Tobin a réintégré la Chambre des communes, la stratégie post-référendaire de Chrétien était déjà arrêtée. À la demande du gouvernement fédéral en 1998, la Cour suprême avait rendu un jugement sur les questions juridiques entourant le départ d'une province de la fédération. Une loi (*Loi donnant effet à l'exigence de clarté formulée par la Cour suprême du Canada dans son avis sur le Renvoi sur la sécession du Québec*, la «loi sur la clarté») qui précisait, pour la première fois, les modalités selon lesquelles le Canada accepterait de donner suite au résultat d'un futur référendum au Québec avait été adoptée deux ans plus tard, avec l'appui du Parti réformiste et du NPD.

Lorsque Tobin avait quitté le cabinet fédéral cinq ans auparavant, la stratégie post-référendaire de Chrétien était encore en gestation. On parlait alors de s'engager simultanément sur deux voies :

celle du plan A, qui aurait concrétisé la promesse du premier ministre de réformer de la Constitution pour y enchâsser le caractère distinct du Québec; et celle du plan B, qui visait à resserrer, à partir d'Ottawa, les critères en fonction desquels la souveraineté du Québec pourrait devenir réalisable ou, tout au moins, négociable.

Au retour de Tobin, le plan A était mort de sa belle mort, faute de volonté politique dans les provinces et d'appui populaire dans le reste du Canada pour une reprise du débat constitutionnel, mais aussi à cause du peu d'appétit des libéraux fédéraux pour une dévolution des pouvoirs du gouvernement d'Ottawa à ses partenaires provinciaux. Chrétien leur avait transféré la responsabilité de la formation de la main-d'œuvre. Il avait fait adopter une loi selon laquelle le Parlement fédéral ne ratifierait pas d'amendement constitutionnel sans l'accord du Québec, de l'Ontario, des provinces de l'Atlantique, des provinces des Prairies et de la Colombie-Britannique. Mais la somme de ces mesures restait bien en deçà du rééquilibrage complet de la fédération et de la réforme constitutionnelle que le Québec réclamait.

Le plan B, par contre, se portait à merveille. Il s'était révélé extrêmement populaire dans le reste du Canada, et avait obtenu un appui multipartite à la Chambre des communes. Au Québec, Lucien Bouchard avait tenté en vain de soulever suffisamment d'opposition à la loi sur la clarté afin qu'elle serve de bougie d'allumage pour redémarrer la machine référendaire. À la place, c'est sa démission comme premier ministre et comme chef du PQ que le peu de vagues suscitées par la loi sur la clarté au sein de l'électorat québécois allait provoquer.

Pendant son premier séjour sur la colline du Parlement, Tobin avait été un adepte de ce qui aurait déjà pu s'appeler le plan A, c'est-à-dire l'idée de faire ce qu'il fallait pour arriver à une réconciliation constitutionnelle entre le Québec et le reste du Canada. Mais au terme du passage à vide fédéraliste de la fin de la campagne référendaire, il était déterminé à ne plus jouer le rôle passif de passager à bord d'un train en route pour l'enfer politique.

La loi sur la clarté était, en partie, conçue pour atténuer le sentiment d'impuissance et d'exclusion qu'avaient éprouvé l'électorat du reste du Canada et ses élites politiques devant la tournure de la campagne référendaire. C'était une réponse au désir collectif des autres Canadiens de ne plus être réduits au rang de simples spectateurs d'un débat dont ils étaient convaincus que l'issue – c'est-à-dire l'avenir de la fédération – les concernait directement.

Et c'était aussi une manifestation de la volonté, telle qu'exprimée par Tobin et ses collègues ministres du ROC lors de leurs discussions privées de la fin de la campagne référendaire, de ne pas laisser aux seuls Québécois le soin de redessiner un Canada sans le Québec.

Si Tobin avait été à la table du cabinet de Jean Chrétien plus longtemps après le référendum, il aurait été du côté des ministres-faucons qui prônaient l'adoption d'une loi destinée à donner au gouvernement fédéral et au reste du Canada une voix au chapitre des modalités de tout nouvel épisode référendaire. Le souvenir du traumatisme fédéraliste de la campagne référendaire s'est peut-être estompé, mais son impact sur la mentalité des colombes de la classe politique canadienne a été structurant.

CHAPITRE 9

Humpty Dumpty : Paul Martin

Paul Martin a passé la soirée référendaire dans le bunker de son ministère des Finances à attendre de voir si la bombe à retardement d'un vote pour le Oui allait éclater au visage du Canada.

Son bureau bourdonnait comme une ruche. Beau temps, mauvais temps, il avait une armée de fonctionnaires sous ses ordres et, ce soir-là, tout le monde était sur le pont. « Il y avait probablement plus de gens dans le bureau à vingt-deux heures que pendant une journée de travail, et on était très nerveux, se souvient-il. Il y a eu un moment lorsque le Oui menait où il n'y avait pas un chat qui parlait. C'était le silence complet. »

Si la soirée se terminait par une défaite fédéraliste, l'équipe de Martin avait bien des nuits blanches en perspective. C'est à ses membres, le ministre en tête, qu'incomberait la tâche, peu enviable, d'amortir le choc d'une victoire souverainiste sur les marchés financiers du Canada et de l'étranger.

Dans un tel scénario, la première tâche de Martin consistait à gagner du temps pour le Canada, pour son dollar et pour son infrastructure financière jusqu'à ce que la direction politique du pays se ressaisisse et décide quelle voie emprunter. Mais c'était plus vite dit que fait. Si le Oui l'emportait, le temps dont le Canada disposerait pour retomber sur ses pieds se compterait en heures et peut-être en jours, mais certainement pas en semaines.

Il était évident, bien sûr, qu'après une défaite fédéraliste au référendum, personne n'admettrait l'idée que tout continuait d'aller pour le mieux dans le meilleur des mondes au Canada. Le ministre et ses fonctionnaires devaient néanmoins minimalement assurer les principales places boursières de la planète que le gouvernement fédéral était stable et que, en dépit des apparences, il était encore en contrôle de la situation.

Pour y arriver, Martin allait, dans un premier temps, devoir convaincre les boursiers que des figures de proue du gouvernement comme Jean Chrétien et lui-même avaient encore suffisamment de légitimité pour rester en poste, même si leur option politique venait d'être rejetée par leurs propres concitoyens. Cela n'allait pas nécessairement être une mince tâche.

Si le Oui l'emportait par une faible marge, le gouvernement canadien voulait empêcher les analystes boursiers et les commentateurs financiers de sauter à la conclusion que le Canada allait éclater ou, à défaut d'y parvenir, tout au moins les persuader que la reconfiguration de la fédération ne se ferait pas dans le désordre.

Dans la mesure où la capitale fédérale était peu préparée à gérer une situation que ses dirigeants n'avaient collectivement pas vue venir, le ministre des Finances allait avoir besoin des talents d'un grand magicien politique pour arriver à jeter suffisamment de poudre aux yeux des marchés boursiers pour éviter la dégringolade du dollar et une fuite de capitaux.

Une dizaine d'années plus tard, Paul Martin perdait le poste de premier ministre qu'il avait tant convoité après seulement deux ans d'exercice. Pourtant, il affirme aujourd'hui que la peine qu'il a éprouvée en voyant le pouvoir lui échapper aux élections de 2006 n'était pas comparable à l'angoisse qu'il a ressentie le soir du référendum. «Ça a été la plus longue soirée de ma vie, plus longue que celle de ma défaite électorale.»

Ce n'est pas seulement la fédération canadienne – à laquelle Martin tenait mordicus pour des raisons patriotiques – qui était en jeu ce soir-là, mais également son propre avenir politique. Pour Paul Martin, le référendum était tout autant un jeu de qui perd gagne que pour le premier ministre qu'il ambitionnait de remplacer. Comme Humpty Dumpty, le ministre le plus puissant du Canada allait tomber de haut si le Oui l'emportait, et les morceaux de sa personnalité politique ne seraient pas faciles à recoller par la suite.

Dans un premier temps, un Oui avait de quoi anéantir les ambitions d'un aspirant premier ministre dont le siège se trouvait au Québec. Ontarien de naissance, Martin avait néanmoins des racines profondes à Montréal. Il y vivait et y menait son entreprise, la Canada Steamship Lines, depuis des années. C'est à partir du tremplin de la métropole du Québec qu'il s'était lancé en politique fédérale. D'ailleurs, lorsque Martin avait brigué un siège pour la première fois en 1988, ce métissage Ontario-Québec était considéré comme un de ses atouts en vue d'une éventuelle course au leadership.

Pendant longtemps, les libéraux fédéraux ont eu tendance à tenir davantage que les autres partis à ce que leurs chefs soient en mesure de leur livrer le Québec lors des élections.

La province avait été à la clé du succès électoral de Pierre Trudeau, et jusqu'à ce que Brian Mulroney leur rafle la place en 1984, les libéraux fédéraux considéraient le Québec comme une forteresse naturelle.

C'est seulement depuis que Jack Layton a balayé la province en 2011 que les néo-démocrates font un vrai détour pour s'assurer que ceux et celles qui aspirent à les diriger ont des atomes crochus avec le Québec. Auparavant, le NPD fédéral se souciait beaucoup moins de l'attrait que pouvaient exercer ses chefs dans une province qui ne leur avait jamais manifesté autre chose que de l'indifférence électorale.

Quant aux conservateurs (et aux progressistes-conservateurs avant eux), leur intérêt pour le Québec a fluctué au fil des décennies. L'histoire de ce parti a été marquée par de brèves mais intenses poussées d'attention pour le Québec et par des périodes de désintérêt presque aussi prononcées.

Théoriquement, après un Oui, Martin aurait pu décider de se faire élire en Ontario. Il avait encore des liens solides avec sa région natale de Windsor; c'est d'ailleurs dans cette ville du sud-ouest de l'Ontario qu'il a choisi de dévoiler son programme électoral en 2004 et en 2006. Après le référendum, certains de ses conseillers se sont demandé si le ministre n'améliorerait pas ses chances de devenir chef libéral s'il abandonnait son siège montréalais pour une circonscription ontarienne. L'idée a rapidement été écartée.

Mais si le Oui l'avait emporté, le fait de changer de siège et de province n'aurait rien changé au fait que Paul Martin aurait été le principal élu québécois, après Jean Chrétien, à avoir été au gouvernail du navire-amiral canadien pendant le naufrage référendaire. Après un Oui, Martin et Chrétien se seraient trouvés sur le même radeau, sur la même mer démontée.

Paul Martin avait passé ses cinq premières années aux Communes dans l'opposition. Au moment du référendum, cela faisait seulement vingt-trois mois qu'il dirigeait un ministère et il commençait à s'imposer comme titulaire des Finances au Canada comme à l'étranger. Il n'avait pas encore acquis l'auréole d'indispensabilité qu'allait lui valoir le redressement réussi des finances fédérales quelques années plus tard. Dans le scénario d'une défaite référendaire, bien des Canadiens, à commencer par ses propres collègues du cabinet, risquaient de voir Paul Martin comme faisant partie du problème existentiel qui se posait à la fédération plutôt que comme l'un des agents d'une solution. Quand Brian Tobin et d'autres ministres du ROC avaient discuté du rôle élargi qu'ils entendaient jouer après une éventuelle défaite référendaire, l'idée de continuer à laisser à un ministre issu du Québec le portefeuille le plus important du gouvernement ne faisait pas nécessairement partie des plans.

Paul Martin et Jean Chrétien avaient été des rivaux à la direction du Parti libéral du Canada en 1990. La paix qu'ils avaient faite par la suite ressemblait plutôt à une trêve plus ou moins durable. Martin ne faisait partie ni des intimes du premier ministre, ni du cercle restreint à l'intérieur duquel se décidait la stratégie référendaire. Les modalités de leur coopération étaient dictées par la nécessité politique, sans plus. Si Jean Chrétien avait été forcé de faire davantage de place à des ministres du reste du Canada après un Oui, il n'est pas certain qu'il serait monté aux barricades pour garder Paul Martin aux Finances.

Martin s'attendait à ce que Chrétien résiste à l'idée qu'un Oui mène à des négociations sur la sécession du Québec. Il dit qu'il était personnellement d'avis que l'hypothèse du départ du Québec de la fédération ne devait, sous aucun prétexte, être envisagée. Mais il ajoute qu'il ne possédait aucune information de première main sur les intentions du premier ministre, sur le point de vue de ses collègues ministres du Québec ou sur celui des leaders québécois du camp du Non. « Je ne connais pas de ministres qui auraient voulu négocier après un Oui, mais je n'en ai jamais parlé avec Lucienne Robillard ou Jean Charest. J'ai eu des conversations avec Daniel Johnson, mais pas sur cette question. »

Jusqu'aux derniers jours de la campagne référendaire, le silence sur les implications pratiques d'un Oui était la norme au sein de la classe politique canadienne (à l'exception notable du Parti réformiste). Un ancien haut fonctionnaire, titulaire d'un poste économique stratégique pendant la campagne référendaire, explique qu'à l'époque, la simple hypothèse d'une victoire souverainiste était taboue. Quand on discutait de ses possibles conséquences, on chuchotait.

Vers la fin du printemps de 1995, lorsqu'il est devenu évident qu'un référendum aurait lieu l'automne suivant, Martin a pris des mesures pour faire face aux perturbations possibles du référendum sur les marchés et à l'étranger. Mais elles étaient loin de constituer un plan d'urgence digne de ce nom.

Pendant des années, une grande partie de la dette du Canada avait été financée à court terme. Cela coûtait moins cher, mais cela signifiait que le Canada devait refinancer au moins une partie de sa dette tous les trente, soixante ou quatre-vingt-dix jours. Une défaite des fédéralistes au référendum aurait rapidement fait grimper le coût de ce financement. Après un Oui, une épée de Damoclès aurait pendu au-dessus de la tête du Canada tous les trente, soixante et quatre-vingt-dix jours jusqu'à ce que le statut du Québec ait été normalisé. Au débat intense entre Ottawa et Québec qu'aurait déclenché une victoire référendaire souverainiste il aurait encore fallu ajouter l'instabilité politique du gouvernement fédéral et des désaccords possibles entre les provinces quant à la marche à suivre. Tout cela aurait contribué à un climat d'incertitude nuisible au refinancement de la dette à des taux avantageux.

Après son arrivée aux Finances, Martin avait pris des mesures pour financer la dette à plus long terme – une option plus coûteuse, mais qui rapporterait en cas de victoire du Oui. Cependant, dit-il, « c'était une opération de longue haleine et nous étions encore très vulnérables au moment du vote ».

Même si le gouvernement fédéral avait voulu ou avait pu étaler plus rapidement une plus grande partie de la dette sur du financement à long terme, son positionnement politique en matière référendaire l'en aurait empêché. Ottawa ne pouvait pas se permettre de laisser croire qu'une défaite fédéraliste pouvait être dans les cartes. Les mesures étapistes prises par Martin sur le front du financement de la dette faisaient déjà sourciller la communauté financière. « Les commentateurs se demandaient pourquoi on agissait ainsi, mais on n'allait pas leur dire que c'était parce qu'on avait peur d'un référendum. Donc, on les a laissés parler et on a continué sur la même voie. »

L'aveuglement volontaire qui a empêché la machine fédérale et ceux qui la dirigeaient d'explorer, en détail, les conséquences d'un Oui, et de se préparer en conséquence, a perduré jusqu'aux derniers jours de la campagne référendaire. L'été précédent, à moins de deux mois du vote au Québec, un groupe de sous-ministres du gouvernement Chrétien avait lancé des consultations informelles pour préparer la deuxième moitié du mandat libéral. J'ai moi-même été invitée à l'une de ces discussions à titre de commentatrice politique. L'une des hypothèses de travail de cette séance de remue-méninges était que la fin du référendum allait marquer le début d'une longue période d'hibernation pour le dossier de l'unité canadienne, laquelle se prolongerait peut-être pendant le reste de la vie professionnelle des participants à la discussion. Le gros des ressources qui avaient longtemps été monopolisées par ce dossier allait pouvoir être affecté à d'autres fronts de politique gouvernementale. Personne, ce jour-là, ne semblait concevoir que le contraire puisse se produire et que la question Canada-Québec puisse se poser avec encore plus d'acuité après le référendum.

Paul Martin lui-même n'avait pas eu beaucoup de temps pour réfléchir à la possibilité d'une victoire du Oui. En tant que ministre issu du Québec, il avait passé presque tout le mois d'octobre à faire campagne et, durant l'année précédant le référendum, la confection d'un budget charnière l'avait monopolisé.

* * *

Le budget que Paul Martin a présenté à la Chambre des communes en mars 1995 était son second à titre de ministres des Finances, mais son premier à marquer un grand tournant dans la gestion des finances fédérales. Il mettait résolument le cap sur l'équilibre budgétaire, en restructurant notamment en profondeur la façon de dépenser du gouvernement du Canada sur le front des programmes sociaux.

Ce budget marquait un changement de direction par rapport à l'approche plus graduelle privilégiée, sans grand succès, par le gouvernement conservateur précédent. L'ensemble des politiques du gouvernement Chrétien allaient être assujetties à la stratégie d'élimination du déficit proposée par Martin, une réalité que bien peu d'électeurs auraient pu anticiper à la lecture du programme électoral expansionniste présenté par les libéraux lors de la campagne de 1993.

En règle générale, le degré d'engagement d'un gouvernement envers une politique compte autant que la nature de cette dernière politique. Il n'y avait pas grand-chose dans le Livre rouge de la campagne électorale libérale de 1993 qui laissait entendre que le nouveau gouvernement concentrerait aussi résolument son attention sur le déficit. Le programme du parti n'annonçait certainement pas de grandes réductions dans les programmes sociaux. En fait, il promettait d'éliminer la TPS et de créer un programme national de garderies, des engagements qui se révélèrent être de pieux mensonges. Le budget de 1995 établissait clairement que la priorité du gouvernement était l'assainissement des finances publiques.

En rétrospective, on peut croire que le budget fédéral de 1995 a été une des rares bonnes choses – pour le gouvernement Chrétien – à résulter du faux sentiment de sécurité pré-référendaire qui l'animait pendant l'année qui a précédé le vote québécois.

« Honnêtement, on n'a pas pensé au référendum en concevant le budget de 1995, se souvient son auteur politique. À l'époque, le décor du budget était la menace d'une crise financière asiatique et les soubresauts du peso mexicain. Le référendum n'était pas sur mon radar. »

Si les stratèges du gouvernement Chrétien avaient imaginé que le camp fédéraliste voguerait sur autre chose qu'une mer d'huile pendant la campagne référendaire, il est plus que plausible que Paul Martin aurait présenté un budget moins audacieux en matière de contrôle des dépenses et moins risqué sur le plan politique.

Au gouvernement, une crise en chasse une autre. Malgré toutes les ressources à leur disposition, les gouvernements modernes ne sont pas très doués pour faire deux choses à la fois, en partie à cause de la centralisation du pouvoir et de la prise de décisions autour du premier ministre. Il y a des limites aux opérations délicates que peuvent gérer, en simultané, une personne et une petite équipe de conseillers. Pendant l'automne de 1994 et l'hiver de 1995, le gouvernement Chrétien avait déterminé que le déficit était l'Everest qu'il se devait de conquérir. S'il ne s'y attaquait pas résolument, le gouvernement fédéral allait avoir de plus en plus de difficulté à s'acquitter pleinement de ses missions existantes. Les nouveaux programmes sociaux que les libéraux ambitionnaient de mettre en chantier n'allaient jamais voir le jour.

Mais si le premier ministre et ses stratèges avaient pensé qu'ils allaient devoir livrer le combat de leur vie au Québec l'automne suivant; s'ils avaient imaginé la pente abrupte à remonter qui les attendait au tournant de la campagne référendaire, ils auraient peut-être décidé qu'ils en avaient suffisamment sur les bras sans s'engager dans une grande offensive budgétaire.

La bataille contre le déficit aurait peut-être attendu jusqu'à ce que la vie du gouvernement ne dépende plus de sa victoire sur le dragon souverainiste. Lorsqu'un gouvernement fait face à une menace fondamentale pour son existence, son instinct lui dicte généralement de réduire ou d'éliminer le risque de complications sur tous les autres fronts.

Cela aurait été tragiquement ironique puisque tout le monde s'entend aujourd'hui pour dire que le Canada était nettement moins vulnérable aux conséquences d'une défaite référendaire après le budget de 1995 qu'avant sa présentation. « En rétrospective, on a été chanceux d'avoir fait ce budget-là, dit l'ancien ministre. Sans ce budget, la simple possibilité d'une victoire du Oui aurait déstabilisé notre dollar. »

* * *

Paul Martin a passé le dernier *week-end* de la campagne référendaire entouré de ses fonctionnaires à se préparer pour le scénario du pire. Si le Oui l'emportait au vote du lundi, le budget structurant qu'il avait présenté le printemps précédent allait avoir une place centrale dans ses appels au calme à la communauté financière.

« Je leur aurais dit que notre économie était très forte; que nous avions réglé notre problème de déficit; que le budget avait été un énorme succès; et que nous allions continuer dans la même voie.

J'aurais dit que si jamais il y avait une séparation, le Canada serait assez fort pour s'en sortir. Ils n'avaient qu'à regarder nos ressources naturelles, notre économie, le fait que nous nous étions occupés du déficit. Mais j'aurais dit aussi qu'on ne croyait pas que la souveraineté allait résulter du vote. »

Même si Paul Martin ne concevait pas que le Canada négocie la sécession du Québec, il savait qu'un processus quelconque allait devoir suivre un Oui et que ce processus allait devoir être enclenché rapidement. « Notre plus grande crainte, c'était l'incertitude, reconnaît-il. Les marchés n'auraient pas toléré ce genre de flottement. »

Personne ne s'attendait à ce que les prêteurs internationaux du Canada se montrent patients face au chaos ou au dysfonctionnement qui aurait pu résulter d'un Oui. Au sommet des institutions financières canadiennes, tout comme dans les rangs des chefs d'entreprise dont Martin lui-même était issu, la tolérance à l'égard de gestes susceptibles de prolonger l'incertitude suscitée par une défaite fédéraliste frisait le zéro, affirme un des hauts fonctionnaires qui a été intimement associé aux préparatifs de l'époque. Selon lui, le secteur financier canadien – tout comme la banque centrale – n'imaginait aucun scénario qui ne s'appuyait pas sur « l'hypothèse incontournable qu'il y aurait une négociation et un processus ordonné par la suite ».

Aux yeux des occupants des tours des sièges sociaux et des institutions qui finançaient la dette canadienne à Bay Street et à Wall Street, l'hypothèse que le gouvernement Chrétien refuse de discuter avec le Québec et amorce, à la place, un long siège pour éroder l'appui au Oui au sein de l'opinion publique québécoise était le pire des scénarios possibles.

Ceux qui, au sein de la communauté d'affaires, étaient partants pour une bataille d'usure pour nier et renverser un Oui, et pour l'incertitude prolongée qui risquait d'en résulter, étaient peu nombreux. Comme la plupart de leurs homologues des autres provinces, certains champions du fédéralisme de l'*establishment* financier québécois auraient, à tout prendre, préféré un règlement négocié entre les deux gouvernements – même si ce règlement aboutissait à une rupture – à une imprévisible guerre de tranchées.

Peu après le référendum, à une époque où un match revanche semblait inévitable plus tôt que tard, l'idée de prôner de manière proactive et publique des arrangements nationaux distincts pour le Québec a été soulevée à une réunion du Conseil canadien des chefs d'entreprise. La suggestion s'inspirait d'un désir d'aller au-devant des coups et de minimiser les bouleversements associés à une nouvelle démarche référendaire, potentiellement gagnante pour la souveraineté. Cette suggestion n'a pas été retenue et elle n'a jamais mené à une sérieuse remise en question de l'orientation pro-fédéraliste du regroupement des capitaines d'industrie du Canada, mais elle témoigne de l'état d'esprit dans lequel se trouvaient certains chefs d'entreprise devant l'incertitude qu'aurait provoquée un Oui québécois. Pour bon nombre d'entre eux, une paix rapide, même au prix d'une reconfiguration radicale de la fédération canadienne, aurait été préférable à une imprévisible guerre d'usure pour garder le Québec dans son sein.

Le plan A de Paul Martin, en cas de vote pour le Oui, aurait été « des négociations ne conduisant pas à la sécession ». C'est peut-être la seule approche qui aurait été garante de sa place de premier plan à la table du cabinet. Mais encore aurait-il fallu que son gouvernement convainque Jacques Parizeau de participer à des discussions dont la souveraineté aurait été écartée parce que non négociable. Et que ce même gouvernement trouve quelque chose de viable à mettre sur la table en remplacement de la souveraineté.

Le fait est que, devant la tournure de la campagne référendaire, on avait consacré davantage de temps, dans des officines fédérales comme celle qu'occupait Paul Martin, à anticiper une déclaration unilatérale d'indépendance du Québec qu'à réfléchir à une éventuelle contre-offre constitutionnelle à substituer à la souveraineté dans le cadre de négociations avec le tandem Parizeau-Bouchard.

* * *

Après le référendum, Paul Martin a pris ses distances à l'égard du dossier Canada-Québec. Sa relation difficile avec Jean Chrétien n'a pas été étrangère à cette distanciation. Avec le temps, leur méfiance réciproque allait dégénérer en guerre intestine libérale et mener à une tentative pour évincer le premier ministre du pouvoir peu après sa réélection à la tête d'un troisième gouvernement majoritaire.

Certains anciens collègues québécois de Paul Martin estiment toutefois, exemples à l'appui, qu'il y avait également une part de calcul politique dans son désengagement du débat post-référendaire.

Parmi les épisodes qui leur sont restés en mémoire, il y a celui de la mise en place, par Jean Chrétien, à l'insu du reste des ministres fédéraux du Québec mais avec la collaboration de Paul Martin, d'un programme fédéral de bourses d'études pour marquer l'arrivée du troisième millénaire. La classe politique québécoise était presque unanimement contre cette idée, qu'elle percevait comme une intrusion fédérale dans le champ de compétence provinciale de l'éducation.

Aucun des ministres fédéraux du Québec – de Stéphane Dion à Pierre Pettigrew et à Lucienne Robillard – n'avait été consulté avant que le souhait de Chrétien ne se retrouve dans un budget Martin. C'est en lisant l'énoncé budgétaire, quelques heures avant sa présentation à la Chambre des communes, qu'ils ont été mis devant le fait accompli du programme des bourses du millénaire.

Certains de ces mêmes anciens collègues québécois de Paul Martin ont également noté le peu d'engagement du ministre des Finances dans les délibérations du cabinet au sujet du projet d'une loi sur la clarification. À l'époque, l'un d'entre eux, d'autre part partisan de la candidature de Martin au leadership libéral, m'avait confié qu'il était aussi difficile de cerner la position du ministre des Finances sur la loi sur la clarification que de retenir un poisson glissant à mains nues.

Pendant cette même période, Paul Martin et son équipe cour-
tisaient assidûment la presse parlementaire dans le cadre d'une
campagne de charme en vue de la succession de Jean Chrétien
mais, sur le sujet du Québec, central à l'époque, le ministre était
néanmoins muet comme une carpe. Au bout du compte, Paul Martin réussit si bien à se dissocier de ce dossier que, cinq ans plus
tard, un jeune activiste libéral de Winnipeg me décrivait le ministre
de la Justice, Martin Cauchon, comme le ministre du Québec le
plus important au cabinet.

L'expérience référendaire avait-elle convaincu Paul Martin que
l'art de la séduction des nationalistes québécois n'était pas dans
ses cordes ? Chose certaine, il avait été échaudé pendant la seconde
moitié de la campagne lorsque, lors d'un passage au Québec, il
avait prédit que la souveraineté aurait des répercussions sur un
million d'emplois québécois. Le chiffre avait marqué les esprits,
mais pas de la manière dont le ministre l'aurait espéré. Sitôt son
discours prononcé, Martin s'était fait accuser de mener une campagne de peur. Il y avait, dans les rangs de ses détracteurs, plusieurs
commentateurs qui étaient habituellement bien disposés à son
égard.

Malgré des appels frénétiques à ses contacts médiatiques les
plus amicaux – et il n'en manquait pas au Québec –, Martin n'était
pas parvenu à corriger le tir et à dissiper l'impression généralisée
de ce que son intervention référendaire s'inscrivait dans une campagne de peur.

Lorsque le scandale des commandites a éclaté, immédiatement
après le départ à la retraite de Jean Chrétien, Paul Martin pouvait
honnêtement jurer qu'il n'avait rien à voir avec ledit programme.
Ce fut aussi la conclusion de l'enquête publique menée par le juge
John Gomery sur cette affaire. Mais les efforts qu'avait déployés
Martin pour se dissocier de la politique post-référendaire de son
gouvernement n'ont pas suffi à dissocier le ministre le plus visible
de la province de la responsabilité collective qui a découlé de la
dérive éthique d'un programme visant à renforcer l'unité
canadienne.

Une fois premier ministre, Paul Martin a négocié avec les provinces un accord asymétrique sur la santé qui respectait la volonté du Québec de ne pas céder un pouce de ses compétences constitutionnelles au gouvernement fédéral. Il a cependant été incapable de tisser les liens solides qu'il souhaitait avec l'électorat francophone du Québec. Rebutés par le scandale des commandites, des milliers d'électeurs fédéralistes ont choisi de rester chez eux au lieu d'aller voter pour les libéraux de Martin (ou pour le Bloc québécois) en 2004. Un certain nombre d'entre eux se sont rabattus sur le Parti conservateur de Stephen Harper en 2006 plutôt que de donner à Paul Martin le second mandat qu'il espérait.

CHAPITRE 10

Une pendaison à l'aube : Raymond Chrétien

C'est à l'artiste américain Andy Warhol qu'on doit l'idée qui veut que chacun ait droit à quinze minutes de fugace célébrité dans sa vie. Pour Raymond Chrétien, l'ambassadeur du Canada à Washington, le référendum était, en principe, garant d'un quart d'heure de gloire sur les réseaux américains. Cette perspective l'excitait autant que celle d'une pendaison à l'aube.

Son horaire, pour les premières heures du lendemain du vote, ressemblait davantage à celui d'une vedette du rock en tournée de promotion qu'à la feuille de route d'un discret diplomate de carrière. Titillés par le potentiel médiatique d'un Oui, les réseaux américains s'étaient bousculés au portillon de l'ambassadeur pour l'inviter à participer à leurs émissions matinales. Il était prévu que Raymond Chrétien passe la matinée à donner des commentaires en série au sujet du résultat du vote sur des plateaux de télévision.

Le fait que Chrétien était le neveu du premier ministre canadien – celui-là même qui allait se retrouver dans l'œil de la tempête en cas de défaite fédéraliste – faisait de l'ambassadeur une prise encore plus alléchante. En raison de ses liens de parenté, Raymond Chrétien allait être plus proche du tsunami que risquait de déclencher un verdict souverainiste que bien des politiciens qui se trouvaient physiquement au Canada.

En cas de défaite fédéraliste, il était apte à jouer le double rôle de témoin bien branché et de parent affligé. Pour les émissions de nouvelles et d'affaires publiques américaines, c'était une combinaison irrésistible.

Faire en sorte que le Canada ne passe pas sous le radar de Washington tient généralement de l'exploit diplomatique. Dans les meilleures circonstances, les médias américains n'ont guère d'appétit pour les nouvelles politiques concernant leur voisin du nord. Leur intérêt pour le Canada est sporadique et, surtout, de courte durée. Mais, dans le cas du référendum, la situation ne pouvait guère être plus différente. « Je ne crois pas qu'il y ait eu, dans l'histoire des relations canado-américaines, un intérêt aussi massif pour quelque chose qui se passait au Canada, au Québec, se souvient Chrétien. Les gens suivaient cela. Ils me parlaient dans la rue du référendum. J'ai passé sept ans aux États-Unis et même pendant la "guerre du poisson" [portant sur la surpêche sur la côte est], même pendant le débat sur l'Irak, je n'ai rien vécu de comparable à la journée et à la soirée référendaires.

« Voir CNN rapporter le vote au Québec aux quinze minutes, aux vingt minutes, c'était sans précédent. J'en ai parlé avec mes prédécesseurs. Ils n'ont jamais vécu ainsi sous la loupe des médias américains ou pas aussi intensément. C'est le plus délicat dossier que j'ai traité. »

Cet intérêt inhabituel des Américains confirmait – si besoin était – que le camp fédéraliste du Non filait tout droit vers un mur référendaire. Au Canada, la rectitude politique empêchait souvent les commentateurs de s'avancer très loin sur le terrain d'une éventuelle victoire souverainiste. Il ne manquait pas de faiseurs d'image (*spin doctors*) pour squatter les plateaux des émissions d'affaires publiques canadiennes et marteler le message que ceux qui évoquaient une défaite fédéraliste déformaient la réalité. Si les prophètes de malheur étaient francophones, on laissait régulièrement entendre – pour faire bonne mesure – qu'ils se laissaient aveugler par un parti pris pro-souverainiste.

Dans certains cas, les contrevenants à la ligne officielle – s'ils provenaient du monde des affaires – recevaient un coup de fil d'un de leurs contacts au sein de la machine fédérale pour leur rappeler, plus ou moins subtilement, que discuter en public d'une victoire possible des souverainistes et conjecturer sur ses conséquences minait le moral des fédéralistes et pouvait faire du tort à la cause du Canada. Mais s'il était possible de contrôler le message fédéraliste en décourageant des gens d'affaires de jouer les oiseaux de malheur en public, personne ne pouvait empêcher ces mêmes gens d'affaires de réfléchir aux conséquences d'un Oui.

Plutôt que de se fier exclusivement à des sources gouvernementales pour savoir à quoi s'en tenir sur l'évolution de la situation au Québec, un certain nombre d'institutions financières canadiennes avaient commencé, dès l'arrivée au pouvoir de Jacques Parizeau en 1994, à commander des analyses indépendantes. Pas plus que ses rivaux fédéralistes, le PQ ne prisait ce genre d'initiatives. Les deux camps toléraient mal tout ce qui pouvait porter atteinte au contrôle de leurs messages respectifs.

À une occasion au cours de la campagne électorale québécoise de 1994, un des candidats-vedettes économiques de Jacques Parizeau avait même téléphoné à une institution financière de Toronto pour lui signaler qu'elle aurait intérêt à cesser de diffuser des évaluations indépendantes de la situation politique au Québec à ses clients si elle souhaitait faire des affaires avec un éventuel gouvernement du Parti québécois.

À Washington, toutefois, les analystes financiers – les représentants des agences de notation que Raymond Chrétien sondait fréquemment – ne s'inquiétaient pas de froisser les sensibilités du gouvernement canadien. Ils lui dressaient un portrait sans complaisance de l'état des lieux, et l'ambassadeur se souvient que la situation n'était guère réjouissante pour les fédéralistes. « La dernière semaine, j'ai rencontré des gens qui suivaient cela à la minute et ils étaient unanimes à croire que le Oui allait peut-être gagner. »

Raymond Chrétien se trouvait aux États-Unis, géographiquement à l'arrière du front référendaire. On aurait pu penser que la teneur – inquiétante – des évaluations qui émanaient de ses sources américaines était archi-connue dans la capitale fédérale. Après tout, il y avait à Ottawa une armée de fonctionnaires dont la seule tâche était de scruter la campagne à la loupe. De plus, de nombreux politiciens fédéraux étaient déployés sur le terrain. En principe, on aurait pu croire qu'ils relayaient leur impression de ce que le sol semblait se dérober sous leurs pieds à l'équipe de direction qui suivait les événements à partir de la colline du Parlement.

En fait, et c'était plutôt alarmant du point de vue de l'ambassadeur, l'information qu'il glanait à New York et à Washington lui donnait souvent une longueur d'avance sur Ottawa. Certains de ses contacts fédéraux canadiens entendaient les mêmes évaluations pessimistes; d'autres avaient tout simplement l'intuition que la situation se détériorait rapidement pour le camp du Non. Mais la réalité mettait du temps à s'imposer à l'équipe qui était aux commandes des opérations fédérales, et encore plus longtemps à se traduire en correction du tir.

« Après mes rencontres, j'ai répercuté le message [négatif] des analystes financiers. Ce message-là a contribué à réveiller Ottawa. C'était d'autant plus crédible que cela ne venait pas d'une source partisane, mais d'une source plutôt favorable à l'idée de la fédération canadienne. Les analystes financiers n'aimaient pas ce qu'ils voyaient, mais c'était néanmoins ce qu'ils voyaient. »

Le décalage que Raymond Chrétien constatait régulièrement entre sa lecture de la situation au Québec et l'opinion ambiante au sein du gouvernement fédéral auquel il se rapportait était particulièrement frappant en ce qui concernait l'évaluation de l'ascendant qu'exerçait Lucien Bouchard sur la campagne pour le Oui. « Il y a des gens [au gouvernement fédéral] qui ont pris du temps à évaluer l'impact de son arrivée. Ça a tout changé. C'est ça que certains à Ottawa n'ont pas vu venir ou compris tout de suite, se souvient Chrétien.

« À partir du moment où je l'ai vu arriver, je me suis dit: "Ça va aller mal en maudit." À partir de ce moment-là, je me suis dit que ça allait être beaucoup plus difficile. Il était comme le Saint-

Esprit. Les gens voulaient le toucher. Qu'est-ce qu'on peut faire contre cela ? »

* * *

En politique, le chemin battu est généralement celui que l'on choisit d'emprunter. Il n'est pas naturel de remettre en question une stratégie ou une approche qui s'est révélée efficace dans le passé.

« À Ottawa, le référendum de 80 était une sorte de moule. C'étaient les mêmes gens qui faisaient celui-ci. Le gouvernement du Canada était certain de gagner. La victoire allait de soi. C'est pour cela qu'il n'y a jamais eu de plan B [pour parer un Oui] », explique Chrétien.

De Washington, Raymond Chrétien jouissait d'un poste d'observation privilégié de la scène qui se déroulait au Québec et d'un accès facile à des analyses de premier ordre de la situation référendaire. Mais il pouvait également compter sur un réseau unique de relations personnelles pour valider ses impressions.

Pendant le référendum de 1995, les relations dysfonctionnelles étaient la règle plutôt que l'exception aux plus hauts niveaux des camps du Oui et du Non. Jean Chrétien et Daniel Johnson n'avaient généralement pas grand-chose à se dire. Le chef du Parti libéral du Québec souhaitait surtout ne pas avoir le premier ministre fédéral dans les jambes. Personne, dans l'une ou l'autre des deux capitales, ne se préoccupait de s'assurer que Lucienne Robillard était dans le coup. Jean Charest, à titre de chef d'un parti rival du PLC, se méfiait instinctivement des motivations du premier ministre et de son équipe, et vice-versa. Le soir du référendum, la perspective d'un Oui tiraillait dans des directions différentes les ministres fédéraux du Québec et ceux du reste du Canada. Parmi les politiciens du ROC, beaucoup pensaient, sinon à un divorce, du moins à une séparation à l'essai, tandis que parmi les ministres québécois, on privilégiait la médiation et la conciliation.

Du côté souverainiste, Parizeau, Bouchard et Dumont passaient le moins de temps possible dans la même pièce. La décision des Bouchard et Dumont de quitter le rassemblement souverainiste du soir du référendum avant que Parizeau prenne la parole en témoigne. Le conseiller de l'ancien premier ministre péquiste, Jean Royer, fait remarquer que « rarement on a vu des gars aussi différents que Jacques Parizeau et Lucien Bouchard travailler si longtemps ensemble sur un objectif commun sans se tuer ». (NDA : l'histoire ne dit pas combien de temps cela aurait duré après un Oui.)

La situation de Raymond Chrétien détonnait par rapport à celles des partenaires mal assortis de tous ces mariages forcés. Non seulement était-il proche du premier ministre fédéral, mais il était aussi un ami du chef du Bloc québécois. Avantage éprouvant durant le référendum, ses liens de parenté avec Jean Chrétien et d'amitié avec Lucien Bouchard donnaient néanmoins à l'ambassadeur un accès privilégié aux deux principaux acteurs fédéraux du combat référendaire. Personne d'autre ne pouvait prétendre jouir d'un tel accès.

Lucien Bouchard avait été l'un de ses camarades à la faculté de droit et un de ses collègues aux Affaires étrangères à l'époque où le chef bloquiste était ambassadeur en France sous Brian Mulroney. Même dans ses plus récentes fonctions de chef fédéral d'un parti d'opposition souverainiste, Bouchard avait été un allié occasionnel de Raymond Chrétien – en particulier lorsque ce dernier avait été nommé à Washington en 1994.

Dans la hiérarchie diplomatique du Canada, l'ambassade de Washington trône au sommet. Raymond Chrétien était un diplomate chevronné qui avait occupé des postes de haut niveau aux Affaires étrangères à Ottawa et dans plusieurs capitales étrangères. Mais sa nomination par son oncle à Washington en avait tout de même fait sourciller quelques-uns à Ottawa.

Alors chef de l'opposition officielle, c'est Bouchard qui avait fait taire les critiques. L'ancien ambassadeur confie : « Il m'a donné un gros coup de main. Il a dit : "Je n'aurai jamais la tâche de nommer l'ambassadeur du Canada à Washington, mais si j'avais ce choix, c'est Raymond Chrétien que j'enverrais." »

Après la mutation de Chrétien à Washington, les deux hommes avaient collaboré en coulisses à divers dossiers – notamment celui du différend opposant l'industrie américaine du bois d'œuvre à sa concurrente canadienne. « Je sentais que si je téléphonais à Lucien, il allait prendre mon appel vite. Parce que j'étais dans un poste stratégique aussi bien pour les indépendantistes que pour les fédéralistes. Mais aussi parce qu'il savait que j'étais au courant de bien des choses à Ottawa. J'avais une relation de confiance avec lui. Cela peut aider à garder des lignes ouvertes, à éviter de graves erreurs. »

À tout prendre, Bouchard faisait sans doute davantage confiance à Raymond Chrétien qu'à Jacques Parizeau. Il est même possible qu'à un moment donné, le chef du Bloc ait tenté de convaincre son ancien camarade de faculté de monter avec lui aux barricades du Oui, ou qu'il ait encouragé des gens à tenter de le convaincre. Raymond Chrétien ne le dit pas explicitement mais, à l'entendre, la possibilité qu'il change de camp a été évoquée, directement ou indirectement. « On me disait : "Si vous partiez de votre poste ici à Washington pour rejoindre le Oui, ce serait fini." Il y avait des gens qui pensaient comme cela, qui cherchaient cela avant le référendum. »

Chrétien était cependant attaché au camp fédéraliste par davantage que sa loyauté à l'égard du Canada. Il était plus proche du premier ministre que n'importe quel membre du cabinet fédéral. Tandis que des ministres comme Paul Martin ou Lucienne Robillard parlaient plus souvent qu'autrement à Jean Chrétien par l'intermédiaire de conseillers, son neveu, lui, n'avait qu'à saisir son téléphone pour lui parler directement. Sur les questions liées à l'évolution de la campagne référendaire, les deux hommes se sont parlé souvent. « On se parlait en joual, au cas où les services de sécurité nous auraient écoutés », raconte-t-il.

Bien entendu, Raymond Chrétien était davantage qu'un neveu dévoué qui servait occasionnellement de caisse de résonance à son oncle un peu gâteau. Il exécutait du travail diplomatique de haut niveau, y compris sur le front référendaire. Et parce qu'il était évident qu'il avait l'oreille du premier ministre canadien, certaines portes à Washington s'ouvraient plus facilement que s'il avait été seulement un excellent diplomate de carrière.

Certains de ses efforts ont rapporté de gros dividendes lorsque, pendant la dernière semaine de la campagne, le président Bill Clinton a manifesté publiquement sa préférence pour un Canada uni. Clinton était très populaire au Québec ; certains analystes attribuent à son intervention le transfert au camp du Non de quelques points de pourcentage de soutien. À tout le moins, elle a aidé le camp fédéraliste à conserver l'élan tardif dont il avait désespérément besoin.

Le premier ministre Chrétien avait une bonne relation avec le président Clinton, mais c'est Raymond Chrétien qui veillait à ce qu'il n'y ait pas de friture sur la ligne entre Washington et Ottawa, et le moins possible d'intrusion extérieure. « On était en liaison constante avec la Maison-Blanche. Ce dossier-là, il était géré par Clinton, par son entourage, pas par le département d'État. Tout ce qui était dit par des officiels américains, secrétaire d'État, vice-président, président, était fait en étroite collaboration avec l'ambassade. Donc, on n'avait non seulement pas de surprises, mais eux voulaient s'assurer que ça allait nous aider. Les Américains ne sont jamais venus proche d'adopter une position ambiguë comme celle de la France. Pour eux, l'objectif, c'était vraiment d'aider la fédération canadienne, le gouvernement du Canada. »

Il n'y a pas vraiment de doute que si le Canada et le Québec s'étaient entendus sur un certain degré de séparation après un Oui, les États-Unis s'en seraient accommodés. Mais l'opération aurait demandé certains ajustements de la part de Washington. Il aurait fallu tailler dans l'espace géopolitique nord-américain une place différente pour le Québec et réaménager, par exemple, l'Accord de libre-échange nord-américain (ALENA), qui régissait le commerce entre le Canada, les États-Unis et le Mexique, pour inclure un quatrième partenaire. De plus, après un Oui, personne ne pouvait jurer que les autres provinces continueraient de marcher à l'unisson à l'intérieur d'une fédération canadienne amputée de sa composante québécoise.

Si la Maison-Blanche avait eu à choisir entre un *statu quo* géopolitique stable et l'incertitude d'un processus destiné à remodeler substantiellement son partenaire canadien, son choix aurait été évident.

En marge des soubresauts auxquels un Oui aurait exposé les États-Unis, on s'y inquiétait également de l'effet d'entraînement que pourrait avoir l'éclatement possible de la fédération canadienne. La chute du mur de Berlin, en 1989, et le déclin ultérieur de l'empire soviétique avaient créé des poudrières nationalistes dans certains pays de l'ancien bloc communiste – plus particulièrement en Yougoslavie. Washington, comme les autres capitales des pays industrialisés, ne souhaitait pas encourager le découpage de nouveaux États-nations à même des pays existants.

L'opinion publique aux États-Unis était moins favorable au mouvement souverainiste québécois qu'en France, et pas seulement pour une question de langue. «Aux États-Unis, le mouvement indépendantiste essaie de présenter son projet comme une variation de la guerre américaine d'indépendance. Les Américains ont plutôt tendance à voir cela comme un projet de guerre civile. Cela rendait le projet rébarbatif à bien des Américains», soutient Raymond Chrétien.

Sur la foi de ses contacts avec la Maison-Blanche, l'ambassadeur Chrétien s'attendait à ce que le président Clinton appuie un refus de négocier la souveraineté du gouvernement fédéral si telle était la position adoptée par Ottawa après une victoire du Oui. Au moins pendant les premiers jours et les premières semaines difficiles qui auraient suivi un Oui, le gouvernement canadien n'aurait pas eu besoin de s'inquiéter de ce que l'administration américaine lui fasse faux bond ou tente de lui forcer la main en tendant la sienne aux souverainistes. Ottawa pouvait également espérer que la Maison-Blanche de Clinton influerait sur la communauté internationale pour qu'elle fasse de même et qu'elle adopte, au minimum, une attitude attentiste à l'égard de la situation du Canada et du Québec.

« Si le Oui avait gagné, les vingt-quatre à quarante-huit premières heures auraient été difficiles. On aurait peut-être eu des
divergences de vues entre différents pays de la planète. Mais les
Américains auraient été avec nous, quelle que soit notre prise de
position. »

Cela dit, en politique, rien n'est éternel et, avec le temps,
Washington, comme le monde des affaires canadien, en serait
venu à mettre son poids considérable derrière l'idée d'un règlement ordonné de la situation plutôt que de tolérer une période
indéfinie d'incertitude chaotique chez son voisin du nord. Mais
Raymond Chrétien avait la conviction qu'il avait au moins veillé
au plus pressé.

*　　*　　*

L'ambassadeur Chrétien était beaucoup moins certain de la teneur
des instructions qu'il recevrait d'Ottawa en vue de sa ronde médiatique du lendemain matin que de la réaction prévisible de la Maison-Blanche à un Oui. Il affirme que personne, à Ottawa, ne lui
avait passé de commande à ce sujet. Et il n'en attendait pas avant
que soit connu le résultat final du vote.

Il est plausible, voire probable, que Raymond Chrétien avait,
quoi qu'il en dise, une bonne idée des intentions de Jean Chrétien
quant au suivi à donner à un Oui. Les deux hommes se parlaient
si souvent qu'on imagine mal que le sujet n'ait jamais été abordé.
Mais s'il a reçu des confidences du premier ministre, c'est à titre
de neveu et non d'ambassadeur et il continue de les garder pour
lui.

Ce qui est certain, c'est que, en cas de victoire du Oui, Raymond
Chrétien aurait été l'un des premiers à savoir ce qu'allait dire et
faire le premier ministre, et cela probablement même avant les
principaux ministres du gouvernement.

« J'étais en contact constant avec le premier ministre ce soir-là.
Il y avait certainement un plan B dans la tête de gens comme Jean

Pelletier [chef de cabinet du premier ministre] et Jean Chrétien. Ils se seraient revirés de bord vite, vite, vite. Ça aurait été fait pendant la nuit. Moi, je commençais à six heures le lendemain matin. On aurait eu des lignes et le message aurait été contrôlé. C'était un gouvernement cohésif, qui fonctionnait bien. Ça aurait été fait. »

Il n'y avait jamais eu entre un premier ministre fédéral et son ambassadeur aux États-Unis de relation comparable à celle qu'entretenaient Jean et Raymond Chrétien. Il est peu probable qu'il y en aura une autre du genre. Le fait que Raymond Chrétien – plutôt qu'un élu fédéral de premier plan – aurait été la voix et le visage du Canada sur les réseaux américains le lendemain d'un Oui est une manifestation de l'extraordinaire marge de manœuvre dont il jouissait.

Parmi toutes les personnes interviewées en vue du présent ouvrage, sa perspective était unique. Sa position sur la ligne de front de la diplomatie canadienne à un moment de grande tension Canada-Québec était différente de celles de tous les autres acteurs, tout comme l'étaient ses liens personnels avec Jean Chrétien et Lucien Bouchard. C'est probablement cette combinaison qui explique pourquoi son point de vue sur les conséquences d'un vote pour le Oui est plus précis et plus chirurgical que ceux des autres Québécois que nous avons rencontrés.

Paul Martin croyait qu'après un Oui, le fait d'être élu au Québec augmenterait sa valeur politique et celle de ses collègues québécois plutôt que de la diminuer. Il estimait qu'il serait plus légitime pour des politiciens fédéralistes québécois de résister à un Oui que pour des élus d'autres régions du pays. Raymond Chrétien voyait les choses plutôt différemment.

« L'avenir politique de tous les Québécois dans le gouvernement – André Ouellet, Jean Chrétien, moi – aurait été sur la table. Si la légitimité du gouvernement du Canada avait dégringolé, la mienne l'aurait fait aussi puisque j'étais nommé par ce gouvernement et dans mon cas, ça aurait été encore plus flagrant parce que je m'appelais Chrétien. »

Il reconnaît également que l'atteinte d'un consensus au sein du gouvernement libéral après un Oui aurait présenté tout un défi. « Des ministres auraient pu remettre en cause le rôle de Jean Chrétien. D'autres ou encore des fonctionnaires auraient démissionné. On aurait peut-être suggéré de faire un autre référendum. Chose certaine, Jean Chrétien n'aurait pas accepté un Oui faiblard. »

Et son ami Lucien Bouchard dans tout cela? Aux yeux de Raymond Chrétien, la voie à suivre pour les souverainistes après un Oui n'était guère plus clairement tracée que celle du gouvernement fédéral. « Bouchard connaissait Ottawa, un avantage que bien peu de Québécois ont. Ottawa, c'est puissant, c'est complexe. Il aurait eu l'avantage de bien connaître aussi le Québec. Mais qu'aurait-il voulu obtenir? La souveraineté-association? On savait vraiment où Parizeau se situait, alors que dans le cas de Bouchard, on ignorait sur la base de quelle prémisse il aurait voulu négocier. J'ai toujours pensé qu'il ne cherchait peut-être pas la même chose que Parizeau. Que cherchait-il? Je ne le savais pas et peut-être que lui-même ne le savait pas. »

En fin de compte, l'ambassadeur Chrétien n'a pas eu tellement besoin des « lignes » qu'Ottawa a fini par lui envoyer pendant la nuit qui a suivi le référendum. Quelques minutes après la victoire du Non, les réseaux ont annulé la moitié de ses entrevues. Et dans le cadre des émissions qui l'ont tout de même reçu, la tâche de parler d'une victoire à l'arraché s'est avérée être beaucoup plus facile qu'il ne l'avait escompté et immensément plus agréable, bien sûr, que celle de devoir commenter – en tournant sept fois sa langue de bois dans sa bouche – les conséquences d'une défaite de l'option fédéraliste.

Les animateurs américains qui ont interviewé Raymond Chrétien le lendemain du référendum n'étaient pas très intéressés par la minceur de la victoire de son camp. « Pour les Américains, c'était réglé, qu'on gagne par un demi pour cent ou par 25 %, se souvient Chrétien. Pour moi, c'était révélateur. Les États-Unis sont une superpuissance. Voilà un événement qui aurait pu, si le Oui l'avait emporté, bousculer un peu l'échiquier nord-américain. Mais le Québec avait dit non. Pour les Américains, c'était réglé, on oubliait ça. »

Il faudrait encore un certain nombre d'années, mais le Canada finirait par en arriver à la même conclusion.

CHAPITRE 11

Touriste malgré lui : André Ouellet

Dans les heures qui auraient suivi une victoire du Oui, le lieutenant québécois de Jean Chrétien aurait préféré plonger tête première dans l'aventure d'un référendum fédéral sur l'avenir du
Québec plutôt que de concéder la partie au camp souverainiste.

S'il n'en avait tenu qu'à André Ouellet, alors ministre des
Affaires étrangères et responsable politique du Québec, le Canada
aurait communiqué, le soir même, sa volonté de reprendre l'exercice référendaire à zéro aux États-Unis et à la France, les deux alliés
dont la réaction au résultat du vote était le plus susceptible de
donner le ton au reste de la communauté internationale. «J'aurais
dit à l'administration américaine que le résultat était tellement
serré et que la question était tellement deux de pique qu'on allait
laisser tomber la poussière et redemander aux Québécois de
répondre carrément à la question : "Est-ce que vous voulez vous
séparer du Canada et avoir votre propre pays ou est-ce que vous
voulez rester Canadiens ?"

«J'aurais dit à la France : "Ne vous pressez pas de reconnaître
l'indépendance. Avec un score aussi serré et une question qui
n'était pas une question claire, nous allons demander aux Québécois de se prononcer de nouveau et de répondre carrément à la
question de s'ils veulent rester ou quitter le Canada." »

André Ouellet n'a jamais été le genre à faire dans la dentelle. Sa conception de la marche à suivre après un Oui est à l'image du bagarreur politique qu'il a longtemps été. À cet égard, il n'avait sans doute d'égal que Jean Chrétien lui-même.

Il précise néanmoins que l'idée d'un second référendum, organisé par le gouvernement fédéral au Québec ou même à l'échelle canadienne, n'a jamais été discutée au cabinet. Du même souffle, Ouellet reconnaît volontiers qu'il n'a jamais été informé des plans de Chrétien en cas de Oui. Malgré ses responsabilités politiques particulières sur le front québécois, il a logé à la même enseigne que le reste de ses collègues ministres. «Je ne peux pas dire ce qu'était la position officielle du gouvernement. On n'en a jamais parlé. La défaite n'a jamais été vraiment envisagée au Conseil des ministres. D'abord, on n'a d'ailleurs pas su ce qui s'en venait parce que le Conseil des ministres ne recevait pas de sondages toutes les semaines, encore moins tous les soirs. Mais j'étais convaincu qu'on n'accepterait jamais un Oui. Je n'ai jamais pensé que ce référendum, quel que soit le résultat, réglerait le sort du Québec.»

Il fut un temps où Ouellet était branché sur tout ce qui bougeait en politique québécoise.

À la fin des années 1970 et au début des années 1980, le député libéral de Papineau était l'organisateur en chef du premier ministre Trudeau au Québec.

Au cours de la même période, il avait piloté une demi-douzaine de ministères d'importance intermédiaire, comme les Postes, les Travaux publics et le Travail. À cette époque, son influence était plus importante que ne le laissaient croire ses titres ministériels.

En 1995, toutefois, son avenir en politique était derrière lui ; sa carrière tirait à sa fin et la retraite pointait à l'horizon. Ouellet avait commencé à prendre ses distances de la mêlée au Québec. Il avait passé les années d'opposition libérale dans les tranchées constitutionnelles. Partisan de l'accord de Meech, il l'avait défendu à l'intérieur et à l'extérieur de sa formation. Entre Meech et Charlottetown, c'est lui qui représentait le PLC à la commission Bélanger-Campeau. Pendant les deux rondes constitutionnelles de la fin des années 1980 et du début des années 1990, il avait passé beaucoup de son temps à se colleter avec des collègues libéraux fédéraux, réfractaires aux efforts de réconciliation constitutionnelle de Brian Mulroney. Il avait moins envie d'encaisser les coups du mouvement nationaliste québécois au nom de son parti que pendant les années Trudeau. Des souverainistes de premier plan – à commencer par Lucien Bouchard, qu'il avait rencontré à l'université – comptaient parmi ses amis. D'autre part, lui et Chrétien n'étaient pas particulièrement proches.

À titre de ministre des Affaires étrangères, Ouellet occupait un poste de première ligne au cabinet. Son rôle était plus important que celui de tout autre ministre du Québec, exception faite de Paul Martin. Mais c'était un poste qui le tenait éloigné de la Chambre des communes, de la capitale fédérale et du Canada pendant de longs et fréquents déplacements à l'étranger. Par définition, sa fonction ministérielle l'empêchait de participer, de vive voix, à bon nombre des débats qui orientaient les politiques intérieures de son gouvernement.

Il n'est pas rare que le ministre des Affaires étrangères d'un gouvernement devienne, en quelque sorte, un touriste à la Chambre des communes et à la table du cabinet. Ce qui est plutôt rare, cependant, c'est qu'un premier ministre choisisse un ministre voué à parcourir la planète comme lieutenant politique dans une province où se prépare une partie de bras de fer de l'importance du référendum québécois.

En 1995, l'organisation libérale fédérale dont Ouellet était nominalement chargé au Québec était l'ombre rouillée de la machine bien huilée qui avait livré le Québec à Pierre Trudeau scrutin après scrutin. Aux élections fédérales de 1993, les libéraux avaient remporté moins du tiers des soixante-quinze sièges du Québec. Ils avaient dû se battre bec et ongles pour assurer la réélection de Jean Chrétien dans son ancien fief de Saint-Maurice. Après son départ pour le secteur privé en 1986, la circonscription était passée aux mains des conservateurs. À la faveur de l'effondrement du vote conservateur sept ans plus tard, le Bloc québécois avait espéré priver le nouveau premier ministre du Canada d'un siège aux Communes.

La lutte avait été si serrée qu'un sondeur avait même prédit la défaite du chef libéral. À sa première conférence de presse comme premier ministre, Chrétien avait brandi fièrement la une du journal local qui prédisait sa défaite devant les caméras de télévision.

Malgré l'échéance référendaire qui se rapprochait à grands pas et la faiblesse chronique de la machine libérale fédérale au Québec, le fait est qu'il était difficile d'aménager des plages dans l'horaire du ministre aux Affaires étrangères pour du travail de terrain. De plus, l'influence de Ouellet sur le débat politique et l'opinion publique au Québec avait des limites certaines. En 1995, il était une personnalité presque aussi radioactive pour l'électorat nationaliste de sa province que son chef.

*   *   *

La période pendant laquelle Ouellet avait été l'organisateur en chef du PLC au milieu des années 1970 avait coïncidé avec la montée du Parti québécois et l'élection d'un premier gouvernement souverainiste à Québec. Pendant ces années, le ministre fédéral s'était taillé une réputation de mange-séparatistes qui lui nuisait, non seulement auprès des souverainistes, mais également auprès des nationalistes mous, la clientèle qui allait faire la différence entre un Oui ou un Non au référendum.

Sans illusions sur sa propre cote au Québec, Ouellet avait défendu activement l'idée que quelqu'un de plus acceptable pour les nationalistes, comme Lucienne Robillard, soit désigné comme intermédiaire entre le gouvernement fédéral et le camp du Non québécois. Il espérait que la délégation, par Ottawa, d'une ancienne députée de l'Assemblée nationale, bien branchée sur les libéraux provinciaux, aiderait à faire passer le courant entre les deux capitales. Même si la mission de Robillard n'a jamais donné les résultats espérés, Ouellet ne croit pas qu'il aurait pu faire mieux. Bien au contraire. « Mes relations au Québec n'étaient pas ce qu'il y avait de meilleur. J'avais passé ma carrière à engueuler les péquistes. On n'envoie pas un drapeau rouge pour exciter le taureau. »

Quand il parle de son impopularité au Québec, André Ouellet n'exagère pas. En 1984, Brian Mulroney avait bel et bien utilisé Ouellet comme un drapeau rouge pour galvaniser l'électorat québécois contre les libéraux fédéraux. Pendant cette campagne – sa première comme chef de parti –, Mulroney avait rarement prononcé un discours au Québec sans s'en prendre sans merci à André Ouellet, qu'il présentait comme l'incarnation de tous les abus présumés du gouvernement Trudeau à l'égard de la province. Et cela touchait systématiquement une corde sensible de son auditoire.

Ouellet n'était pas seulement *persona non grata* dans les milieux nationalistes ; il était également loin d'être le chouchou d'une partie de ses collègues libéraux, à commencer par son chef. Dans un premier temps, il avait appuyé John Turner contre Jean Chrétien lors de la course à la succession de Pierre Trudeau, en 1984. Pour ajouter à l'insulte à l'injure, six ans plus tard, Ouellet avait défendu énergiquement l'accord de Meech à la face même d'un ressac libéral contre le projet qui allait finir par aider à porter Chrétien à la direction du PLC. Dans l'opposition, Ouellet avait eu maille à partir sur le dossier constitutionnel avec une faction importante du caucus libéral. Après la victoire électorale de 1993, Chrétien et son état-major étaient conscients de l'état lamentable dans lequel se trouvait le parti au Québec, mais ils n'étaient pas pour autant convaincus de la pertinence de s'en remettre totalement à Ouellet pour ce qui était de l'organisation politique dans la province.

S'il y avait une logique à la clé de la décision paradoxale de lui demander de cumuler les tâches – plus ou moins conciliables sur le plan logistique – de ministre aux Affaires étrangères et de lieutenant québécois, elle résidait dans la volonté du premier ministre de confier la direction du dossier politique québécois à son chef de cabinet, Jean Pelletier. Les deux hommes étaient de vieux amis et d'anciens camarades de classe. Chrétien avait une confiance absolue en Pelletier – ce qui n'était pas vrai dans le cas de Ouellet.

Il n'y a pas que sur le front politique québécois que Ouellet était ultimement voué à jouer les seconds violons derrière des proches du premier ministre. En cas de victoire du Oui, c'est Raymond Chrétien, le neveu du premier ministre, qui réseautait au nom du Canada à Washington, et Jean Pelletier, qui avait ses entrées en France, qui auraient donné le ton aux échanges entre Ottawa et les deux capitales qui auraient été le plus dans la mire du gouvernement fédéral dans les heures qui auraient suivi le vote. Pelletier avait connu le président Jacques Chirac au moment où ils étaient respectivement maires de Québec et de Paris, à la fin des années 1970 et durant les années 1980. Après un Oui, sa mission aurait été de convaincre le gouvernement français de ne pas se précipiter pour manifester son appui à la quête par le Québec de son indépendance.

Dans la mesure où le Canada avait pour mantra que le référendum était dans le sac pour les fédéralistes, la tâche de Ouellet sur le front diplomatique, pendant les mois et les semaines qui avaient précédé le vote, se résumait à faire de la prévention, dans le sens le plus général du mot. « J'avais fait le tour des capitales pour leur dire que le Canada, c'est le Canada. Pour leur dire qu'on comptait sur elles et qu'on allait gagner. Tu ne peux pas arriver dans des capitales étrangères pour leur dire qu'on va perdre. »

À toutes les étapes de sa tournée, il avait néanmoins invité ses homologues étrangers à ne pas tirer de conclusions hâtives, quel que soit le résultat du référendum. Ses voyages lui avaient donné le sentiment qu'Ottawa devrait agir rapidement s'il voulait endiguer un mouvement pro-Québec après un Oui, plus particulièrement au sein de la Francophonie, l'organisation internationale qui regroupe les États francophones.

« Peut-être que quelques pays africains auraient bougé rapidement. Je ne sous-estimais pas le travail qui avait été fait, de longue haleine, par le ministère des Affaires internationales du Québec. La Francophonie avait été travaillée sous toutes ses formes par plusieurs indépendantistes engagés et c'est possible que quelques pays membres auraient reconnu un Oui. »

Si le Oui l'avait emporté, Ouellet aurait reçu ses ordres du bureau du premier ministre à peu près de la même manière que l'ambassadeur Chrétien. Dans la mesure où le diplomate avait des contacts plus directs avec le premier ministre, on ne peut pas jurer que le ministre aurait eu autant d'influence sur le contenu de ces directives que l'ambassadeur qui travaillait, d'autre part, officiellement, sous ses ordres.

Tant dans les coulisses du gouvernement que sur la scène du Québec, la contribution de Ouellet à l'effort référendaire fédéral a été moins importante que ce à quoi on aurait pu s'attendre d'un lieutenant politique dont la région menaçait de faire passer le gouvernement (et la fédération) à la trappe. Mais c'est un déficit qu'il allait compenser, à sa façon, quelques mois après le vote.

Il n'avait peut-être pas été une des vedettes du camp du Non pendant la campagne référendaire, mais cela lui avait donné le temps de constater que Jean Charest, lui, était devenu la principale attraction des fédéralistes. Peu de temps après le référendum, Ouellet allait quitter la politique et prendre la direction de Postes Canada. Cependant, avant de tirer sa révérence, il allait faire un ultime détour pour jeter un dernier pavé dans la mare. Au cours d'une entrevue de fin d'année, quelques mois après le référendum, il suggérait que Daniel Johnson s'efface comme chef du PLQ et des forces fédéralistes au Québec au profit de Jean Charest. Au moment de leur publication, les propos de Ouellet avaient fait beaucoup de vagues à Ottawa et à Québec. Charest s'en était immédiatement distancié, tout comme Jean Chrétien et ses conseillers. Or, la graine était semée ; deux ans plus tard, Charest prenait la direction du Parti libéral du Québec.

*   *   *

Un mot en terminant : nous avons rencontré André Ouellet dans sa maison du quartier Alta Vista, à Ottawa. Comme Jean Chrétien, il a choisi de prendre sa retraite en Ontario plutôt que de rentrer au Québec. Ses incursions dans sa province natale, il les fait désormais à titre de visiteur.

À la lumière du parcours politique d'André Ouellet, personne ne peut douter de ses convictions fédéralistes. À ce jour, par exemple, il estime que son ancien gouvernement a raté une belle occasion en s'abstenant de préciser dans la *Loi de clarification* à quelle hauteur d'appui pour la souveraineté le Canada reconnaîtrait au Québec un mandat pour négocier sa sécession. Selon lui, Ottawa aurait dû écrire, noir sur blanc, que ce seuil allait devoir être plus élevé que celui d'une majorité simple (50 % plus un).

Et pourtant, ce guerrier fédéraliste à la retraite semble presque mélancolique lorsqu'il parle de la souveraineté du Québec et de la prestation de son ami Bouchard au référendum. « D'après moi, Lucien avait la même idée que René Lévesque. Tu n'amènes pas un peuple au bord du précipice pour dire : "On tire tout le monde dans le trou." C'est un long chemin, avec des acquis périodiques, une affirmation, une prise de contrôle de ta destinée, de ton économie. C'est un chemin qui se fait graduellement et qui se fait naturellement et quand le fruit est mûr, il tombe. Il n'y a rien de mauvais là-dedans... »

CHAPITRE 12

Le conseiller en divorce : Preston Manning

Preston Manning n'avait pas préparé de discours pour le soir du référendum. En cas de défaite fédéraliste, le chef du Parti réformiste savait exactement ce qu'il allait dire au premier ministre. « J'attendais de lui qu'il démissionne le soir même ou peu de temps après. »

Manning ne voulait pas seulement la tête de Jean Chrétien. Il n'aurait pas été satisfait d'un simple remaniement du cabinet comme l'envisageaient certains ministres du reste du Canada. Il n'était pas disposé à appuyer ni à intégrer un gouvernement de coalition qui aurait encore été dirigé par les libéraux. Le chef réformiste voulait que tout le gouvernement démissionne.

Dans le probable scénario d'un refus d'obtempérer des libéraux et de leur chef, Manning était prêt à faire tout ce qu'il fallait pour fermer le Parlement ou, au moins, le paralyser suffisamment pour forcer la tenue d'élections générales. Comme première étape, Manning dit qu'il aurait prononcé des discours si enflammés qu'« ils auraient fait fondre la peinture du plafond de la Chambre des communes. Chrétien n'aurait pas eu des semaines ni des mois. Vous pouvez imaginer ce que les discours auraient dit sur son rôle dans tout cela. En fait, je les ai faits par la suite, en lui disant que, à titre de premier ministre, c'était lui qui était passé le plus près de perdre la fédération. C'est difficile d'oublier cela.

« J'aurais dit aux libéraux : "On vous a confié, pour le meilleur et pour le pire, l'avenir de la fédération. Vous avez échoué, et vous êtes les moins bien placés pour négocier avec le groupe qui vient de gagner le référendum. L'ouest du Canada ne vous reconnaîtra pas de légitimité." »

Si les missiles verbaux lancés à la Chambre ne parvenaient pas à couler le gouvernement fédéral, Manning était prêt à aller plus loin. « Les députés de l'Ouest auraient quitté le Parlement et n'y seraient pas revenus, parce qu'ils l'auraient considéré comme illégitime. » Il ajoute que les électeurs qui avaient envoyé cinquante-deux députés réformistes à la Chambre des communes deux ans plus tôt n'en attendaient pas moins de son parti. « L'Ouest en particulier n'aurait fait confiance à personne au gouvernement pour mener les négociations. Ils [l'Ouest] auraient été terrifiés à l'idée de ce que celui-ci aurait pu brader. Les libéraux n'avaient accordé aucune attention aux provinces de l'Ouest durant tout le processus qui avait abouti à ce résultat. Pourquoi auraient-ils soudainement défendu leurs intérêts ? »

La menace réformiste de miner l'autorité morale du gouvernement fédéral, déjà fort amochée par un Oui québécois, n'aurait pas été une simple bravade. Fort de cinquante-deux députés, le Parti réformiste n'en comptait que deux de moins que le Bloc québécois. Pour mettre ces chiffres en contexte, rappelons que même ensemble, les conservateurs et les néo-démocrates ne comptaient pas assez de députés pour arriver au chiffre magique de douze qui donne droit au statut de parti officiel à la Chambre.

Jean Charest, un Québécois dont la circonscription avait voté Oui, dirigeait un groupuscule de deux députés progressistes-conservateurs, tandis que le NPD avait une nouvelle chef peu expérimentée, Alexa McDonough. La course à la direction du NPD avait eu lieu quelques semaines avant le référendum, et McDonough – qui jusque-là était députée à l'Assemblée législative de la Nouvelle-Écosse – n'avait pas encore de siège au Parlement fédéral. En somme, Manning régnait, presque sans partage, sur l'opposition fédéraliste à la Chambre des communes.

Le parti de Manning n'avait remporté qu'un siège à l'est du Manitoba. Il était tout à fait absent des provinces de l'Atlantique. Toutefois, le chef réformiste était convaincu que le vent tournerait en faveur de son parti en cas de vote pour le Oui. « Je pense qu'un parti comme le mien, qui aurait adopté une ligne très dure selon laquelle le seul objectif de ces élections était d'élire un gouvernement qui représente les intérêts du reste du pays, aurait gagné un mandat. Nous aurions dit que nous n'étions plus là pour faire des accommodements, que nous étions là pour protéger nos propres intérêts. »

Vers la fin de la campagne référendaire, Jacques Parizeau avait envoyé des émissaires pour sonder les intentions du Parti réformiste. Ils avaient communiqué à l'entourage du chef réformiste leur prévision d'une victoire à 52 % et demandé comment Manning réagirait à un tel résultat. La réponse avait été encourageante. Après un Oui, Parizeau pouvait s'attendre à ce que le chef réformiste réclame des négociations pour établir les modalités de son projet d'indépendance. Preston Manning était disposé à traiter la plus faible des majorités comme un mandat valide pour enclencher le départ du Québec de la fédération.

« Nous avons parlé d'accepter un résultat même pas aussi élevé que 52 %. En l'absence d'une déclaration claire du gouvernement fédéral sur ce qu'il considérait comme une question claire, sur ce qu'il considérait comme une majorité claire, il faut présumer qu'un résultat de 50 % plus une voix aurait suffi.

« Chrétien avait ce petit truc de communication où il disait qu'il ne laisserait pas le pays éclater à cause d'une seule voix. Mais ce n'aurait pas été une seule voix, ç'aurait été quatre millions et treize voix contre quatre millions et douze voix. Sur le plan de la démocratie, nous aurions dû nous en tenir à cela.

« Si vous allez refuser de reconnaître une majorité de 50 % plus une voix, alors dites quelle est la majorité que vous êtes prêt à reconnaître au préalable, parce que vous ne pourrez plus jamais le dire après. À ce moment-là, votre autorité morale pour dire quoi que ce soit se serait complètement évaporée. Notre position aurait été –

peut-être parce que nous étions autant démocrates que conservateurs ou réformistes – qu'on ne peut pas dire : "J'accepte le résultat du référendum si je le gagne, et je ne l'accepte pas si je le perds." »

Au lendemain d'un Oui, c'est le principe sur lequel le Parti réformiste aurait fondé la campagne électorale qu'il aurait menée pour obtenir un mandat des Canadiens afin de négocier l'indépendance du Québec. Il s'attendait à livrer son message à un auditoire réceptif. Pendant les semaines et les mois précédant le référendum, Manning avait préparé le terrain d'un tel débat au fil d'une série de *town halls* – ces rassemblements dont il avait emprunté la formule aux prédicateurs américains pour discuter publiquement de grands enjeux politiques, mais aussi pour semer la bonne parole réformiste.

Pendant longtemps, le Parti réformiste et son chef avaient été les seuls à aborder ouvertement le thème de la sécession du Québec et celui de ses conséquences potentielles pour les deux parties à la négociation à la Chambre des communes. Durant la campagne référendaire, Preston Manning et la plupart de ses députés avaient entrepris une tournée sur le même thème dans tout le Canada, exception faite du Québec.

En 1995, une poignée seulement de réformistes – dont Stephen Harper – parlait couramment le français, mais le camp du Non avait des raisons non linguistiques de tenir l'ensemble du groupe parlementaire de Manning à distance du théâtre des opérations référendaires. «Nous ne pouvions pas contribuer à la campagne. Nous étions bloqués. Nous n'avions aucune base sur le terrain, et nous avions la réputation d'être anti-Québec», dit Manning.

Au Québec, le Parti réformiste était surtout connu pour son opposition à la *Loi sur les langues officielles*. Il soutenait qu'on gaspillait les fonds publics en imposant le bilinguisme officiel à des régions du Canada où le français était peu utilisé.

Il réclamait une politique linguistique à géométrie territoriale variable. Son effet net aurait été de limiter au Québec, et à certaines régions de l'Ontario et du Canada atlantique, l'usage du français dans et par la machine fédérale.

L'idée que se faisaient Preston Manning et son parti d'un meilleur Canada était celle d'une fédération au sein de laquelle le français rayonnait nettement moins. Ce n'était pas le genre de carte de visite qui allait valoir au Parti réformiste des invitations à se manifester dans la campagne référendaire.

Lorsqu'on ajoutait à cela le conservatisme social du Parti réformiste, caractérisé, en premier lieu, par son opposition à l'avortement, le résultat était encore moins digestible par une province qui avait été la première à traiter comme lettre morte, bien avant que la Cour suprême ne les invalide, les dispositions du Code criminel relatives à l'accès à l'avortement.

Manning avait donc passé la campagne référendaire à organiser des rassemblements dans d'autres régions canadiennes pour parler de l'avenir de la fédération sans le Québec. Les commentaires qu'il avait recueillis en cours de route l'avaient conforté dans sa conviction que si Chrétien perdait le référendum, les jours des libéraux au pouvoir étaient comptés. «Sur la foi de ce que j'entendais dans le Canada atlantique et dans l'Ouest, je ne pense pas que ces gens-là auraient confié un mandat à ceux qui venaient de mener la fédération à une telle défaite. »

En tout, pendant l'automne de 1995, Manning a visité soixante-dix villes et villages et répondu à quelque dix mille questions. Il estime que cela lui avait donné une bonne idée de l'humeur dans laquelle serait le reste du Canada après une victoire du Oui. «L'auditoire moyen, qui n'avait pas du tout réfléchi à la question, voulait simplement avoir un Oui ou un Non, puis souhaitait qu'on tourne la page, quel que soit le résultat. Je n'ai pas perçu une grande ouverture pour une négociation exhaustive. »

La campagne électorale qu'il envisageait en cas de victoire du Oui aurait strictement porté sur le thème de la nécessité pour le Canada de s'organiser après le départ du Québec et d'établir les modalités de sa sécession.

Dans l'hypothèse d'un Oui, Manning n'avait aucunement l'intention d'essayer de convaincre les Québécois de revenir sur leur décision. Il aurait plutôt cherché à persuader les électeurs du reste du Canada qu'il était le plus apte à négocier vigoureusement en leur nom. Si le Oui l'avait emporté, il dit qu'il aurait eu hâte de croiser le fer avec Bouchard et Parizeau à une table de négociations. Il était convaincu qu'il aurait eu l'avantage sur ses vis-à-vis du Québec.

« On prétend que les politiciens de l'ouest du Canada connaissent mal le Québec, mais je dirais que nous avions une vision plus réaliste du Québec que celle que les chefs politiques du Québec avaient du reste du pays. Il est dangereux, lorsque vous allez négocier, de ne pas comprendre ceux qui sont assis en face de vous. »

*   *   *

Il a été peu question, sur le circuit référendaire québécois, de la ligne dure qu'entendait adopter le Parti réformiste en réaction à un Oui. Les fédéralistes ne voulaient pas accréditer la possibilité d'une victoire du Oui, et le camp souverainiste n'avait pas intérêt à semer le doute sur sa capacité de négocier un partenariat avantageux avec le Canada.

Ces cônes de silence contrariaient Manning. Les camps rivaux québécois n'étaient d'accord sur à peu près rien, mais ils semblaient s'entendre pour marginaliser sa voix et celle de son parti. Il s'était pourtant fait un devoir d'informer ses rivaux fédéraux, plusieurs fois plutôt qu'une, de sa conception des choses après un Oui. « Je disais au Bloc : "Vous croyez qu'au moment de la négociation vous allez être assis en face d'un avocat raffiné de Toronto qui croit au bilinguisme et au biculturalisme. Mais vous allez plutôt être face à un avocat au regard d'acier de Calgary, qui a déjà traité avec des cheikhs et des révolutionnaires sud-américains. Vous n'avez jamais négocié avec ce type d'homme. Son mandat est de défendre l'intérêt des gouvernements provinciaux qui en ont assez de toute cette histoire. Croire que l'exercice sera amical est insensé." »

Manning pouvait facilement comprendre pourquoi Bouchard et Parizeau ignoreraient délibérément le message du Parti réformiste; prendre acte publiquement de ses avertissements, ç'aurait été miner les arguments du camp du Oui au sujet de l'entente cordiale qui attendait le Canada et le Québec au détour du projet de partenariat. Mais il était abasourdi par la détermination des fédéralistes à l'écarter.

Lui et son parti avaient passé les deux années qui avaient suivi les élections de 1993 à plaider auprès du gouvernement libéral pour qu'il étoffe l'argumentaire référendaire fédéral. « Essentiellement, la position réformiste était d'offrir une meilleure forme de fédéralisme et de clarifier les conséquences [d'une sécession]. »

Manning avait commencé à faire pression sur Jean Chrétien au sujet du dossier du Québec dès leur première rencontre privée. « Notre idée maîtresse, c'était qu'une meilleure vision du fédéralisme était ce qu'il fallait mettre de l'avant pour contrer une crise de sécession imminente. Le mécontentement était évident. Nous n'allions pas le dissiper en disant que le *statu quo* suffisait ou que nous allions y faire quelques retouches administratives. Nous avions besoin d'une meilleure vision d'un meilleur fédéralisme.

« J'ai eu cette discussion avec lui [Chrétien] plusieurs fois et j'ai fini par essayer de raffiner mes arguments. Je lui disais : "Bouchard a un rêve et, que vous soyez d'accord ou non, c'est un rêve, une vision. On lutte contre des rêves et des visions avec des rêves et des visions. Pas avec des mesures administratives." Mais Chrétien, je suppose en partie à cause de son propre parcours politique, insistait, chaque fois que nous parlions de changer le fédéralisme, de réformer le fédéralisme, pour dire que c'était de changement constitutionnel que nous parlions. Une grande partie de ce dont nous parlions pouvait être accomplie sans changement constitutionnel. Mais il avait l'habitude, du moins avec moi, d'assimiler à ce désir de changement constitutionnel celui de modifier le fonctionnement du fédéralisme.

« L'autre argument que je lui présentais, c'était que les Québécois qui voteraient au référendum devaient être informés des conséquences, de la dure réalité d'une sécession. Les souverainistes donnaient l'impression qu'ils allaient conserver tous les avantages de l'adhésion au Canada, mais qu'ils s'en sépareraient. Plus tôt nous les détromperions, mieux ce serait. Chrétien disait alors que ce serait de la provocation et que cela donnerait des armes aux souverainistes.»

Manning n'est arrivé à rien avec le premier ministre. Il dit qu'il n'a pu arracher au ministre des Finances, Paul Martin, l'ombre d'un plan d'urgence pour amortir un Oui, et que son parti a également fait chou blanc à la Chambre des communes. «Il n'y a pas eu de débat au Parlement. Nous n'avons eu aucune discussion qui s'approche un tant soit peu d'un débat intellectuel. Nous avons essayé de promouvoir l'idée selon laquelle le gouvernement devrait amorcer un tel débat, mais Chrétien répondait que cela fournirait une arène aux séparatistes. À la Chambre, ils nous traitaient comme si nous étions un problème au même titre que le Bloc. Ils disaient que nous étions des traîtres parce que nous voulions soulever ces questions.»

En octobre 1995, exacerbée par les rebuffades à répétition des libéraux, l'attitude de Manning au sujet d'une éventuelle défaite fédéraliste au référendum était coulée dans le béton. La tournure de la campagne du Non n'avait rien eu pour le convaincre de ce que le gouvernement Chrétien allait être minimalement à la hauteur de la tâche de gérer la situation après un Oui.

Sur le fond, la conviction de Manning qu'une victoire souverainiste entraînerait un ressac du reste du Canada contre la classe politique fédérale québécoise n'était pas éloignée de l'analyse des ministres libéraux du ROC. À de rares exceptions près, l'idée que les fédéralistes québécois conserveraient les mêmes positions au Parlement et que la lutte pour garder leur province dans la fédération continuerait de plus belle était l'apanage de députés et ministres du Québec.

La détermination de Manning à réagir rapidement à un Oui, à régler la sécession et à passer à autre chose reflétait l'humeur d'une bonne partie du monde des affaires et de beaucoup de Canadiens – y compris des électeurs qui n'avaient jamais appuyé le Parti réformiste auparavant. Mais l'approche de Manning n'était pas que populiste ou réaliste ; elle comportait une dose d'opportunisme politique.

L'incapacité du Parti réformiste de se tailler une place au Québec était un puissant obstacle à ce qu'il réalise son ambition de diriger le Canada. Mais si le Québec avait voté Oui, le talon d'Achille québécois des réformistes aurait pu devenir un atout plutôt qu'un handicap.

Après la mince victoire des fédéralistes au référendum, Preston Manning a tenté de recycler une partie de l'argumentaire qu'il avait conçu pour répondre à un Oui québécois. Il s'en est pris durement à Jean Chrétien à la Chambre des communes, réclamant même, au cours des semaines agitées qui ont suivi le référendum, sa démission. Aux élections suivantes, en 1997, son parti a diffusé des publicités invitant les électeurs à cesser d'appuyer des partis dirigés par des Québécois.

Mais Manning a raté la cible – que le résultat du référendum avait beaucoup rapetissée. Pour bien des Canadiens, l'heure était au soulagement plutôt qu'aux règlements de compte. Les publicités négatives du Parti réformiste, qui attaquaient aussi bien les conservateurs de Jean Charest que les libéraux de Chrétien, se sont retournées contre les réformistes en Ontario, dans les provinces de l'Atlantique ainsi que dans les médias nationaux. Le 2 juin 1997, le Parti réformiste s'est de nouveau heurté à un mur à la frontière de l'Ontario et du Manitoba. La rhétorique, qui aurait sans doute bien servi le Parti réformiste dans le climat suscité par un Oui, n'avait pas la même résonance ou la même pertinence dans la foulée du sauvetage, *in extremis*, de la mise référendaire fédéraliste. Rares sont les familles dont un être cher vient de sortir vivant des soins intensifs qui font bon accueil aux appels du pied insistants d'un entrepreneur en pompes funèbres.

Après le référendum, une majorité de Canadiens souhaitaient, d'abord et avant tout, que des gestes soient posés pour éviter la répétition du scénario-cauchemar de 1995 et pour réduire les chances d'un dénouement encore moins positif pour le fédéralisme.

Propulsée par le résultat serré du vote de 1995, l'idée, préconisée par Manning avant le référendum, d'établir, à l'avance, à quelles conditions le gouvernement fédéral accepterait de jouer le jeu référendaire et d'en accepter l'issue avait fait beaucoup de chemin.

Au moment même où le chef réformiste délaissait cette croisade au profit d'un réquisitoire sur la contre-performance référendaire de Jean Chrétien et de plaidoyers pour une décentralisation de la fédération, les libéraux entreprenaient de confectionner leur plan B à même de grands pans des propositions réformistes qu'ils avaient tant dénoncées avant le vote de 1995.

* * *

Lorsque la *Loi de clarification* a été présentée à la Chambre des communes, Manning n'a pas manifesté beaucoup d'enthousiasme. « Je me suis demandé : "Pourquoi faire cela maintenant, alors que c'est enfin fini ? Si c'est logique de le faire maintenant, est-ce que ça ne l'aurait pas été beaucoup plus avant le référendum ?" Pourtant, quand la proposition avait été faite, on l'avait dénoncée comme une trahison. » C'est sous la pression de gens comme Stephen Harper – qui avait alors quitté la politique pour diriger la Coalition nationale des citoyens – que Manning s'est laissé fléchir et a appuyé le projet de loi de Stéphane Dion.

Avec le recul, Manning voit la période référendaire comme « une occasion unique » de rééquilibrer la fédération, occasion qui n'a pas été saisie à cause de la suffisance de ses rivaux libéraux. Il est particulièrement déçu du fait que l'occasion de revoir l'équilibre des pouvoirs entre le gouvernement fédéral et les provinces a été ratée, pour cause, estime-t-il, d'inertie politique chronique.

Il croit également que l'épisode référendaire a contribué au départ de Stephen Harper de la politique deux ans plus tard. « À quoi bon rester lorsque vous pensez que quelque chose pourrait être utile, mais que vous ne pouvez pas l'instaurer, et que vous vous faites dénoncer pour l'avoir proposé ? »

Stephen Harper a décliné notre demande d'entrevue. Il est l'un des rares protagonistes du dernier référendum à être encore actifs en politique, et le seul chef fédéral actuel à avoir joué un rôle important dans les débats parlementaires de l'époque. Aujourd'hui premier ministre, c'est lui qui a le dernier mot sur la question de l'unité canadienne. Depuis 2006, Harper n'a pas eu à revenir sur le sujet et sur le rôle qu'il a lui-même joué dans l'épisode de 1995. Le débat Canada-Québec qui a défini les mandats de ses prédécesseurs est en hibernation depuis qu'il est au pouvoir.

Stephen Harper a été l'un des principaux architectes de la politique référendaire du Parti réformiste. Pendant la campagne, il a probablement passé plus de temps au Québec que n'importe quel autre membre de son parti, et certainement plus que son chef unilingue. À cette époque, il était publiquement d'accord avec l'approche de Manning relativement à un Oui. Il souscrivait à l'idée d'enclencher des négociations devant mener à la sécession du Québec sur la foi d'un mandat obtenu à la majorité simple des suffrages exprimés.

Un an jour pour jour après le référendum, Harper, à titre de critique aux relations intergouvernementales du Parti réformiste, a présenté à la Chambre un projet de loi privé proposant des règles fédérales pour encadrer les tentatives futures de sécession. Le projet de loi C-341 exigeait que la question soit plus claire que le texte alambiqué soumis aux Québécois en 1995 et stipulait que l'issue du vote serait déterminée à 50 % plus une voix.

À cette époque, Stephen Harper estimait que c'étaient les souverainistes québécois et non pas les politiciens fédéraux qui subiraient les inconvénients inhérents à la participation à des négociations en vue de l'indépendance sur la foi d'un mandat fragile.

S'ils insistaient pour procéder à la sécession sur la base d'une majorité simple, affirmait-il, c'est le reste du Canada qui aurait l'avantage à la table de négociations. Il est difficile de négocier serré lorsque le mandat est tellement fragile que le premier obstacle majeur risque de l'effriter.

Au début de 2013, la question est revenue sur le tapis aux Communes à l'initiative du NPD et du Bloc québécois. Les néo-démocrates ont présenté un projet de loi semblable à celui de Harper en 1996. Le premier ministre et son gouvernement ont refusé d'aborder la question, accusant les partis de l'opposition de traîner inutilement le Canada dans les sables mouvants de la politique référendaire. Mais, à l'automne de la même année, le gouvernement fédéral a signifié son intention de participer, en Cour supérieure du Québec, à une contestation de la loi 99 – adoptée, sous Lucien Bouchard, par l'Assemblée nationale pour réaffirmer, notamment, le droit de la province de quitter la fédération sur la base d'une majorité simple de voix à un référendum.

En 2006, le premier ministre a fait un virage à 180° sur un autre front lié au Québec lorsqu'il a déposé à la Chambre des communes une résolution du gouvernement conservateur reconnaissant que «les Québécois forment une nation au sein d'un Canada uni». L'opposition à la reconnaissance du caractère distinct du Québec était l'une des pierres angulaires du Parti réformiste, dont Harper était membre fondateur. Au pouvoir, le premier ministre Harper s'est également accommodé de la politique sur les langues officielles dont Manning et ses partisans de la première heure s'étaient juré de réduire le rayon d'action.

À la lumière de ce qui précède, il est possible que Harper, premier ministre, ne soit plus aussi partant pour un seuil référendaire de 50% plus un qu'il l'était du temps où il siégeait avec Manning dans l'opposition réformiste, ou encore qu'il trouve tout simplement plus judicieux de se garder toutes les portes ouvertes. Dans la foulée de la défaite du Parti québécois au scrutin de 2014, le sujet ne redeviendra pas pertinent de sitôt et sans doute pas d'ici la fin du règne fédéral de Stephen Harper.

PARTIE 4

Les premiers ministres provinciaux

CHAPITRE 13

Hors des sentiers battus : Roy Romanow

À l'insu de Jean Chrétien, au moins un premier ministre n'excluait pas que sa province quitte la fédération canadienne dans la foulée d'un départ du Québec.

Après le retour au pouvoir du Parti québécois à l'automne de 1994, le premier ministre néo-démocrate de la Saskatchewan, Roy Romanow, avait, dans la plus grande discrétion, confié à un petit groupe de hauts fonctionnaires de confiance la mission d'examiner toutes les options qui s'offriraient à la province en cas de victoire souverainiste. Classé sous l'étiquette rébarbative de *Constitutional Contingencies* (éventualités constitutionnelles), un titre choisi dans le but avoué de décourager les curieux, le rapport était financé à même une enveloppe discrétionnaire pour encore mieux en assurer la confidentialité. Sous le couvert de l'anonymat, un des fonctionnaires qui ont été associés à l'opération explique que lui et ses collègues craignaient que la révélation de l'existence du groupe ou de sa mission nuise à la cause fédéraliste au Québec. Pour cette même raison, l'ensemble du cabinet de la Saskatchewan n'a jamais été mis au fait de l'initiative.

Romanow avait donné pour instructions à son groupe de travail de n'exclure aucune option, y compris celle de rompre les liens de la Saskatchewan avec une fédération canadienne amputée du

Québec. « Dans l'éventualité d'un Oui, il est évident qu'il aurait fallu examiner toutes les options. Est-ce que quitter la fédération aurait été l'approche privilégiée ? À un moment donné, on aurait été obligés de faire un choix. Nous y étions préparés. La documentation existe. Nous n'avions pas pris de décision ferme. Je pense que nous espérions, en dépit de tout, que les choses s'arrangeraient comme elles se sont arrangées. »

Le comité a présenté à Romanow une série d'options. La volonté de la Saskatchewan, après un Oui, de contrôler autant que faire se pourrait son destin était le fil conducteur qui les reliait entre elles. Si le Québec votait Oui, la province n'allait pas attendre, les bras croisés, qu'un gouvernement fédéral fortement dominé par l'Ontario décide de sa place et de son avenir dans ce qui restait de la fédération, ni laisser Ottawa définir, sans apport de la Saskatchewan, les paramètres d'un Canada reconfiguré. Romanow était non seulement prêt à doter la Saskatchewan d'une position distincte de celle du gouvernement fédéral ; il était également disposé à tendre la main aux autres provinces de l'Ouest, sur la foi de choix concrets plutôt que d'hypothèses plus ou moins utopiques. « La réalité, c'est qu'après un Oui, on se serait retrouvés avec un pays dysfonctionnel. Il n'y avait aucune garantie que ce qui subsisterait de la fédération – le soi-disant reste du Canada – constituerait une entité fonctionnelle. Comment traiter avec l'Ontario ? Et que faire de la région de l'Atlantique ? »

Le groupe de travail s'est demandé si, en adoptant rapidement le dollar américain, la Saskatchewan réussirait à amortir davantage le choc pour son économie de l'instabilité du dollar canadien. Fidèle aux instructions du premier ministre Romanow de ne rien exclure d'emblée, le groupe n'a pas écarté l'approfondissement des liens politiques entre la province et les États-Unis.

« Est-ce que la Saskatchewan aurait fini alignée d'une façon quelconque sur l'ouest du Canada ou peut-être même raccordée aux États-Unis ? Je n'aurais pas voulu d'une intégration aux États-Unis. C'était certainement une pensée qui m'était étrangère et que je n'acceptais pas, mais lorsqu'on examine la teneur des liens économiques de la Saskatchewan, on voit que l'axe nord-sud est dominant... »

S'il avait eu le choix et des partenaires disposés à le faire, Romanow aurait préféré que la Saskatchewan et les trois autres provinces de l'Ouest se regroupent pour former une nouvelle entité nationale. À ses yeux, c'était une option infiniment préférable à celle de voir sa petite province être aspirée par les États-Unis.

Romanow aurait voulu sonder les provinces voisines sur leur conception de leur place dans la fédération canadienne après un Oui québécois. Mais la première fois qu'il a abordé le sujet, avec Ralph Klein, le premier ministre de l'Alberta lui a rétorqué que ce genre de discussion était totalement déplacée, voire même qu'elle frisait la trahison.

« Je n'arrivais pas à établir une connexion avec l'Alberta, même si l'accès était facile. Ils [les Albertains] me répondaient et me téléphonaient, mais ils refusaient d'exprimer clairement, même derrière des portes closes, le fond de leur pensée sur les conséquences d'un Oui. Je pense qu'ils croyaient – à tort – que cela ne pouvait pas se produire, tout au moins jusqu'à ce que les sondages commencent à indiquer que la menace était très réelle vers la toute fin de la campagne. »

Romanow affirme que ses relations avec Glen Clark, de la Colombie-Britannique, et Gary Filmon, du Manitoba, étaient meilleures qu'avec Klein. Toutefois, après la rebuffade qu'il avait essuyée auprès de son collègue albertain, il n'a pas tellement poussé le concept d'une union post-référendaire des provinces de l'Ouest ni d'autres arrangements hypothétiques avec ses homologues de la région. Mais Romanow n'a pas pour autant dissous son groupe de travail, et les options dont celui-ci avait accouché se bousculaient dans sa tête lorsqu'il s'est rendu à Montréal pour participer à une table ronde politique du réseau CTV le soir du référendum.

Les conseillers de Romanow étaient d'avis que si les Québécois votaient Oui, la période de six à douze heures qui suivrait le vote en dirait long sur la capacité du gouvernement fédéral de garder un certain contrôle de la situation. Ces heures cruciales donne-raient également au gouvernement de la Saskatchewan un début de réponse à deux questions pressantes : Jean Chrétien réussirait-il à s'accrocher malgré la défaite et, si oui, pour combien de temps ?

* * *

Comme tous les premiers ministres fédéraux avant lui (et après lui), Jean Chrétien n'avait pas d'atomes crochus avec chacun de ses homologues provinciaux. Parmi les membres de la classe provin-ciale de 1995, Roy Romanow était considéré comme son plus proche allié, à peu près à égalité avec Frank McKenna, du Nouveau-Brunswick.

Les chemins de Romanow et de Chrétien s'étaient croisés dans les tranchées constitutionnelles au début des années 1980. Ministres de la Justice à Regina et à Ottawa, ils avaient ensemble joué des rôles importants dans l'épisode du rapatriement. Leur amitié avait duré.

À la lumière des liens personnels qui unissaient les deux hommes, on aurait pu croire que Romanow serait le dernier des premiers ministres provinciaux à envisager de sortir des sentiers battus de la fédération pour explorer d'autres avenues pour sa pro-vince après un Oui. En eût-il été informé, Chrétien n'aurait sans doute pas tellement apprécié cette initiative de la Saskatchewan. Romanow dit ne pas avoir discuté de sa quête d'un plan B avec le premier ministre fédéral. Dans les officines de Regina, on pensait que si les mandarins d'Ottawa qui coordonnaient la stratégie réfé-rendaire fédérale avaient vent des travaux du groupe, ils l'auraient pressé d'y mettre fin sur-le-champ.

Si Romanow s'est lancé sur cette voie inédite, c'est au moins en partie parce qu'il était celui des premiers ministres provinciaux qui connaissait le mieux le Parti québécois. D'autres, comme Gary Fil-mon, Frank McKenna et Clyde Wells, avaient joué un rôle dans l'épisode mouvementé de Meech – une ronde constitutionnelle que Romanow avait manquée. Le NPD n'avait repris le pouvoir en Saskatchewan qu'en 1991 ; à ce moment-là, le premier projet d'accord de Brian Mulroney était enterré depuis un an.

Mais les premiers ministres qui avaient participé au débat de Meech avaient négocié avec Robert Bourassa, un premier ministre fédéraliste. Par comparaison, le baptême du feu constitutionnel de Romanow au début des années 1980 l'avait mis en contact direct avec René Lévesque et l'équipe ministérielle péquiste. Pendant quelques mois, il avait eu des contacts soutenus avec le PQ et son chef fondateur. Presque jusqu'à la fin, Lévesque et le premier ministre de la Saskatchewan, Allan Blakeney, faisaient partie d'un même front commun de huit provinces, unies dans leur désir d'empêcher leur homologue fédéral de rapatrier la Constitution à ses conditions.

Fort de cette expérience, Romanow prenait le Parti québécois et son référendum au sérieux. Il n'était pas enclin à sous-estimer l'adversaire contre lequel le camp fédéraliste allait lutter. À ce sujet, la seule et unique participation de Jacques Parizeau à la rencontre estivale annuelle des premiers ministres provinciaux, en août 1995 à Terre-Neuve, avait confirmé ses pires inquiétudes.

« Quand Parizeau s'est présenté à St. John's, je me souviens que son message se résumait, en gros, à soutenir qu'un vote pour la séparation ou une déclaration unilatérale d'indépendance n'empêcherait pas le maintien de relations commerciales et intergouvernementales. L'idée était que l'intérêt commun dicterait des politiques fondées sur le bon sens.

« Je lui ai rétorqué que c'était là une vision tout à fait faussée de la réalité, davantage destinée à convaincre les Québécois que les autres premiers ministres de ce que le commerce interprovincial continuerait comme avant après un Oui, et qu'il devrait plutôt dire aux Québécois que ce ne serait pas le cas. Je ne peux pas dire que j'étais le seul à réagir, mais j'étais certainement celui qui parlait le plus fort et le moins délicatement. »

L'idée que Parizeau se servait de la réunion avec ses homologues comme décor pour transmettre aux Québécois un message rassurant sur la souveraineté et le fait que ses collègues premiers ministres préféraient le laisser faire plutôt que de le contredire publiquement irritaient Romanow au plus haut point. Clyde Wells, le premier ministre de la province où se tenait la rencontre, avait joué un rôle de premier plan dans la mort de l'accord de Meech. Le Québec ne l'avait pas en odeur de sainteté. Comme hôte de la réunion, c'est lui qui aurait normalement eu le mandat de parler publiquement au nom du groupe. Mais plusieurs premiers ministres craignaient de jouer encore davantage le jeu de Parizeau en envoyant Wells au monticule. « On ne savait pas trop si cela n'allait pas simplement aggraver la situation au Québec », se souvient Romanow.

En fin de compte, Romanow s'est adressé seul aux médias – durant une pause dans les discussions. Il se souvient que cette entorse au protocole et sa sortie, livrée en anglais seulement, sont passées relativement inaperçues au Québec. N'ayant pas réussi à pousser les autres premiers ministres, en privé ou en public, à prendre plus au sérieux l'hypothèse d'un désastre référendaire, il résolut de continuer à faire à sa tête et à se préparer au pire.

* * *

Romanow savait que, en cas de Oui, la Saskatchewan serait plus vulnérable au résultat que ses partenaires plus robustes. Elle n'avait pas des liens aussi étroits avec le Québec que l'Ontario, et, contrairement aux provinces de l'Atlantique, elle ne risquait pas d'être coupée du reste de la fédération par un pays étranger. Mais elle était plus exposée que la moyenne aux répercussions du référendum sur le dollar canadien et sur l'économie.

« En marge de la sentimentalité et de la dimension émotive [d'un vote pour le Oui], nous faisions face à une situation extrêmement précaire en Saskatchewan. La province dont j'avais hérité en 1991 était pratiquement à sec financièrement. Nous étions déjà très fragilisés. À cette époque, il fallait que j'aille à New York montrer nos bilans budgétaires aux banquiers, et la simple perspective d'un vote pour le Oui aurait pu nous couler à cause de la hausse des taux d'intérêt et de la dévaluation du dollar qui en auraient résulté. »

En 1995, les ressources énergétiques de la Saskatchewan ne l'avaient pas encore enrichie. Aujourd'hui, elle arrive au deuxième rang, après l'Alberta, pour la production d'or noir. Mais lorsque Roy Romanow avait ramené le NPD au pouvoir à Regina, sa province était au bord de la faillite. Ses finances étaient tellement détériorées que le gouvernement fédéral menaçait d'intervenir pour imposer un redressement. À l'époque, seule Terre-Neuve se trouvait dans un état financier aussi lamentable.

« Avant sa démission [en 1993], Brian Mulroney m'avait téléphoné pour me parler de la gravité de la situation en Saskatchewan et à Terre-Neuve. Essentiellement, il disait que nous devions prendre des mesures radicales, faute de quoi le gouvernement fédéral devrait agir et le gouverneur de la Banque du Canada interviendrait. »

En 1995, Romanow avait déjà soumis la province à un régime minceur rigoureux, qui avait entraîné la fermeture de cinquante-deux hôpitaux ruraux. La lumière commençait à poindre au bout du tunnel budgétaire, mais la Saskatchewan était encore loin d'être à l'abri des dommages collatéraux prévisibles d'un Oui québécois. « Ma priorité absolue était de savoir comment nous – en Saskatchewan – allions faire face à ce qui serait des réactions très négatives des marchés américains et mondiaux à un tel résultat. »

* * *

Dans l'hypothèse d'un Oui, Romanow ne se faisait pas d'illusions sur l'utilité pour la Saskatchewan de sa relation avec Jean Chrétien. Dans les faits, Chrétien aurait davantage besoin de Romanow que l'inverse. Car, en Saskatchewan, l'idée que le premier ministre fédéral puisse rester en poste après une telle défaite allait être difficile à vendre. «Dans notre propre planification, la légitimité de Chrétien était un facteur très important. Je dis cela à contrecœur, parce que c'est un homme pour lequel j'ai une grande admiration et que je ne lui en ai pas parlé à l'époque, mais en Saskatchewan, pendant les deux dernières semaines de la campagne référendaire, la question de savoir s'il allait continuer ou pas nous est soudainement apparue comme problématique.

«Comment expliquer aux habitants de Preeceville, en Saskatchewan, qu'un Québécois négocie en leur nom contre un Québécois déterminé, à leurs yeux, à briser leur pays? Il ne fait aucun doute que ç'aurait été une donnée importante.»

S'il avait perdu le référendum, Chrétien aurait pu compter sur l'appui de Roy Romanow, mais pas indéfiniment. «Ce soir-là, il n'y avait aucun choix: nous devions appuyer le premier ministre. Il n'y avait vraiment pas de meilleur scénario pour gérer la situation, et cela semblait être le moins mauvais des choix qui s'offraient à nous. Je ne voyais pas comment son départ immédiat serait possible. Pas si nous voulions être capables, pendant les quelques mois suivants, de prendre les mesures qui s'imposaient pour éviter des turbulences économiques extrêmes.

«Pendant combien de temps Jean Chrétien aurait pu durer? Ça, c'est une autre question. Soit dit en passant, je pense qu'il se l'est probablement posée. Mais le soir même, il n'avait pas le choix: il devait faire aussi bonne figure que possible dans les circonstances et défendre l'intérêt du Canada. Mais nous nous inquiétions de ce qui allait arriver au cours des jours ou des semaines à venir.

«Je pensais ce soir-là qu'il [Chrétien] devait afficher une attitude ferme et assurée, se comporter comme un chef et ne pas laisser supposer, par un geste ou une parole, qu'il interprétait le résultat comme un rejet de son leadership de premier ministre ou comme un signe de son incapacité à défendre le Canada au Québec. Il était essentiel que son analyse du résultat aille dans le sens de ce que l'exercice n'était pas concluant.»

Après le référendum, Romanow dit qu'il a encouragé Chrétien à résister aux nombreux appels à sa démission. Malgré la minceur de la victoire fédéraliste, le premier ministre de la Saskatchewan a continué d'avoir confiance en son ami. «Même si son leadership risquait d'être ébranlé pendant un certain temps, il devait continuer de manifester la détermination de composer avec le résultat. Je pensais qu'il était encore l'homme de la situation.»

Romanow affirme que, par la suite, il n'a pas reparlé du référendum et de sa tournure dangereuse avec Chrétien. «Jusqu'à ce jour, je n'ai jamais échangé de réflexions avec lui sur cette expérience. Je crois qu'il a le sentiment que le résultat final parle de lui-même.»

Mais si Romanow avait voulu faire part de ses états d'âme référendaires à quelqu'un, il aurait trouvé une oreille plus compatissante chez Preston Manning – un politicien de l'Ouest comme lui – que chez son vieil ami d'Ottawa. L'ancien premier ministre saskatchewanais et le fondateur du Parti réformiste avaient passé la campagne à prêcher le même évangile dans le même désert.

*   *   *

En théorie, Roy Romanow et Preston Manning étaient diamétralement opposés sur le plan politique. Le premier est un néo-démocrate issu de la province des Prairies qui a été le creuset de Medicare, le régime public d'assurance maladie si cher au cœur de tant de Canadiens.

Le second est un Albertain résolument de droite, et dont le père, Ernest Manning, a déjà été premier ministre créditiste de la province la plus conservatrice du Canada.

Mais, en pratique, leurs expériences référendaires sont remarquablement semblables. Ni l'un ni l'autre ne parlent couramment le français, lacune qui a toujours grandement limité leur capacité à communiquer avec les Québécois. Dans les deux cas, le poids de leur bagage constitutionnel était trop lourd pour qu'ils soient de la moindre utilité aux forces fédéralistes au Québec. Le Parti réformiste avait mauvaise presse au Québec, notamment parce qu'il s'était opposé aux projets constitutionnels de Brian Mulroney et, plus particulièrement, à la reconnaissance du caractère distinct du Québec. Romanow y était impopulaire pour son rôle de soutien à Pierre Trudeau au moment du rapatriement de la Constitution.

Autant le rôle de Romanow dans l'épisode du rapatriement lui a valu des accolades ailleurs au Canada, autant au Québec, il lui a valu d'être étiqueté comme un des mauvais génies qui se sont activés pendant la «nuit des longs couteaux», cette soirée au cours de laquelle sept premiers ministres – y compris Allan Blakeney de la Saskatchewan – ont laissé tomber René Lévesque pour rejoindre le camp de Pierre Trudeau. En 1995, cette étiquette de faux frère collait toujours à la peau de Romanow au Québec.

Le principal intéressé a pu le constater en regardant la télédiffusion en direct du dernier grand rassemblement de la campagne du Oui. De son salon de la Saskatchewan, Romanow a vu Lucien Bouchard imiter Jean Chrétien au téléphone, en train de recevoir ses ordres de divers premiers ministres provinciaux. Le sketch de Bouchard mettait d'abord Clyde Wells, le plus ferme adversaire provincial de l'accord de Meech, en ligne avec Chrétien, suivi par… Roy Romanow. C'est une scène que l'ancien premier ministre de la Saskatchewan dit qu'il n'est pas près d'oublier. «Dès que mon nom a été mentionné, il y a eu à la télévision un torrent de huées qui m'a semblé durer de longues minutes. J'ai cru que j'allais faire une crise cardiaque. J'ai crié à ma femme: "Viens vite, il faut que tu voies ça!" Je ne suis pas tombé en bas du sofa, mais ça m'a porté un coup terrible. Je me suis senti foudroyé.»

En fait, Romanow s'est senti foudroyé au point de décliner l'invitation qui lui a été faite de se rendre à Montréal pour participer au rassemblement pro-Canada du 27 octobre. «J'ai été invité, pas très chaudement, mais avec suffisamment de chaleur. J'étais parfaitement conscient du fait que ma présence risquait d'aggraver ce que nous savions être une situation très serrée. Je n'y suis donc pas allé.

«D'une certaine façon, je me sentais handicapé, neutralisé, frustré, pas à cause des discours de campagne très efficaces de

Bouchard et des autres, mais par l'impression de nuit des longs couteaux qui s'était dégagée de l'opération rapatriement. Participer à ce genre de débat et me défendre en 1995, quand le vote était si serré, n'aurait fait qu'enflammer la situation. C'est une petite frustration que je traîne encore avec moi. »

Ce n'était pas la seule frustration de Romanow. Comme Manning, le premier ministre de la Saskatchewan avait plaidé auprès de Jean Chrétien (et des autres premiers ministres provinciaux) en faveur d'une approche fédérale différente – plus agressive – à la campagne référendaire. « J'aurais aimé que nous disions deux choses au Québec : "Nous pouvons trouver une façon de répondre à vos aspirations autrement que par la voie que vous proposent messieurs Parizeau et Bouchard, et cette voie que vous envisagez d'emprunter est très risquée."

« Nous aurions dû faire connaître au Québec les difficultés de ce genre de rupture. Qu'il s'agisse du partage des actifs ou des institutions, rien n'est facile. Je pensais qu'il aurait été utile de dire tout cela, mais ça n'a pas été dit. Je ne sais pas pourquoi. Sur la foi de mon analyse de la situation, cela me dérangeait beaucoup. »

Malgré toutes leurs différences idéologiques, Romanow et Manning étaient d'accord pour ne pas être d'accord avec la stratégie référendaire de Chrétien. Leurs conceptions de la suite des choses, après un Oui, n'étaient pas non plus irréconciliables.

Après un Oui, Romanow dit qu'il était disposé à donner à Chrétien une plus grande marge de manœuvre que celle que Manning était prêt à lui accorder. Mais il reconnaît que son appui pour Chrétien l'aurait placé en porte-à-faux avec l'opinion publique de sa propre province. Et Romanow ne peut pas jurer que la situation aurait été tenable très longtemps. En 1995, la Saskatchewan était peu représentée au sein du gouvernement libéral de Jean Chrétien. Le Parti réformiste occupait la plupart des sièges de la province. Après une défaite fédéraliste, l'argument de Manning selon lequel on ne pouvait se fier à Chrétien et à son équipe pour défendre l'intérêt de l'Ouest, et du reste du Canada d'ailleurs, aurait trouvé là un écho favorable.

En ce qui avait trait à la défense des intérêts de sa province à une table de négociations Canada-Québec, la position de Romanow s'apparente à celle du chef réformiste. Il l'aurait sans doute dit moins brutalement que Manning, mais il ne voulait pas laisser le gouvernement fédéral parler au nom de la Saskatchewan. «Nous estimions vraiment que les provinces devraient participer à ces étapes ultérieures. Ce n'était pas un enjeu Québec-Ottawa, c'était plutôt un enjeu Québec-Ottawa-Regina-etc. C'était la fédération qui était concernée. Je ne sais pas trop quelle était la position du gouvernement d'Ottawa à ce sujet, s'il aurait voulu ou non entendre d'autres voix de la fédération, mais c'était notre position.»

Après le référendum, Roy Romanow a appuyé énergiquement la *Loi de clarification* fédérale. Il a exercé des pressions sur le NPD fédéral et sur Alexa McDonough pour qu'ils s'y rallient. Au départ, cette dernière n'était pas partante pour la principale initiative post-référendaire de Jean Chrétien. Lorsqu'elle s'est résolue à l'appuyer, sa décision a semé la consternation dans certains milieux néo-démocrates.

Sous Jack Layton, le NPD a pris ses distances de la loi libérale. Et au début de 2013, les néo-démocrates fédéraux, sous l'impulsion de Thomas Mulcair, ont présenté un projet de loi destiné à abroger la *Loi de clarification*. Romanow n'avait pas appuyé Mulcair lors de la course à la succession de Jack Layton. Ils ne s'entendent pas sur la pertinence de la *Loi de clarification*, et leur divergence sur ce sujet sensible explique en partie le fait qu'ils semblent parfois appartenir à des partis différents.

Après le référendum, Romanow s'est efforcé de faire en sorte que, si jamais il devait y avoir un autre référendum et que la réponse majoritaire des Québécois était Oui, les provinces auraient leur mot à dire dans la reconfiguration de la fédération. Lorsque le gouvernement fédéral a demandé à la Cour suprême son avis sur la question en 1997, la Saskatchewan a été l'une des deux seules provinces – avec le Manitoba – à présenter des arguments à la Cour. Ces arguments portaient sur le droit constitutionnel des provinces d'être partie prenante à toute négociation portant sur un projet de sécession. La grande inquiétude qui avait hanté Roma-now pendant le référendum – celle de voir des provinces comme la sienne ignorées dans le tourbillon qui suivrait un Oui – a trouvé réponse dans l'arrêt de la Cour suprême de 1998. Il confirme que la sécession du Québec pourrait se faire par l'entremise d'un amendement constitutionnel négocié avec les autres partenaires de la fédération.

CHAPITRE 14

Un nouveau paradigme : Mike Harris

Le premier ministre de l'Ontario, Mike Harris, jonglait avec quatre réalités, toutes aussi peu réjouissantes les unes que les autres, pendant qu'il attendait, dans son bureau de Queen's Park, que tombe le verdict référendaire.

1- Si les souverainistes l'emportaient, son nouveau gouvernement devrait faire son apprentissage constitutionnel à la dure. Les quelques mois qu'il avait passés au pouvoir ne l'avaient pas préparé à plonger dans une méga-crise existentielle.

2 - Même si Harris avait tendance à croire qu'une victoire du Oui ne mènerait ultimement pas à l'indépendance du Québec, l'Ontario, comme le reste du Canada, devait s'attendre à au moins un an de chaos sur lequel il allait avoir peu ou pas de contrôle, tout premier ministre de la plus populeuse province qu'il soit.

3 - Le sort de sa « Révolution du bon sens » – le programme de droite qui l'avait fait élire au printemps – était devenu l'otage des électeurs du Québec. S'ils confiaient au Parti québécois un mandat pour réaliser la souveraineté, le projet de Harris de réécrire le contrat social entre Queen's Park et ses adminis-trés ontariens – son ambition de renverser un demi-siècle

d'expansionnisme étatique en rétrécissant le rayon d'action de son gouvernement – allait tomber dans les oubliettes d'une crise d'unité nationale.

4 - Harris était convaincu que le premier ministre Jean Chrétien n'avait pas l'ombre d'un début de plan de match pour faire face à la tourmente que provoquerait un Oui. Si un tel plan existait, c'était un secret fédéral admirablement bien gardé. Les antennes déployées par l'Ontario à Ottawa n'en avaient décelé aucun écho. Et Harris, qui étrennait encore ses nouvelles chaussures de premier ministre de l'Ontario, était mal chaussé pour prendre, au pied levé, la relève d'un gouvernement fédéral déstabilisé.

Au moment du référendum, Mike Harris était au pouvoir depuis seulement cent vingt jours. Son cabinet et son caucus n'avaient pas fini de faire leurs classes. Et lui-même était le petit nouveau de la scène fédérale-provinciale. Le Parti progressiste-conservateur de l'Ontario venait de passer dix ans dans l'opposition. Les derniers contacts de Harris avec l'exercice du pouvoir remontaient à ses débuts comme député de Nipissing quatorze années auparavant, et il ne les avait pas passées en première ligne.

Harris avait été élu pour la première fois un an après le référendum de 1980, et il avait passé le gros des épisodes de la guerre constitutionnelle qui avait abouti au référendum de 1995 sur les banquettes de l'opposition. La dernière fois qu'un premier ministre conservateur ontarien avait été appelé à jouer un rôle dans un épisode constitutionnel important remontait au début des années 1980. Bill Davis avait été le principal allié de Pierre Trudeau lors du rapatriement de la Constitution. Mais la vaste majorité des ministres et des députés de Mike Harris n'étaient ni au cabinet ni même membres de la législature ontarienne à l'époque, et lui-même était trop fraîchement débarqué à Queen's Park pour avoir eu voix au chapitre.

Si le camp du Oui l'emportait, c'était donc un néophyte constitutionnel qui allait devoir piloter l'Ontario à travers la crise. Les conseillers qui avaient aidé Harris à accéder à la direction de sa province n'allaient pas lui être d'un grand secours. Aucun d'entre eux n'était particulièrement féru de constitution, et certains se faisaient même un point d'honneur d'être indifférent au débat qui avait monopolisé la classe politique canadienne pendant la majeure partie de leur vie adulte. Quel que soit le résultat du référendum, le plan A de Harris pour la suite des choses consistait à éviter, à tout prix, de se laisser aspirer par ce qu'il appelait « la distraction du vortex constitutionnel ».

Cela ne signifiait toutefois pas qu'il entendait avancer à l'aveuglette dans le brouillard post-référendaire. En prévision de la campagne québécoise de l'automne, il avait retenu, l'été précédent, les services de deux vétérans constitutionnels, Richard Dicerni et Hugh Segal. Tandis que, dans son bureau, Harris suivait avec ses lieutenants les résultats du vote à CTV, dans une pièce attenante, les deux hommes étaient branchés sur Radio-Canada.

Dicerni – dont la langue maternelle est le français – avait naturellement syntonisé Radio-Canada. Segal – ex-Montréalais bilingue – s'était joint à lui parce qu'il savait que le pouls post-référendaire du Québec serait plus facile à prendre en français qu'en anglais.

Richard Dicerni avait passé la campagne référendaire de 1980 dans les coulisses fédérales d'où il dirigeait le Centre d'information sur l'unité canadienne – le groupe chargé d'articuler et d'orchestrer le message du gouvernement fédéral. Lorsque Lucien Bouchard avait été assermenté comme Secrétaire d'État en 1988, Dicerni, à titre de haut fonctionnaire, avait travaillé avec la nouvelle star québécoise du gouvernement conservateur. Et avant d'être recruté pour un poste de sous-ministre par le gouvernement (néo-démocrate) de l'Ontario en 1992, Dicerni avait été secrétaire-adjoint au Bureau des relations fédérales-provinciales, un poste aux premières loges du débat pré-référendaire. Dicerni avait quitté Ottawa avant que Jean Chrétien prenne le pouvoir, mais il connaissait tous les joueurs importants de la bureaucratie fédérale qui œuvraient sur le front de l'unité canadienne et il en comprenait la culture.

« Il était absolument la personne qu'il me fallait, dit Harris. J'étais un premier ministre nouvellement élu. Mon équipe politique connaissait très peu le Québec. Nous arrivions à peine. Nous étions en pleine crise des finances. Nous amorcions un redressement financier majeur. C'était surtout à cela que nous pensions. »

Hugh Segal, de son côté, avait été conseiller principal du premier ministre Davis à l'époque du rapatriement de la Constitution. Il avait été chef de cabinet de Brian Mulroney pendant les négociations finales de l'accord de Charlottetown en 1992 et durant le référendum fédéral qui avait suivi. Conservateur depuis toujours, mais doté d'un réseau œcuménique, Segal ne manquait pas de contacts libéraux ; une dizaine d'années après le référendum de 1995, le premier ministre Paul Martin le nommerait sénateur.

Le soir du référendum, Harris n'avait pas encore eu un seul entretien digne de ce nom avec Jean Chrétien. Il avait assisté pour la première fois à une rencontre des premiers ministres provinciaux au mois d'août, et son entrée en scène avait été en grande partie éclipsée par celle de Jacques Parizeau.

Segal et Dicerni étaient les yeux et surtout les oreilles référendaires de Queen's Park et de son nouveau premier ministre. Les nombreuses bribes d'information qu'ils recueillaient n'allaient pas dans le sens d'une situation prometteuse pour la cause fédéraliste.

* * *

En 1980, Pierre Trudeau n'avait rien tenu pour acquis. Sous les ordres de son gouvernement, des fonctionnaires fédéraux avaient ébauché des plans pour faire face à une défaite référendaire. Ce genre de préparatifs n'avait pas eu cours en 1995. Une certaine surdose de confiance y était pour quelque chose. Le camp du Non était foncièrement convaincu que la victoire était acquise, et les sondages le confortaient dans cette trompeuse certitude. Mais un autre élément était en cause.

En 1980, Jean Chrétien – alors ministre responsable de la participation fédérale à la campagne référendaire – n'avait pas apprécié que la fonction publique dépense tant d'énergie sur des scénarios de défaite. Il appréhendait des fuites qui auraient pu donner l'impression, au Québec, que le camp fédéraliste manquait de confiance et envoyer le signal de ce que le Canada considérait bel et bien la souveraineté-association comme un projet négociable. À l'époque, il avait même exigé que les notes d'information documentant les options qui pourraient s'offrir au gouvernement fédéral à la suite d'un Oui soient déchiquetées. Ce n'est pas que Chrétien était naïf au point de tenir une victoire – qu'elle soit référendaire ou autre – pour acquise. Mais si le référendum de 1980 devait mal tourner, il se disait qu'il serait toujours temps, pour le gouvernement fédéral, de se ressaisir après le vote. À titre de premier ministre fédéral, quinze ans plus tard, c'est l'approche qu'il continuait de privilégier.

Cette stratégie attentiste inquiétait Queen's Park. Si le Oui l'emportait, la situation de Jean Chrétien allait être nettement plus précaire que celle de Trudeau en 1980, et sa marge de manœuvre au Québec beaucoup plus limitée. En 1980, Trudeau venait de remporter un mandat majoritaire dans des élections au cours desquelles une vague libérale avait balayé le Québec. Son parti avait gagné soixante-quatorze des soixante-quinze sièges de la province, et tous les députés fédéraux québécois étaient fédéralistes. S'il avait perdu ce premier référendum, Trudeau n'aurait pas manqué de soldats libéraux au Québec pour mener une contre-offensive fédéraliste.

En 1995, Chrétien ne jouissait pas du même avantage. L'Ontario était la pierre d'achoppement de son gouvernement. Il détenait tous les sièges de la province sauf un.

Par contre, une poignée seulement de circonscriptions québécoises à majorité francophone avaient élu des libéraux au scrutin fédéral de 1993. Presque tout le territoire francophone appartenait au Bloc québécois et, à la Chambre des communes, c'était Lucien Bouchard, pas le premier ministre, qui pouvait prétendre parler au nom de la majorité des électeurs du Québec.

À l'approche du jour du référendum, Harris avait demandé à Richard Dicerni de surveiller de près l'évolution de la pensée fédérale, qu'il sentait de plus en plus erratique. Le soir du référendum, l'information dont disposait le premier ministre de l'Ontario l'amenait à conclure que la contre-offensive fédéraliste de la fin de la campagne avait consumé tout l'oxygène intellectuel fédéral, au détriment de la moindre réflexion sur un éventuel plan de sauvetage pour parer à un naufrage référendaire.

Vu de Queen's Park, Ottawa, pendant le dernier tour de la campagne référendaire, semblait être en proie à une panique institutionnalisée. «Nous avions le sentiment que si le Oui l'emportait, il n'y aurait aucune réponse nationale, tout au moins en provenance d'Ottawa», se rappelle l'ancien premier ministre. Harris était complètement dans le noir quant aux plans de Chrétien advenant un Oui, et il supposait (à tort!) que ses homologues des autres provinces n'en savaient pas plus long que lui sur les intentions du gouvernement fédéral. «Je pense qu'aux yeux du premier ministre [Chrétien], nous n'avions probablement aucune importance jusqu'à après le vote.»

Harris affirme qu'il n'a pleinement mesuré combien ses craintes, quant à la pensée en silo d'Ottawa, étaient fondées qu'au moment où Chrétien a prononcé son dernier discours référendaire à Verdun. Dans l'espoir, de plus en plus désespéré, de changer la donne, le premier ministre avait promis, sur le tard, de déléguer plus de pouvoirs aux provinces, ce qu'attendaient depuis longtemps Harris et d'autres premiers ministres provinciaux comme l'Albertain Ralph Klein. Mais il y avait un os majeur au cœur du discours de Chrétien et c'était la section qui portait sur l'enjeu québécois de la reconnaissance constitutionnelle du caractère distinct de la province.

Le gouvernement fédéral n'avait ni obtenu l'accord de l'Ontario, ni même sondé son premier ministre sur l'idée de rouvrir le débat sur la société distincte ou la Constitution. S'il l'avait fait, Jean Chrétien aurait reçu une fin sans appel de non-recevoir.

Harris était catégorique: il ne descendrait pas dans l'arène constitutionnelle, quoi qu'il advienne au référendum et quoi qu'en dise son homologue fédéral. Ses deux prédécesseurs, David Peterson et Bob Rae, avaient dilapidé beaucoup de capital politique sur la question de la société distincte, et il n'avait aucune intention de les imiter.

Presque une décennie après sa première apparition dans l'accord de Meech, en 1987, le concept de société distincte avait perdu beaucoup de son vernis aux yeux du public ontarien. Au départ, la proposition avait été vue comme un geste de bonne volonté, qui allait presque de soi, envers le Québec, mais huit ans de débats plus tard, le sujet polarisait l'électorat ontarien. Harris était convaincu que toute tentative sur ce front était vouée à être rejetée, sans ménagement, par un grand nombre de ses électeurs.

« Du discours de Verdun, nous avions aimé le message sur le partage des pouvoirs. C'était une partie de mon mantra. Mais nous n'avions pas apprécié la partie où Chrétien parlait de société distincte et faisait allusion à une quelconque négociation constitutionnelle. Nous n'allions pas nous rencontrer pour négocier quoi que ce soit de constitutionnel. Les fédéraux pouvaient toujours essayer de le faire, mais ce serait sans l'Ontario. »

* * *

Durant la campagne, Harris avait campé la position de l'Ontario relativement à un Oui dans une allocution aux gens d'affaires du Canadian Club de Toronto. Ses vis-à-vis de l'opposition libérale et néo-démocrate avaient été consultés au préalable sur le texte du discours. L'ancien premier ministre néo-démocrate Bob Rae – prédécesseur immédiat de Harris – avait contribué à son contenu. « Nous voulions qu'il soit clair qu'il s'agissait d'un message de tout l'Ontario, un message non partisan », raconte Harris. Avant de le livrer, Harris en avait examiné le texte paragraphe par paragraphe avec Dicerni, pour déterminer quelles seraient les parties qu'il lirait en français – pour consommation, par l'entremise des médias, au Québec – et quelles seraient celles qu'il lirait en anglais.

Le premier ministre n'était peut-être pas au fait de toutes les nuances du débat Québec-Canada, mais il ne voulait pas pour autant que sa province soit une simple spectatrice de la conversation référendaire.

Le discours présentait un Oui comme un vote en faveur de la séparation du Québec. L'Ontario rejetait d'emblée un futur partenariat politique et économique Québec-Canada de la nature évoquée dans la question référendaire. « Il n'y avait pas de voie intermédiaire. Nous ne voulions pas que les Québécois croient qu'ils donnaient aux souverainistes une espèce de mandat de grève solide, avec une position de négociation forte. Bouchard était efficace quand il évoquait cette idée et elle touchait une corde sensible. Nous ne voulions pas ça. Nous voulions faire savoir que, si le Oui l'emportait, nous ne serions pas d'humeur à être généreux à la table de négociations ou à la recherche d'une espèce d'union. Le message était : "Ne croyez pas que ces négociations vont déboucher sur une situation heureuse." »

Quiconque aurait écouté ce discours aurait conclu que l'Ontario, devant une victoire souverainiste au référendum, accepterait que le Québec quitte la fédération – aux conditions les plus favorables possible pour la province de M. Harris. C'était d'ailleurs le sentiment qui prévalait dans les milieux d'affaires de la province. Vers la fin de la campagne, des conseillers de Harris avaient discrètement sondé des leaders d'opinion ontariens, et le consensus qui se dégageait de ces consultations avaient été qu'à peu près personne n'avait envie que se prolonge l'incertitude qui résulterait d'un vote en faveur de la souveraineté, même si c'était pour « sauver le pays ».

Aujourd'hui, Harris nuance son énoncé de la campagne référendaire. Il affirme que l'Ontario n'aurait pas vraiment sauté à la conclusion que le Québec filait vers la sortie après un Oui. « Probablement que nous aurions alors changé l'interprétation du vote pour dire que la question n'était pas très claire et que le Canada ne bougerait pas. » Avec le recul, il semble que la doctrine référendaire ontarienne, telle qu'énoncée par son premier ministre au Canadian Club, était élastique.

Harris dit qu'il n'excluait pas la possibilité que le Québec et le Canada finissent par discuter de sécession. Mais il était convaincu que, si la situation en arrivait là, le résultat le plus probable serait que les Québécois seraient rebutés par la souveraineté et se raviseraient. « Parizeau ne plaisantait pas, mais il n'aurait pas réussi à passer à travers un an, un an et demi de négociations peu fructueuses. Nous ne pensions pas que ce qu'il obtiendrait dans ces négociations serait acceptable. C'est pourquoi nous croyions qu'une année de chaos (plutôt que l'éclatement de la fédération) nous pendait au bout du nez. À un moment donné, nous aurions dit aux Québécois : "Durant la dernière année, vous avez appris que vous n'allez pas garder le dollar, que vous n'allez pas avoir ceci ou cela." Je ne crois pas que, sachant tout cela, les Québécois auraient continué d'appuyer la souveraineté. »

Harris reconnaît qu'il y avait des risques de fissures dans l'armure ontarienne. Premièrement, il redoutait que « le chaos soit utilisé contre [eux], contre le reste du Canada, et renforce la détermination des Québécois à partir ». Il doutait également de ce que le gouvernement fédéral ait le courage ou la capacité de mener le Canada à travers le champ de mines qui l'attendait au tournant d'un Oui.

« La concentration du pouvoir dans les mains de ministres issus du Québec m'inquiétait. Nous craignions que Chrétien, du fait qu'il était Québécois, privilégie l'apaisement. Nous avions peur qu'il mette l'accent sur la société distincte et qu'il nous entraîne dans une ronde de négociations constitutionnelles en laquelle nous ne croyions pas. »

Pour autant, Harris affirme qu'il n'a jamais réfléchi activement à un changement expéditif de gouvernement à Ottawa après un Oui. Il ne pouvait pas ne pas savoir que Preston Manning ne demanderait qu'à remplacer les libéraux de Jean Chrétien. Mais Manning n'avait aucun siège en Ontario, et il était loin d'être certain que les électeurs de la province auraient été chauds à l'idée de confier au chef d'un parti dominé par l'ouest du Canada la tâche de mener à bien une si délicate négociation en leur nom.

« Ce qui arriverait à Ottawa n'accaparait pas tellement nos esprits. Nous n'avions aucun contrôle là-dessus. Il n'y avait pas de voix unificatrice évidente. Je ne crois pas qu'il aurait été possible que les premiers ministres provinciaux du pays s'entendent sur la personne qui aurait parlé au nom du Canada. C'était plutôt à la position et à la réaction de l'Ontario que nous pensions. Même sans référendum dans le portrait, nous faisions face à un avenir incertain; nous pensions avant tout à remettre l'économie de la province sur les rails. »

Harris ajoute qu'il était davantage préoccupé par la cohésion de l'Ontario face à l'adversité post-référendaire que par de possibles divisions à l'échelon fédéral. « Nos propres gens risquaient de dire simplement : "Au diable tout ça !" Certains auraient dit : "Donnez-leur tout ce qu'ils veulent." D'autres encore auraient plutôt dit : "Non, laissez-les s'en aller." »

Pour Harris, l'épisode du référendum a été aussi bref qu'intense. Il s'est déroulé sur à peine deux mois des débuts de son règne de deux mandats. Après la victoire des fédéralistes au Québec, lui et son équipe se sont promptement tournés de nouveau sur la mise en œuvre du programme qui les avait fait élire.

Sur la colline du Parlement et à Queen's Park, toutefois, l'épisode référendaire – malgré son dénouement favorable aux fédéralistes – a eu, pendant les années qui ont suivi, un effet durable sur la relation entre le gouvernement fédéral et l'Ontario.

* * *

En matière de réforme constitutionnelle, la classe politique de l'Ontario a une longue histoire de consensus. À Queen's Park – contrairement aux assemblées législatives du Nouveau-Brunswick, du Manitoba et de Terre-Neuve (ou à l'Assemblée nationale) –, l'accord du lac Meech n'est pas devenu une pomme de discorde entre les divers partis provinciaux. Les néo-démocrates, les libéraux et les conservateurs se sont en général efforcés de maintenir les affaires constitutionnelles à distance de l'arène partisane.

Au moment du rapatriement de la Constitution, les partis d'opposition à Queen's Park ont généralement soutenu le travail du premier ministre Davis et ont accueilli avec satisfaction le résultat des négociations. Lorsque les néo-démocrates ont remplacé les libéraux au pouvoir peu après l'échec de Meech, Bob Rae a repris le dossier constitutionnel là où son prédécesseur David Peterson l'avait laissé. En 1992, les deux autres principaux partis ontariens se sont joints, quoique avec un enthousiasme à géométrie variable, au NPD de Rae pour appuyer l'accord de Charlottetown.

Au cours des rondes constitutionnelles, réussies ou ratées, qui ont précédé le référendum de 1995, le courant constitutionnel n'a pas cessé de passer entre Ottawa et Queen's Park, quelles qu'aient été les tensions entre les deux gouvernements sur plusieurs autres fronts. David Peterson et Brian Mulroney se sont affrontés sur le projet fédéral de traité de libre-échange nord-américain en 1988, mais ont travaillé ensemble au cours de cette même période à élaborer l'accord du lac Meech. Bob Rae et les conservateurs fédéraux avaient des points de vue diamétralement opposés sur l'économie, mais ils ont quand même collaboré à la table constitutionnelle.

Après le référendum de 1995, le cordon constitutionnel qui unissait depuis longtemps Ottawa et Queen's Park a été rompu.

La poussière avait à peine commencé à retomber sur le vote lorsque Jean Chrétien et Mike Harris ont fini par avoir leur premier face-à-face. Cela ne s'est pas bien passé. Chrétien voulait donner suite à sa promesse de Verdun au sujet de la société distincte. Il avait besoin de l'appui de l'Ontario. Harris était résolu à ne pas le lui accorder.

« Nous trouvions stupéfiant, moi et mon équipe, qu'il [Chrétien] n'ait aucune idée de ce que serait notre position là-dessus. Nous étions tout à fait renversés qu'il trouve que c'était une bonne idée. Nous pensions que c'était la chose la plus stupide que nous ayons jamais entendue. Nous nous sommes dit : "Nous venons juste d'éviter le chaos, et il veut nous remettre dedans !"

« Nous avons été stupéfaits par sa demande et ils ont été stupéfaits par la réaction. Ç'a été un non plutôt brutal. Je m'attendais à mieux de la part du premier ministre. Par la suite, notre relation n'a pas été harmonieuse pendant un bon bout de temps. Cette rencontre a suscité beaucoup d'amertume. »

Chrétien aurait dû s'y attendre.

Les premiers ministres Davis, Peterson et Rae avaient consacré de grands pans de leurs mandats au dossier constitutionnel, avec de moins en moins de succès et à un prix politique de plus en plus élevé. Harris ne voulait pas emprunter le même chemin, surtout quand les chances de réussite lui semblaient si faibles. Jusqu'à la dernière semaine de la campagne référendaire, Chrétien lui-même avait affirmé qu'il ne fallait pas toucher à la Constitution ; Harris ne faisait que reprendre à son compte le mantra auquel le premier ministre n'avait renoncé qu'à la onzième heure de la campagne, et seulement parce qu'une défaite inimaginable lui pendait au bout du nez.

Les conseillers de Harris estimaient que rouvrir le débat de la société distincte revenait à jouer avec des allumettes dans une poudrière. Ils ne pensaient pas seulement à la volatilité ambiante au Québec. Le risque que la reprise du débat constitutionnel et une nouvelle ronde au Québec déchaînent les passions en Ontario était également bien réel. Toute tentative pouvait facilement se retourner contre le camp fédéraliste, voire créer les conditions gagnantes dont Lucien Bouchard avait besoin pour mettre le cap sur un autre référendum – et le gagner.

* * *

La fin, peu glorieuse, de la ronde constitutionnelle de Charlottetown avait montré que la direction politique de l'Ontario était de plus en plus déphasée par rapport à l'opinion publique de la province. En dépit des appels du pied de leur *establishment* politique, de leurs éditorialistes et des leaders du monde des affaires, une faible majorité d'Ontariens seulement avait appuyé l'accord de Charlottetown au référendum de 1992.

Même avant ce vote, il était évident que la question de la société distincte était devenue un paratonnerre pour les préjugés anti-Québec latents d'une minorité de fanatiques ontariens. Certains des événements qui avaient le plus exacerbé les passions nationalistes au Québec vers la fin de la saga de Meech avaient eu lieu en sol ontarien.

Il y avait eu le piétinement du fleurdelisé à Brockville. En temps normal, l'incident aurait été attribué à quelques cinglés avant d'être rapidement oublié ; mais, dans l'atmosphère fiévreuse du printemps de 1990, il était rapidement devenu une illustration de l'intolérance du Canada anglais envers le Québec.

Il y avait également eu l'adoption par un certain nombre de municipalités ontariennes de règlements destinés à les libérer de l'obligation de fournir des services en français. Cette obligation était essentiellement une invention de l'APEC (The Alliance for the Preservation of English in Canada), un groupe de pression anti-bilinguisme. Des patelins qu'aucun Québécois n'aurait pu situer sur une carte faisaient soudainement la manchette des journaux. Certains d'entre eux n'étaient même pas visés par une nouvelle loi ontarienne encadrant la dispensation de services publics provinciaux (et non municipaux) en français puisque leur population francophone n'atteignait pas le seuil des 10 % prescrit pour que ses dispositions s'appliquent. Mais d'autres, comme Sault-Sainte-Marie, comptaient parmi leurs habitants des communautés francophones de longue date.

En Ontario, les opposants les plus farouches aux droits linguistiques des francophones avaient tendance à faire davantage partie de la clientèle des progressistes-conservateurs que de celle des libéraux ou des néo-démocrates.

À la fin des années 1960, la résistance en Ontario à l'instauration par le gouvernement Trudeau du bilinguisme officiel à l'échelle fédérale avait été particulièrement vive dans les châteaux forts conservateurs de l'Est ontarien. Sur un autre front, l'établissement d'écoles secondaires de langue française avait dégénéré en batailles rangées entre parents franco-ontariens et commissions scolaires anglophones dans un certain nombre de régions de la province.

Après le référendum de 1980, le premier ministre Trudeau avait tenté de convaincre Bill Davis d'accepter les mêmes obligations constitutionnelles, en matière d'égalité du français et de l'anglais à la législature provinciale et dans les cours de justice pour sa province, que celles que la Constitution imposait au Québec.

Davis avait refusé, mais pas parce qu'il s'opposait à la substance de ces obligations. Son procureur général, Roy McMurtry, était un francophile proactif. Durant les mandats et la vie politique de Bill Davis, les droits linguistiques de la minorité franco-ontarienne avaient fait beaucoup de chemin en Ontario, en particulier sur le front de l'éducation. Mais le premier ministre craignait comme la peste les gestes visibles du genre de celui que réclamait Trudeau. Davis savait pertinemment qu'advenant un ressac contre sa politique en matière de droits linguistiques, son parti, de par les convictions anti-bilinguisme (et anti-français) d'un noyau dur de ses partisans, se trouverait dans l'œil du cyclone.

À l'époque du rapatriement de la Constitution, Jean Chrétien était l'homologue fédéral de Roy McMurtry. Les deux hommes s'étaient liés d'amitié. Chrétien devait donc connaître la relation difficile des conservateurs ontariens avec le dossier des droits linguistique et, par extension, avec celui du Québec. Au milieu de la campagne référendaire de 1980, Bill Davis avait même dû intervenir pour mettre fin à une controverse entourant la construction d'une école secondaire de langue française à Penetanguishene, de crainte que le conflit local ne cause des dommages à la cause fédéraliste au Québec.

En 1995, Harris avait une autre raison de se garder à distance du champ de mines constitutionnel. Ses conservateurs s'inquiétaient de ce que le Parti réformiste fonde une succursale provinciale en Ontario (qui aurait fait concurrence aux progressistes-conservateurs de Queen's Park). Harris raconte qu'il avait demandé à Tony Clement – qui est aujourd'hui un ministre conservateur fédéral, mais qui était alors député provincial – d'assurer la liaison avec le Parti réformiste. La mission de Clement consistait à préserver la paix entre les deux partis et, surtout, à décourager les partisans de Manning d'avoir des visées sur Queen's Park. Cette tentation aurait augmenté de manière exponentielle si Harris avait adhéré au projet post-référendaire de Chrétien d'inscrire le caractère distinct de la société québécoise dans la Constitution.

Preston Manning s'était toujours opposé à un tel amendement. Cette opposition avait été l'un des principes fondateurs de son parti et l'un de ses principaux attraits pour une foule de convertis. Le référendum ne l'avait pas fait changer d'idée. Pour donner au moins une suite quelconque à son engagement référendaire envers les Québécois, Jean Chrétien a fini par déposer une résolution sur la société distincte à la Chambre des communes. Le Parti réformiste s'y est opposé férocement, mais le gouvernement libéral l'a fait adopter avec l'appui du NPD.

Si quelqu'un doutait, en 1995, de la sagesse du refus de Harris de retourner dans l'arène constitutionnelle, ces doutes auraient dû être dissipés, une décennie plus tard, quand le premier ministre Stephen Harper a déposé une motion sur la reconnaissance de la nation québécoise à la Chambre des communes. D'emblée, cette résolution a été décrite en des termes apocalyptiques dans certains médias. Certains ont même prédit qu'elle sonnait le glas du Canada tel que les Canadiens le connaissaient. La seule chose qui a évité que ce débat ne dégénère en crise d'hystérie politique, c'est qu'il n'a duré que les quelques jours nécessaires à l'adoption de la motion aux Communes, au lieu des mois et des années qu'aurait pu exiger l'amendement constitutionnel sur la société distincte souhaité par Jean Chrétien.

Pendant la campagne référendaire, Harris avait déployé beaucoup d'efforts pour s'assurer que son gouvernement et les partis d'opposition à Queen's Park parleraient d'une même voix dans le débat québécois. Si le Québec avait voté Oui, on peut croire qu'il aurait tenu à préserver le consensus politique ontarien.

Par contre, la vieille habitude qu'avaient prise l'Ontario et Ottawa de se protéger mutuellement dans les tranchées constitutionnelles n'a pas survécu au référendum. Dans le passé, l'entente cordiale qui régnait normalement entre Ottawa et Queen's Park en matière constitutionnelle avait donné beaucoup d'élan aux projets de réforme. Après la mort de cette alliance, le concept même d'une rencontre des premiers ministres pour discuter en long et en large d'ambitieux projets fédéraux-provinciaux est tombé en désuétude. Au cours de sa dizaine d'années à la tête du pays, Stephen Harper a passé beaucoup plus de temps à la table du G8 qu'à celle de rencontres fédérales-provinciales.

CHAPITRE 15

Réparations d'urgence : Frank McKenna

Aux derniers jours de la campagne référendaire, le premier ministre du Nouveau-Brunswick, Frank McKenna, a eu une conversation étonnante avec Jean Chrétien. «Il m'a téléphoné. Il était passablement anxieux. En général, Chrétien est un vrai optimiste, ou tout au moins il insiste pour faire semblant de l'être, mais là, il était très inquiet. Il m'a demandé si je serais disposé à faire partie d'un cabinet d'union nationale. Il m'a dit : "Écoute, si la situation tourne mal, nous allons devoir y réagir. Serais-tu prêt à faire cela?"»

Chrétien lui a précisé qu'il envisageait d'entreprendre la même démarche auprès d'autres politiciens provinciaux, dont Roy Romanow de la Saskatchewan. «Il essayait de dresser une liste de personnes qui auraient de la légitimité et qui pourraient encourager le Canada au calme pendant qu'on chercherait à dénouer le problème. Le premier ministre [fédéral] était à la recherche d'une solution politique susceptible de neutraliser les attaques qu'il subirait. S'il avait perdu [le référendum], il y aurait eu, dans le reste du Canada, une réaction d'hostilité sans précédent. La mise en place d'un cabinet d'union nationale aurait été une diversion, conçue pour laisser le temps aux gens de se calmer et de reprendre leur souffle. Ç'aurait été une soupape de sécurité.»

Le premier ministre du Nouveau-Brunswick n'a pas hésité : « J'avoue que j'ai répondu oui. C'était l'une de ces situations où votre pays a besoin de vous, et vous devez faire ce qu'il vous faut faire. J'étais très heureux d'être premier ministre du Nouveau-Brunswick, mais ce qu'on me demandait paraissait très important. Il m'a semblé que c'était une situation où il était très tard dans la partie, où les choses allaient mal, et où il fallait une idée pour apaiser la population canadienne après un mauvais résultat. Il faudrait que ça se fasse rapidement. »

Le coup de fil de Chrétien avait confirmé les pires craintes de McKenna. Il était le seul premier ministre provincial en poste qui parlait le français assez couramment pour avoir été utile dans les tournées de la campagne référendaire. Au Canada, le Nouveau-Brunswick se classe deuxième, derrière le Québec, pour le bilinguisme de ses politiciens. Environ le tiers des Néo-Brunswickois ont le français comme langue maternelle, proportion supérieure à celle de toute autre province hormis le Québec. McKenna raconte que, à un certain moment de la campagne référendaire, tous les membres de son cabinet faisaient campagne dans l'est du Québec, la région contiguë au Nouveau-Brunswick. « En me fiant à ce que mes ministres voyaient et entendaient, je suis arrivé à la conclusion que nous perdrions probablement le référendum. »

Un vote pour le Oui était de mauvais augure pour le Nouveau-Brunswick et pour l'ensemble de la région. « Les Maritimes auraient été fichues, poursuit McKenna. Le reste du Canada avait ses propres moteurs économiques, mais pas nous. Sur le plan économique, nous aurions eu l'impression d'avoir l'équivalent du mur de Berlin érigé entre le Nouveau-Brunswick et le reste du Canada. Le Québec était protectionniste dans le meilleur des cas ; ça ne pouvait qu'empirer après la séparation. »

Il y avait aussi la question de l'importante communauté acadienne du Nouveau-Brunswick. « Cela aurait été une grande menace pour les Acadiens. Au Nouveau-Brunswick, un Oui aurait rallumé des passions linguistiques que nous avions éteintes assez récemment. Dans la mesure où la province était de l'autre côté de la ligne de démarcation, dans la mesure où les deux communautés linguistiques y étaient fortement représentées, nous aurions été plus affectés que n'importe quelle autre partie du Canada. »

McKenna s'attendait à ce que Jean Chrétien résiste à un Oui. « Nous aurions été dans une impasse. Nous aurions dit : "Nous n'avons jamais convenu que c'était la bonne question, que c'était un nombre suffisant de votes [pour enclencher un processus de sécession]." Nous nous serions engagés dans une impasse. Je ne sais pas qui aurait reculé le premier. »

McKenna pensait aussi que Chrétien, s'il voulait avoir la moindre chance de continuer à être premier ministre et de tenter de réparer les pots cassés du référendum, devrait adopter une ligne très dure avec ses compatriotes québécois. « Il ne fait aucun doute que, en tant que premier ministre issu du Québec, Chrétien aurait suscité beaucoup de suspicion dans le reste du pays. Je pense que, à cause de cela, il aurait eu à se montrer encore plus dur avec le Québec [qu'un premier ministre issu d'une autre province], mais je doute qu'il aurait réussi à se mettre au diapason de l'opinion publique, particulièrement dans l'ouest du Canada. »

Frank McKenna était prêt, le soir du référendum, à faire tout ce qu'il pouvait afin de gagner du temps pour permettre à Jean Chrétien de réaménager de fond en comble son cabinet et pour, lui-même, déterminer comment cumuler les responsabilités de premier ministre d'une province et celles de ministre fédéral.

« Ce que j'aurais dit ce soir-là, si le résultat avait été défavorable au fédéralisme, aurait été que les Québécois avaient parlé, mais qu'il fallait laisser passer un peu de temps pour que tout le monde retrouve son sang-froid et éviter de réagir de manière excessive. J'aurais dit : "Prenons une grande respiration. Ne fermons aucune porte. Cette affaire-là est loin d'être terminée." »

McKenna avait le sentiment qu'il était plus logique d'accepter l'offre de Jean Chrétien, quitte à s'embarquer dans une galère, que de risquer d'ouvrir la porte du pouvoir au Parti réformiste de Preston Manning et de lui laisser le champ libre pour établir les modalités de la sécession du Québec. Cette dernière hypothèse en était une qu'il rejetait d'emblée.

McKenna était un libéral plutôt conservateur sur le plan de la fiscalité, mais le conservatisme social de Manning était tout à fait étranger à sa culture politique. Le premier ministre du Nouveau-Brunswick était, d'autre part, convaincu que, si la question leur était posée, une majorité des électeurs du reste du Canada refuserait au Parti réformiste le mandat d'escorter le Québec vers la sortie de la fédération. «Personne ne pardonnerait jamais à un gouvernement du Canada la négociation de la sécession d'une province, surtout sur la foi d'un résultat [référendaire] ambigu, vague et serré. Le reste du Canada aurait considéré que Preston Manning se comportait comme un traître», affirme-t-il.

En outre, McKenna doutait que le caucus de Manning, enraciné comme il l'était dans l'Ouest canadien, ait la capacité de défendre équitablement les intérêts de tout le pays. «L'Ontario et les provinces de l'Atlantique souhaitaient ardemment que le Québec reste, parce que nous sommes des voisins, de proches parents, des amis, des partenaires commerciaux. L'ouest du Canada aurait dit: "Laissez-les partir, point final." Plus vous seriez allés vers l'Ouest, plus l'attitude à l'égard du Québec après un Oui aurait été acrimonieuse.»

McKenna savait qu'il serait difficile pour Chrétien de survivre à un Oui; à ses yeux, la formation d'un cabinet d'union nationale lui donnait au moins une chance réaliste de s'en sortir. «S'il avait recruté les bonnes personnes, des personnes crédibles, je pense que cela aurait pu marcher mieux que le *statu quo*. Je pense que c'était une idée raisonnable. Je ne sais pas si ça aurait marché ou pas, mais c'était une option raisonnable.»

Contrairement à Roy Romanow, McKenna n'avait pas, en prévision du référendum, demandé à ses fonctionnaires d'étudier les options qui s'offriraient à sa province advenant un Oui. Mais cela ne voulait pas dire qu'il n'avait pas réfléchi à la question. «Je serais rapidement devenu égoïste parce que nous aurions été une région très vulnérable aux soubresauts qui auraient résulté d'un Oui. Une union des provinces maritimes aurait été probable. Il aurait fallu redresser nos finances très rapidement, et gréer notre navire en vue d'un voyage difficile. Il aurait fallu libéraliser les échanges commerciaux à l'intérieur dans notre région. Il nous aurait fallu devenir plus autosuffisants, renforcer nos liens commerciaux avec les États-Unis et, en fait, nous rapprocher beaucoup des États de Nouvelle-Angleterre. Nous serions allés beaucoup plus loin dans cette direction.»

McKenna ne croyait pas que, si le Québec devenait indépendant, le Canada atlantique pourrait ou devrait faire bande à part de ce qui resterait de la fédération.

Il n'était pas non plus prédisposé à accepter l'offre de partenariat politique et économique faite par Lucien Bouchard pour assurer le salut du Nouveau-Brunswick. Si jamais les choses en venaient à la sécession du Québec, McKenna était plutôt déterminé à trouver, dans les débris de la rupture, de nouveaux éléments pour consolider l'économie de sa région et de sa province. «J'aurais visé les industries québécoises les plus vulnérables à un Oui. Celles qui, comme l'industrie aérospatiale, dépendent des politiques d'approvisionnement du gouvernement du Canada. J'aurais essayé de les faire déménager du Québec au Nouveau-Brunswick. Dans la mesure où le gouvernement fédéral allait continuer à appliquer ses politiques d'approvisionnement aux seules entreprises canadiennes, il n'y avait pas de raison que beaucoup d'entre elles restent dans un Québec indépendant.

«J'aurais demandé que certaines des bases militaires du Québec soient déménagées au Nouveau-Brunswick. Le Canada atlantique aurait eu besoin du soutien du Canada pour rebâtir son économie, et une partie de cet effort aurait consisté à transférer des établissements fédéraux du Québec dans notre région.»

Contrairement à beaucoup de ses contemporains du reste du Canada, McKenna n'est pas convaincu que le Canada ou le gouvernement fédéral auraient pu se préparer pour un Oui. Selon lui, le simple fait de se lancer dans de tels préparatifs aurait rehaussé la crédibilité de la cause souverainiste au Québec et la légitimité du référendum hors Québec.

Toutefois, il lui arrive parfois aujourd'hui de se demander si, à long terme, il n'aurait pas mieux valu pour le Canada que le camp fédéraliste perde de justesse le référendum de 1995. « Il y a des moments où, au fond de mon cœur, j'aurais aimé que les souverainistes gagnent le référendum. Si le résultat avait été inversé, il serait devenu évident au bout de quelques jours que le Québec était comme un chien qui court après une voiture et qui ne sait pas quoi faire de cette voiture une fois qu'il l'a rattrapée », croit-il.

Il estime qu'une victoire serrée des souverainistes se serait retournée contre eux et aurait causé des dommages irréparables à leur cause : « On aurait eu un Québec sans personne avec qui négocier [au Canada]. On aurait eu un Canada qui aurait subi d'immenses torts sur le front de la valeur de sa devise et de sa cote de crédit. Je ne crois pas que les Québécois avaient la pleine mesure de l'intensité de la réaction qui aurait été celle du reste du Canada. Il y aurait eu beaucoup de pression pour poser des gestes comme enlever le mandat québécois d'Air Canada, de Via Rail, du CN… Ils [ces entreprises] auraient quitté la province ; les bases militaires auraient été fermées. Il y a tellement de choses qui auraient rapidement été sur la table, à commencer par la question de la divisibilité [du Québec]. Le débat sur la partition aurait fait surface. Certains Québécois auraient regretté leur choix. Certains auraient dit : "Qu'est-ce qu'on a fait ? Qu'est-ce que tout cela signifie vraiment ?" »

Au début de son premier mandat, en 1987, Frank McKenna avait été un joueur actif sur le plan constitutionnel et le premier à réclamer que des modifications soient apportées à l'accord du lac Meech. (L'Assemblée législative du Nouveau-Brunswick a fini par ratifier Meech tel quel, trois ans plus tard, sur la foi d'un accord parallèle portant sur les préoccupations de son premier ministre.)

Il avait également été de la ronde suivante et de la confection de l'accord de Charlottetown. Le soir du 30 octobre 1995 a marqué le début de la fin de sa présence dans les tranchées de l'unité canadienne. Frank McKenna a remis sa démission comme premier ministre deux ans plus tard.

Par la suite, Jean Chrétien a tenté de le convaincre de se présenter aux élections fédérales et de prendre en main un ministère important à Ottawa – offre que McKenna a considérée, mais qu'il a fini par décliner.

Après le départ à la retraite de Chrétien, McKenna a été l'ambassadeur de Paul Martin à Washington. Quand Martin a démissionné en 2006, l'ancien premier ministre du Nouveau-Brunswick a été courtisé assidûment : des libéraux espéraient qu'il se lancerait dans la course à la direction de leur parti. Mais il a résisté au chant des sirènes libérales. Au bout du compte, McKenna n'a jamais été aussi proche d'entrer dans l'arène fédérale que pendant la dernière semaine de la campagne référendaire. Et quel saut, sans filet, cela aurait été !

CHAPITRE 16

L'homme de confiance : Bob Rae

Pendant les derniers jours – tendus – de la campagne référendaire, on pouvait entendre une chose et son contraire dans les coulisses du camp du Non. Les rumeurs allaient inévitablement bon train au sujet des lendemains d'une défaite. Et même si aucune source officielle n'avait confirmé la chose, certains avaient eu vent de l'hypothèse de la formation du cabinet d'union nationale auquel pensait Chrétien pour ancrer son autorité, advenant un Oui.

La chose était venue aux oreilles de Jean Charest. Le chef conservateur n'était plus dans le secret des dieux fédéraux, mais il disposait encore d'un vaste réseau sur la colline du Parlement. Deux années seulement s'étaient écoulées depuis qu'il avait cessé de faire partie du gouvernement. Il ne restait que deux députés conservateurs aux Communes, dont lui, mais il pouvait encore compter sur un fort contingent de sénateurs bien branchés. Parmi les noms qui circulaient, il y en avait un qui revenait plus souvent que les autres, et cela, même s'il s'agissait d'un non-élu.

« Il y avait une rumeur de gouvernement de coalition. Le nom qui revenait toujours, c'était Bob Rae. Parce qu'il ne venait pas du Québec ; parce qu'il parlait français ; parce qu'à ce moment-là, il n'était plus premier ministre de l'Ontario, mais c'était quelqu'un qui, sur le plan national, pourrait faire le pont entre les néo-démocrates, l'Ontario, le Québec. Il avait certains attributs qui feraient de lui un personnage qui pourrait faire consensus et jouer un rôle. »

Interrogé à ce sujet, Bob Rae précise qu'on ne lui a jamais explicitement demandé de se joindre à un éventuel cabinet d'union nationale. Mais il n'écarte pas l'idée que cela aurait pu faire partie des plans de Jean Chrétien, si le Oui l'avait emporté. « Personne ne m'a parlé de scénarios hypothétiques. Le premier ministre et moi n'avons jamais discuté de cela. Cette histoire est peut-être vraie, mais je n'étais pas au courant. »

Cette réponse concorde avec l'impression de Jean Charest selon laquelle Jean Chrétien, quelles qu'aient été ses intentions advenant un Oui, n'en aurait pas nécessairement partagé les détails à l'extérieur d'un cercle restreint avant qu'il ne devienne évident qu'il allait devoir passer aux actes.

Le moral du camp du Non était déjà amoché. Le simple fait d'apprendre que le gouvernement fédéral se préparait, activement, à une défaite lui aurait porté un coup dont il n'avait pas besoin. L'idée qu'Ottawa pourrait se plier en quatre pour raccommoder le Québec au Canada après un Oui risquait d'inciter davantage d'électeurs à voter pour la souveraineté afin d'envoyer un message fort de mécontentement au reste de la fédération. Et si les fédéralistes évitaient, *in extremis*, une défaite, les critiques les plus sévères de Jean Chrétien utiliseraient l'information voulant qu'il ait envisagé des mesures exceptionnelles, tels un gouvernement de coalition ou un cabinet d'union nationale, comme un aveu de faiblesse à exploiter après le référendum. Qu'il gagne ou qu'il perde, le premier ministre allait être sur la sellette au Parlement et dans l'opinion publique après le vote.

Les sondages concordaient pour indiquer qu'une victoire fédéraliste décisive n'était plus dans les cartes. Si le Non l'emportait, la fédération canadienne serait peut-être tirée d'affaire mais pas le gouvernement Chrétien, qui aurait des comptes à rendre pour avoir mené le Canada si près du gouffre. Les partis d'opposition allaient, indubitablement, s'en donner à cœur joie durant la période des questions à la Chambre des communes. Tout cela pour dire que Jean Chrétien avait tout à perdre à dévoiler son jeu avant d'être obligé d'en abattre les cartes.

Mais si les choses avaient mal tourné pour les fédéralistes, il ne fait aucun doute que a) le premier ministre aurait eu besoin d'un homme de confiance de l'Ontario et que b) il aurait pu compter sur Rae.

Comme Frank McKenna, Bob Rae entretenait de bonnes relations avec Jean Chrétien. En 1995, Rae n'avait pas encore quitté le NPD pour rallier le Parti libéral, mais le premier ministre fédéral et l'ancien premier ministre provincial avaient déjà tissé des liens personnels solides. Le frère de Bob Rae, John, avait été un des principaux architectes des campagnes de Chrétien à la direction de son parti et à la tête du gouvernement fédéral.

Bob Rae et Jean Chrétien étaient suffisamment proches pour que le sujet, autrement tabou au sein du gouvernement fédéral, d'une impensable défaite référendaire ait été évoqué au cours de certaines de leurs conversations. Rae en avait profité pour encourager Chrétien à ne pas jeter l'éponge s'il perdait. « J'ai eu des conversations avec M. Chrétien après son élection et j'ai passé beaucoup de temps à discuter avec lui du fait que, quoi qu'il arrive, nous devions garder le Canada uni. Je n'ai jamais cru qu'une majorité de 50 % des voix plus une au Québec signifierait nécessairement l'indépendance du Québec. Et j'ai toujours cru qu'il fallait réfléchir – en continu – à la manière de faire face et de gérer ce genre de situation. »

Pendant l'été de 1995, quelques mois après la défaite de son gouvernement en Ontario, Bob Rae avait passé du temps avec Jean Chrétien à Harrington Lake, la résidence officielle d'été du premier ministre. Selon Rae, c'est là que les deux hommes ont eu leur dernière vraie conversation sur le référendum à venir. « Je lui ai dit qu'il devait être très clair que sa tâche de premier ministre consistait à garder le pays uni. Je lui ai rappelé que, de la manière dont le référendum était configuré, personne ne devrait présumer que le pays était fini [si le Oui l'emportait] ; la question ne menait pas inévitablement à cette conclusion. »

Cet été-là, la plupart des fédéralistes étaient résolument optimistes quant à l'issue du référendum. Rae ne partageait pas ce sentiment. Le positivisme ambiant allait à contresens de sa connaissance intime de la dynamique qui avait mené le Canada et le Québec au carrefour référendaire. « Aujourd'hui, il est difficile pour les gens de concevoir à quel point la question de l'avenir du Canada et de la place du Québec dans la fédération était centrale. Mais pendant toute cette partie de ma vie politique, comme député fédéral, comme chef d'opposition [à Queen's Park] ou comme premier ministre, cela avait été la principale préoccupation [de la classe politique]. »

* * *

Rae était devenu premier ministre de l'Ontario à l'automne de 1990, au beau milieu d'une crise constitutionnelle. « La question de l'échec de Meech occupait tous les esprits. Le premier ministre Bourassa était très malade. Les premiers ministres provinciaux ne se parlaient pas. Brian Mulroney était mort de peur, ce qui est tout à fait compréhensible. Au Québec, l'appui à l'indépendance approchait les 60 %. Je savais que cet enjeu serait central pendant tout le temps que j'allais passer au pouvoir. [Il fallait] tenter de nouveau de faire baisser la température, de remettre le train sur les rails. »

Bob Rae a passé la première moitié de son mandat de premier ministre en devoir à la table constitutionnelle. Il a été l'un des principaux artisans de l'accord de Charlottetown. Même si le projet a seulement passé de justesse en Ontario, même s'il a été rejeté à l'échelle pancanadienne, Rae croit encore que le jeu en a valu la chandelle. « Le processus de Charlottetown avait en partie pour objectif de gagner du temps, d'éviter le pire [un référendum au Québec sur la souveraineté], en faisant tout ce qui était possible pour convaincre les Québécois que nous étions encore sérieux quant à la possibilité d'une réforme constitutionnelle. Cela n'a pas réussi, mais il est impossible de savoir si, sans cet effort collectif, le train aurait ou non quitté les rails plus rapidement. »

De par son statut de premier chef de gouvernement néo-démocrate de l'Ontario, en raison de son activisme constitutionnel et aussi de son aisance en français, Bob Rae jouissait d'une certaine popularité au Québec et d'un réseau d'amis politiques, dont, notamment, le chef du camp du Non, Daniel Johnson.

Contrairement à la plupart des politiciens du reste du Canada, qui étaient tenus à bonne distance de l'action par les stratèges du Non ou encore, comme dans le cas de Sheila Copps, chargés de tâches susceptibles de les occuper sans qu'ils risquent de nuire (ou d'aider), Rae, lui, avait une place en première ligne du front fédéraliste.

À l'invitation de Johnson, il avait passé du temps à bord de l'autobus du Non et participé à des rallyes au cours desquels c'était lui qui faisait office de présentateur du chef du camp du Non. « Nous étions devenus de bons amis lorsque nous étions tous deux premiers ministres », explique Rae.

Ses déplacements avec la caravane de Johnson avaient confirmé ses pires appréhensions. « Ce qui m'inquiétait tout le temps, c'était que nos foules étaient loyales et d'un grand soutien, mais plus âgées et plutôt clairsemées. Cela m'avait également inquiété quand j'avais participé au premier référendum, en 1980. À cette époque, ils [le camp du Non] répétaient sans cesse : "Nous aimerions que vous alliez faire des discours dans les maisons de retraite" ; moi, je répondais : "C'est dans les collèges qu'il faut aller, avec des arguments qui mettent un peu de vie dans tout cela." Ils me disaient : "Non, non, non." Ce fossé de générations m'avait toujours inquiété. »

Sur le terrain, le vent que le camp du Non croyait avoir dans le dos était imperceptible. Avant le déclenchement du référendum, Rae craignait déjà la présomption répandue chez les forces fédéralistes selon laquelle la campagne aurait l'allure d'une promenade de santé vers la victoire. Il ne faudrait pas longtemps avant que les événements lui donnent raison. « Il y avait une confiance excessive qui me préoccupait. Les gens se disaient que tant que Parizeau serait là, tout irait bien pour les fédéralistes parce qu'il y avait un plafond aux appuis qu'il était susceptible de rallier. Mais ce qu'on a vu durant la campagne, c'est que, dès qu'il a été écarté et remplacé par Bouchard, tout a changé. »

Au matin du 30 octobre, Bob Rae était psychologiquement préparé à ce que le Oui l'emporte. Mais il n'était pas du tout résigné à l'idée que ce vote mènerait à la négociation de l'indépendance du Québec. Il se préparait plutôt à un affrontement avec le mouvement souverainiste sur un front élargi. « Je croyais que le premier ministre aurait à dire aux Canadiens que le pays n'allait pas éclater, qu'il n'y avait dans ce référendum aucun fondement justifiant la rupture du pays ; qu'il n'y avait pas là de mandat d'indépendance en droit international ou autrement. C'était la voie à emprunter. Je prévoyais que nous traverserions une période d'incertitude extrême ; que Parizeau demanderait à la France de reconnaître le Québec ; que nous allions nous battre aux Nations unies, et dans toutes les autres arènes. »

* * *

Si Jean Chrétien avait suivi les conseils de Bob Rae et entrepris d'en appeler d'un verdict référendaire favorable à la souveraineté pour le renverser, il aurait eu grandement besoin des services de l'ancien premier ministre de l'Ontario, et pas seulement pour avoir le son de cloche d'un ami alors qu'il traversait la pire crise de sa vie politique.

Bien sûr, Chrétien pouvait raisonnablement s'attendre à ce que d'autres fédéralistes l'appuient dans sa détermination de ne pas accepter un (petit) Oui comme la réponse définitive du Québec à la question de son avenir politique.

Jean Charest, s'il faut en croire les notes qu'on lui avait préparées pour une éventuelle victoire du Oui, n'allait pas se précipiter pour se rallier au résultat. Daniel Johnson semblait, lui aussi, disposé à résister à l'idée qu'une faible victoire souverainiste place le Québec sur l'autoroute de l'indépendance. Et des ministres comme Paul Martin et André Ouellet voulaient résister coûte que coûte à un Oui.

Mais le parti de Charest avait presque été rayé de la carte aux élections générales précédentes. Son dernier régiment sur la colline du Parlement était principalement composé de sénateurs non élus. Quant à Johnson, après un vote pour le Oui, ses jours à la tête du PLQ risquaient d'être comptés. Même s'il s'accrochait à son poste, il allait en avoir plein les bras à gérer des divisions internes et des défections.

D'autre part, Chrétien n'avait pas de relation de confiance avec la plupart de ses alliés du camp du Non. À un moment ou à un autre, tous l'avaient considéré comme un élément du problème du Québec plutôt que de la solution du Canada. Les liens du premier ministre avec Charest, Johnson, Martin et Ouellet étaient fondés sur la nécessité, sans plus. Surtout, tous étaient des Québécois qui, comme Chrétien, porteraient l'odieux de ne pas être arrivés à convaincre leurs concitoyens de rester dans le giron canadien.

Si les fédéralistes perdaient le référendum, Chrétien et son gouvernement n'auraient pas seulement à tenter de repousser une offensive souverainiste de tous les moments. Pour rester au pouvoir, le gouvernement libéral allait devoir livrer bataille sur d'autres fronts, à commencer par celui de la Chambre des communes, où le Parti réformiste l'attendait avec une brique et un fanal. Au lendemain d'un Oui, Jean Chrétien allait avoir désespérément besoin d'un homme de confiance pour l'aider à éteindre les feux, et Bob Rae correspondait au profil de l'emploi de pompier volontaire.

* * *

Pour avoir la moindre chance d'extirper le Canada du bourbier d'un Oui, Jean Chrétien aurait eu besoin de maintenir un minimum de paix sociale. Cela aurait voulu dire, dans un premier temps, apaiser les craintes des Premières Nations du Québec, qui étaient catégoriquement opposées à l'indépendance du Québec et qui tenaient mordicus à ce que leurs territoires continuent d'être rattachés au Canada. Au sein des communautés autochtones, la réponse à la question référendaire avait été un Non retentissant. Certaines nations, comme les Cris, avaient rejeté la souveraineté dans une proportion de plus de 90 %.

Il n'est pas exagéré de décrire l'enjeu de l'intégrité territoriale du Québec comme un sujet brûlant, voire explosif. Le risque de désordres civils était réel et élevé. Pendant l'été de 1990, un face-à-face tendu et armé avait opposé les Warriors, une faction militante de la communauté mohawk d'Oka, en banlieue de Montréal, à la Sûreté du Québec. L'affrontement avait dégénéré en blocus de soixante-dix-huit jours du pont Mercier et, en bout de ligne, l'armée avait été appelée en renfort pour rétablir un semblant de paix.

Pendant la même période, les Cris avaient mené, avec succès, une bataille de relations publiques internationales contre le projet de développement hydroélectrique de Grande-Baleine, forçant Hydro-Québec à battre en retraite. Dès l'élection du Parti québécois, Matthew Coon Come – le grand chef des Cris – avait signifié au nouveau gouvernement que sa nation n'était pas partante pour la sécession du Québec. Le premier ministre Parizeau avait beau être convaincu que la Convention de la Baie-James lui permettrait de passer outre aux objections des Cris, cela ne se ferait pas sans une partie de bras de fer dont l'issue et, notamment, l'impact sur l'opinion internationale étaient imprévisibles.

À quelques jours du référendum provincial, les Cris avaient organisé leur propre plébiscite et 96 % de ceux qui avaient voté avaient appuyé l'option de se séparer d'un éventuel Québec indépendant. Au cours d'une entrevue accordée un an avant le référendum et qui avait fait beaucoup de bruit, le ministre fédéral des Affaires indiennes, Ron Irwin, avait, d'autre part, déclaré qu'en vertu de leur droit à l'autodétermination, les Premières Nations du Québec pouvaient choisir de rester au Canada, avec leur territoire.

Bob Rae était considéré comme un ami des communautés autochtones. À l'époque de la ronde de Charlottetown, il avait défendu la cause et les revendications des Premières Nations. Davantage que la plupart des politiciens associés aux deux camps référendaires, il avait l'oreille des chefs autochtones. Personne au sein du cabinet de Jean Chrétien, y compris le ministre Irwin, ne jouissait du même degré de confiance chez les Premières Nations.

Le Canada atlantique était un terreau fertile pour le Parti libéral de Chrétien, mais on ne pouvait pas en dire autant des provinces de l'Ouest, où la faiblesse des libéraux était chronique, et où la famille néo-démocrate, à laquelle Rae appartenait encore, était beaucoup plus présente. En 1995, l'Alberta ainsi qu'une bonne partie de la Colombie-Britannique, de la Saskatchewan et du Manitoba étaient des territoires réformistes au fédéral. Par contre, le NPD était au pouvoir en Colombie-Britannique et en Saskatchewan, en plus d'être un prétendant sérieux à la direction des affaires du Manitoba. Pour bien des néo-démocrates, la perspective de vivre dans un Canada dirigé par le Parti réformiste était aussi rebutante – sinon plus – que celle d'un Canada sans le Québec. Rae, de par sa filiation néo-démocrate, avait des liens avec la communauté politique la plus susceptible de faire contrepoids à Manning et à ses troupes dans l'ouest du pays. (Encore que moins que Roy Romanow, le plus important sympathisant de Chrétien sur l'échiquier des Prairies.)

Dans un baroud d'honneur entre Chrétien et Preston Manning, le nouveau premier ministre progressiste-conservateur de l'Ontario aurait lui aussi joué un rôle central. Mike Harris et Jean Chrétien ne se connaissaient pas très bien et n'avaient pas grand-chose en commun, sinon peut-être une passion pour le golf. Mais ils avaient une foule d'électeurs ontariens en partage. Presque tous les sièges conservateurs à Queen's Park étaient occupés, au Parlement d'Ottawa, par des libéraux. Rae, qui venait d'être chassé du pouvoir par ses concitoyens, était plus populaire au Québec qu'en

Ontario au moment du référendum. Et lui et Harris logeaient à des enseignes rivales sur le plan idéologique. Néanmoins, il avait été de bon conseil au moment où Harris avait articulé la position référendaire de l'Ontario, et le nouveau premier ministre respectait la longue feuille de route constitutionnelle de son prédécesseur. En matière de relations Canada-Québec, Harris était plus susceptible de se fier à l'instinct de Bob Rae qu'à celui de Preston Manning. Il ne fait guère de doute que, après un Oui, les conseils de Rae auraient influencé le premier ministre de l'Ontario.

Si le Oui l'avait emporté, personne ne croit sérieusement que Bob Rae serait rentré dans ses terres pour vivre sa vinaigrette de retraité forcé de la politique. Devant les nuages qui se seraient multipliés dans le ciel de Jean Chrétien en Ontario, dans l'Ouest canadien, sur le front autochtone et à la Chambre des communes, Rae n'aurait pas passé la tempête à se bercer sur son balcon. Comme l'avenir allait d'ailleurs le démontrer, après sa défaite en Ontario, Rae n'en avait pas fini avec la politique, même si Queen's Park et le NPD en avaient fini avec lui.

Après la victoire fédéraliste serrée du référendum, Bob Rae a été un apôtre, en coulisses, de la *Loi de clarification* des libéraux. Il explique qu'il en était arrivé à la conviction qu'une telle loi était essentielle avant même que son camp frise la défaite au référendum. «Dans mes conversations avec Chrétien avant le référendum, je soutenais qu'il devait y avoir un meilleur moyen de procéder, un meilleur plan et une meilleure approche. Je lui disais: "Établissons certaines règles du jeu. Comprenons qu'on ne peut pas se contenter de dire qu'on a obtenu un Oui à une question ambiguë et que, donc, on s'en va. Ça ne va pas marcher. Ce n'est pas une position défendable. En l'absence d'une entente sur les règles, il faut dire: 'Voici les règles qui guideront notre réaction.'" »

Contre les attentes de la plupart des protagonistes et des observateurs de la bataille référendaire, la question de l'unité canadienne a pris de moins en moins de place sur le radar politique au cours des deux décennies qui ont suivi le référendum. Mais même sans fédération à sauver, Bob Rae ne se voyait pas se reposer sur ses lauriers (ou, dans son cas, sur son lit de ronces) politiques. Quelques années plus tard, il se réincarnait en libéral fédéral et briguait la direction du parti.

De son propre aveu, cependant, c'est le débat Canada-Québec qui avait largement donné un sens à sa vie politique, et il est possible que ses chances de devenir premier ministre du Canada se soient amenuisées au fur et à mesure que la question de l'unité canadienne a cessé de se poser avec autant d'acuité. Il est clair que les services que Rae aurait pu rendre à la cause canadienne auraient été plus essentiels dans la tourmente qu'aurait provoquée un Oui qu'ils l'ont été pendant la période, moins mouvementée, où il a tenté de devenir l'un des successeurs de Jean Chrétien.

* * *

Un mot en terminant : il est rare que les politiciens pèchent par modestie – surtout lorsqu'ils regardent dans le rétroviseur –, mais Bob Rae, lorsqu'il parle de son expérience dans les tranchées fédéralistes au Québec, minimise son empreinte québécoise. Elle a survécu à la fin de son règne en Ontario et aux tiraillements de la campagne référendaire.

Onze ans après le référendum, en 2006, Rae s'est retrouvé, avec Michael Ignatieff et Stéphane Dion, dans le peloton de tête des aspirants à la succession de Paul Martin. À l'époque, Stephen Harper était au pouvoir à Ottawa depuis moins d'un an, mais les Québécois commençaient déjà à être désenchantés des orientations du gouvernement conservateur. Stéphane Dion avait beau être le porte-drapeau québécois de la course à la direction du PLC, un grand nombre de ses concitoyens lui tenaient trop rigueur de son parrainage de la *Loi de clarification* pour l'appuyer.

Michael Ignatieff, par comparaison, était un nouveau visage à qui le profil d'intellectuel engagé tenait avantageusement lieu de carte de visite au Québec. Il s'était démarqué de ses rivaux au leadership en faisant la promotion de la reconnaissance de la nation québécoise. C'est d'ailleurs à la faveur de l'appui d'Ignatieff à ce concept et des divisions qu'il engendrait dans les rangs libéraux que Stephen Harper avait repris l'idée à son compte dans une motion votée à la Chambre des communes au beau milieu de la course libérale.

Au fil de l'automne fédéral mouvementé de 2006, j'avais pris l'habitude, quand des amis venaient souper à la maison, de les sonder – après quelques verres de vin – sur la course libérale fédérale.

La question que je leur posais était la suivante : en présumant qu'un vote pour le Parti libéral aux prochaines élections pouvait être garant de la défaite des conservateurs, y avait-il, parmi les prétendants au leadership, un candidat pour lequel mes invités délaisseraient le Bloc québécois pour le PLC ?

Je ne m'étonnais pas de ce que le nom du mal-aimé Stéphane Dion ne soit jamais évoqué, mais celui de Michael Ignatieff n'était pas non plus sur beaucoup de lèvres. S'ils avaient été membres du Parti libéral, la plupart de mes invités auraient voulu avoir Bob Rae comme chef.

Lorsque je leur demandais pourquoi ils le préféraient à Ignatieff – qui venait de sacrifier du capital politique sur l'autel de la reconnaissance de la nation québécoise –, ils répondaient qu'il n'y avait rien de concret à attendre de ce geste. À leurs yeux, Rae constituait une valeur plus sûre parce que, en tant qu'ancien néo-démocrate, il avait de solides antécédents sociaux-démocrates. En rétrospective, ces conversations, qui suggéraient que le parti fédéraliste le plus susceptible de doubler le Bloc québécois en serait un qui était résolument progressiste, étaient un présage de la vague orange qui allait déferler cinq ans plus tard sur l'ensemble du Québec.

PARTIE 5

Le dernier mot

CHAPITRE 17

L'illusionniste : Jean Chrétien

Dans la saga du référendum de 1995, tous les chemins mènent à
Jean Chrétien… et à un écran de fumée. Ceux qui connaissent
l'ancien premier ministre ne seront pas étonnés d'apprendre que,
deux décennies plus tard, il cache encore jalousement son jeu et
jure ne jamais avoir fixé son choix sur l'une ou l'autre des options
qui se seraient offertes à lui après un Oui. « J'avais plusieurs cartes
à jouer que je n'ai pas eu besoin de jouer. Je n'aime pas en discuter
parce que je n'aime pas les scénarios hypothétiques. Il y aurait eu
bien des options qui se seraient offertes dans le cas d'un Oui sur
lesquelles je n'ai pas perdu beaucoup de temps. Je ne suis pas le
genre à me casser la tête avec les problèmes que je n'ai pas. On
aurait avisé plus tard. »

Mais aucun tissu ne résiste à l'usure du temps, et il en va de
même pour le voile de silence derrière lequel Jean Chrétien vou-
drait abriter ses intentions post-référendaires des regards de la postérité. Vingt ans plus tard, ce voile est devenu plus diaphane.

En comparant les comptes rendus de ses multiples compagnons
d'armes référendaires, on pourrait presque croire que le premier
ministre avait engagé une doublure pour la durée de la campagne
québécoise. Cette doublure – en mode perroquet – tenait, à la face
du monde parlementaire, y compris à celle de ses collègues de

cabinet, le discours insouciant qui faisait office de mantra au chef du gouvernement canadien. Pendant ce temps, derrière le rideau, le vrai Chrétien observait, cherchait à voir venir les coups… et se rongeait les sangs.

Le Jean Chrétien qui rejette du revers de la main les demandes de Preston Manning d'aborder autrement le référendum, celui qui reste sourd aux inquiétudes sur le plan de match fédéraliste d'un allié comme Roy Romanow ne correspond pas au personnage qui partage, en joual, son angoisse référendaire avec son neveu installé à Washington.

Le premier ministre qui, pendant des mois, berce les Canadiens dans la ouate, en leur fredonnant, sur tous les tons, que tout va pour le mieux dans le meilleur des mondes au Québec ne s'apparente guère à l'homme qui, avant même le début de la campagne et longtemps avant que le Non ne pique du nez dans les sondages, discute des conséquences d'une défaite fédéraliste avec Bob Rae, à Harrington Lake.

Le Chrétien qui tient ses ministres dans l'ignorance de ses intentions pour le lendemain d'une défaite et qui tique à l'idée que ses fonctionnaires consacrent du temps à la préparation de tels plans n'a pas grand-chose à voir avec celui qui téléphone à Frank McKenna, quelques jours avant le vote, pour lui demander s'il accepterait de faire partie d'un cabinet fédéral d'union nationale.

Parmi les politiciens fédéralistes que nous avons interviewés, ce sont ceux qui étaient le plus directement en contact avec le premier ministre fédéral – Bob Rae, Frank McKenna, Raymond Chrétien – qui se préparaient davantage au pire le matin du référendum.

Au cours de l'entrevue que Jean Chrétien m'a donnée, j'ai vu plus souvent à l'œuvre l'illusionniste accro de poudre aux yeux, celui qui s'acharne à projeter l'image d'un personnage insouciant à la face du monde, que la bête de race politique qu'il est vraiment.

Aujourd'hui, par exemple, Jean Chrétien affirme avec désinvolture que, du point de vue strictement personnel, l'indépendance du Québec aurait été une pilule dorée à avaler. «Je disais : "Si vous faites la séparation, ne vous inquiétez pas, je vais être gras dur. Je vais m'acheter une belle maison pas chère à Westmount. Je vais prendre un gros bureau au centre-ville et tous les gens au Canada anglais qui ont à faire avec le Québec vont faire appel à moi. Parce qu'il va falloir maintenir des liens avec le reste du Canada. Je vais avoir des dossiers à régler pour tout le monde." Parce que j'étais la personne la plus susceptible d'avoir de bonnes relations des deux côtés de la clôture. »

Mais quiconque a vu, en direct ou en différé, des images de Jean Chrétien le soir du discours qu'il a prononcé à Verdun, à quelques jours du vote, ou à la télévision après l'annonce du résultat sait bien que son langage corporel envoyait un tout autre message. Tard le 30 octobre, quand Chrétien s'est adressé à la nation à la télévision pour commenter sa victoire à l'arraché, il était l'ombre de lui-même. Personne, au cours de sa longue carrière, ne l'avait vu aussi visiblement sonné.

Il lui faudrait un certain temps pour retomber sur ses pieds. Peu après le référendum, une violation de domicile au 24 Sussex déstabilisait encore davantage le couple Chrétien, réveillé en pleine nuit par un intrus. Durant la même période, Jean Chrétien ratait son premier rendez-vous avec l'Ontarien Mike Harris, une rencontre qui s'est déroulée, selon l'ex-premier ministre de l'Ontario, à l'enseigne d'un excès de stress traumatique post-référendaire fédéral.

En février 2006, Chrétien prenait à la gorge un manifestant anti-pauvreté à Gatineau, un geste diffusé à répétition à la télévision et salué plutôt que dénoncé dans certains milieux. L'épisode en disait long non seulement sur les nerfs du premier ministre, qui étaient de toute évidence à fleur de peau, mais également sur l'humeur, encore survoltée, d'une partie de l'opinion publique. Si besoin était, la réaction ne pouvait que confirmer à Chrétien combien brutal aurait pu être le ressac qui aurait résulté d'un Oui référendaire. Mais la réaction indulgente d'un certain nombre de

Canadiens à un geste, d'autre part, déplacé suggérait aussi que le chemin des cœurs de l'électorat canadien – malgré les erreurs d'appréciation référendaires du premier ministre – ne lui était pas fermé à tout jamais.

*   *   *

Devant un Oui, les choix qui s'offraient à Chrétien se résumaient à deux avenues – dont aucune ne mènerait nécessairement le Canada ou le Québec à une résolution mutuellement satisfaisante de la crise.

Il pouvait tenter de rester dans la locomotive pour ralentir le train du Oui le temps de l'aiguiller sur une voie de contournement fédéraliste ; ou, à défaut d'y parvenir, pour tracer un itinéraire à travers le territoire constitutionnel inconnu d'une sécession ; ou, si rien de tout cela ne fonctionnait, le temps de confier à quelqu'un d'autre les commandes d'un gouvernement fédéral encore fonctionnel. Théoriquement, à titre de premier ministre, Chrétien avait les deux mains sur le volant. Mais personne – à commencer par lui – ne pouvait prévoir à quelle vitesse un vote souverainiste allait corroder les leviers du pouvoir fédéral dont il disposait.

L'autre avenue consistait à accepter la responsabilité de la défaite, à démissionner et à laisser les événements suivre leur cours sans lui. Sauf que dans ce scénario, les nombreux autres Québécois qui occupaient des positions clés au sein du gouvernement auraient vraisemblablement été dans l'obligation morale de lui emboîter le pas. Dans ces circonstances, les jours de Paul Martin aux Finances et d'André Ouellet aux Affaires étrangères auraient été encore davantage comptés.

L'exode québécois au sein du gouvernement ne se serait peut-être pas arrêté là. En 1995, la présence du Québec au sommet de la pyramide fédérale n'était pas qu'une affaire d'élus. La grande patronne de la fonction publique fédérale, Jocelyne Bourgon, était Québécoise, tout comme le juge en chef de la Cour suprême, Antonio Lamer, sans compter une multitude d'ambassadeurs, dont, évidemment, Raymond Chrétien à Washington. Après un Oui, tous ces rôles auraient revêtu une importance stratégique.

Au terme d'une hémorragie québécoise aussi massive, les élus du reste du Canada qui auraient hérité de la direction d'un appareil fédéral décapité et démembré auraient eu à composer avec un vacuum sans précédent au moment même où le Canada vivait la plus grande période d'incertitude de son histoire.

Jean Chrétien refuse de discuter du ou des plans de match qu'il a envisagés pendant la dernière semaine du référendum. Il préfère laisser entendre qu'il ne s'est pas soucié de réfléchir aux suites fédérales d'un Oui. Cette thèse ne résiste pas au test de la réalité du coup de fil qu'il a passé à McKenna pour l'inviter, sous réserve du résultat référendaire, à faire partie d'un cabinet fédéral de crise.

À l'évidence, confronté à une mince majorité souverainiste, il n'aurait renoncé ni à son poste ni à son gouvernement, et il n'aurait pas baissé les bras facilement devant le résultat.

Lorsque Jean Chrétien était au pouvoir, ce qui était bon pour le Parti libéral au Québec était considéré comme foncièrement bon pour le Canada. Cela tient en partie au fait que, sous son règne, le PLC était la principale force fédéraliste sur le terrain québécois. L'ancien premier ministre a même, un jour, affirmé en Chambre que c'est au nom de l'unité canadienne qu'il faisait pleuvoir des subventions pour la création d'emplois sur des circonscriptions libérales comme la sienne. Au lendemain d'un Oui, unité canadienne et pouvoir libéral n'auraient jamais été aussi indissociables pour le premier ministre, d'autant qu'une débâcle sur le premier tableau allait être ponctuée par une défaite sur l'autre tableau.

* * *

Les dix-sept autres personnes que nous avons interviewées avaient des perspectives très différentes et parfois carrément contradictoires sur ce que serait l'état des lieux fédéraux au lendemain d'un

Oui. Mais l'idée que, à la face d'un Oui, la question de la capacité de Jean Chrétien de demeurer en selle s'imposerait comme incontournable fait largement consensus. En particulier, les politiciens du reste du Canada, toutes appartenances politiques confondues, étaient de cette école. Les chefs du camp souverainiste également. Au-delà de leurs évidentes divergences sur le sens à donner à un Oui, ils s'accordaient pour dire que les chances que Jean Chrétien survive à une défaite étaient minces. Son propre neveu, Raymond, pensait aussi que ses jours comme premier ministre (et les siens comme ambassadeur) seraient peut-être comptés.

Jean Chrétien admet qu'un Oui aurait pu mettre fin à sa carrière politique. Mais il précise qu'il n'aurait certainement pas démissionné le soir même ou le lendemain matin.

« Peut-être que j'aurais pris cela comme une défaite personnelle et que j'aurais démissionné. J'aurais pu m'en laver les mains et passer le problème à un autre. Mais ce n'est pas dans ma nature. Je pense que ce n'est pas cela que j'aurais fait. Je n'aurais pas démissionné le lendemain matin en disant : "Vive le Québec libre !" Ce n'est pas ce qui serait arrivé. »

Sur la question de la légitimité du gouvernement libéral après un vote souverainiste, Chrétien est encore plus catégorique : « J'étais un premier ministre francophone, mais j'avais quatre-vingt-dix-neuf comtés sur cent en Ontario. Il n'y avait personne qui avait plus de légitimité que moi. J'y étais élu, mais ma base n'était pas au Québec, où j'avais vingt députés. J'étais premier ministre grâce à l'Ontario, grâce aux Maritimes. J'avais même des sièges en Alberta. »

Le chef du Parti réformiste, Preston Manning, soutient que ses députés auraient boycotté le Parlement si Chrétien avait refusé de déclencher des élections générales. L'ancien premier ministre rétorque qu'il n'avait pas besoin des réformistes pour gouverner. « Si les réformistes avaient quitté la Chambre, ça aurait été tant mieux. J'aurais eu moins de trouble. Tu as de la légitimité jusqu'à ce que tu démissionnes. Manning rêvait peut-être d'être premier ministre d'un Canada dont le Québec ne faisait plus partie.

Mais j'avais un gouvernement majoritaire et je n'ai pas la démission facile. Ça aurait été une belle bataille, quoique j'aime autant ne pas l'avoir vécue. »

Brian Tobin – en sa qualité de membre de l'équipe ministérielle de Chrétien – affirme qu'il aurait fallu que le cabinet soit remanié rapidement, au profit de ministres non québécois comme lui. Chrétien admet que ses ministres du reste du Canada auraient pu lui faire la vie dure. Mais il croit que les discussions en catimini qu'ils ont eues au cours de la semaine avant le vote étaient inspirées par une nervosité extrême plutôt que par une réelle volonté de serrer sa bride, advenant un Oui.

« Je l'ai lue [l'histoire de la rencontre des ministres du ROC]. Ça ne m'a pas dérangé. S'ils avaient tous démissionné, ça aurait été une autre affaire, évidemment. Peut-être que certains d'entre eux se voyaient premier ministre le lendemain matin. Mais moi-même, je n'étais pas content quand j'ai vu les sondages pendant cette semaine-là. Ça m'a inquiété. »

Au sujet de la réaction en chaîne qu'aurait déclenchée une victoire souverainiste, Chrétien est convaincu que, avec ou sans lui, la question de la partition du Québec aurait été un des premiers sujets à faire surface, sous l'impulsion des Autochtones du Québec. « Les Autochtones ont un gros capital de sympathie. Ça aurait été très difficile au Québec de dire : "On ne respecte pas la volonté populaire de ces gens-là." »

Lucien Bouchard, Mario Dumont et Roy Romanow, entre autres, prévoyaient – ou redoutaient – que, devant le refus des fédéraux de discuter sécession, Jacques Parizeau s'empresse d'enclencher son plan B : une déclaration unilatérale d'indépendance. Paul Martin, Brian Tobin et Raymond Chrétien racontent qu'une telle hypothèse était l'un des rares scénarios que le gouvernement fédéral avait discuté et en vue duquel il avait essayé de se préparer.

Jean Chrétien, quant à lui, est convaincu que le Canada n'aurait pas manqué d'alliés internationaux pour l'aider à repousser une tentative du Québec d'obtenir par la voie de la reconnaissance internationale l'indépendance qu'Ottawa refusait de négocier. «Qu'est-ce que les autres pays auraient fait? Ils ont tous des problèmes du même genre. Ils y auraient pensé à deux fois. Même les Français auraient eu un problème sérieux.»

Quand la cote du Non a commencé à baisser dans les sondages à la mi-campagne, personne, dans la capitale fédérale, n'avait planché sur le scénario d'une défaite. Chrétien admet volontiers que c'est lui qui a décidé qu'il en serait ainsi. «En 1980, il y avait tout un comité là-dessus. Je n'avais pas voulu voir leur travail. Les scénarios négatifs ne m'intéressaient pas. J'avais un job à faire, gagner le référendum. J'avais eu des discussions avec Trudeau là-dessus.»

L'ancien premier ministre reste persuadé qu'il aurait gagné le référendum haut la main, n'eussent été deux faits reliés entre eux, le premier étant l'immense place faite à Lucien Bouchard pendant la deuxième moitié de la campagne. «On gagnait par vingt points avant que cette affaire ne revire tout de bord. Quand on fait campagne avec une canne, ça marche», lance Chrétien, dont les conclusions à ce sujet ont, apparemment, été validées par le succès de Jack Layton au Québec en 2011.

À la popularité de Lucien Bouchard Chrétien ajoute la nature de la question référendaire. «La question était malhonnête. J'aurais même pu voter Oui, moi, à cette question-là. Les gens me disaient : "Je ne veux pas me séparer, mais je veux un nouveau *deal*." La question voulait tout dire : on va négocier une meilleure situation et on va avoir M. Bouchard pour négocier cela. On ne paiera plus d'impôts fédéraux. C'est attrayant, mais pas très honnête.»

Jean Chrétien n'est pas le genre de retraité politique à afficher des regrets. Il a plutôt le penchant inverse. Mais si le référendum de 1995 était à refaire, tout indique qu'il s'attaquerait plus agressivement à la question. D'ailleurs, dans un premier temps, un comité fédéral avait pondu un texte pour la disséquer mot à mot. L'intention était de combattre l'impression que sans partenariat avec le Canada, il n'y aurait pas non plus de séparation ; que l'un ne viendrait pas sans l'autre.

Le premier ministre voulait que ce texte soit envoyé à tous les Québécois, sous sa signature et celle de Daniel Johnson. André Ouellet affirme que les libéraux de Johnson ont mis plusieurs semaines à répondre à la proposition fédérale. À un moment donné, Chrétien a même perdu patience et menacé d'agir seul. Mais il s'est ravisé lorsque le comité du Non a proposé de produire une version annotée du projet de loi d'accession à la souveraineté du PQ, laquelle insisterait sur le fait que, avec ou sans partenariat, le Québec se séparerait du Canada après un Oui. Selon Ouellet, le document résultant de ce compromis n'a jamais été largement diffusé.

Beaucoup des politiciens fédéraux du reste du Canada que nous avons rencontrés nous ont fait part de leur frustration d'avoir été écartés du front des hostilités par le camp du Non. Jean Chrétien reconnaît que la classe politique fédérale, à commencer par le premier ministre, a, par définition, de la difficulté à trouver sa place dans une structure référendaire conçue par et pour des acteurs politiques de l'Assemblée nationale. « La difficulté de cette situation, c'est que le président du camp du Non, c'est le chef de l'opposition à Québec, mais que l'adversaire, c'est le gars qui est à Ottawa. On était là, mais on était dans la marge. »

En 1995, le camp du Oui a, lui aussi, dû composer avec le même genre de paradoxe. Sur papier, les règles référendaires confinaient Lucien Bouchard – de loin le meilleur vendeur du Oui – dans l'arrière-boutique de la Chambre des communes ou au mieux au rôle de deuxième violon de Jacques Parizeau. Le Parti québécois, lorsqu'il avait conçu la loi référendaire à la fin des années 1970, n'avait pas prévu la naissance d'un parti souverainiste fédéral ou le scénario d'un chef souverainiste fédéral plus populaire que le premier ministre péquiste au pouvoir. Aucun rôle n'avait été écrit dans la loi du Québec pour un personnage fédéral comme Bouchard. Il a fallu l'inventer dans le feu de l'action.

C'est un luxe que ne pouvait s'offrir le camp du Non. Autant l'idée de substituer Lucien Bouchard – alors hyper-populaire au sein du mouvement souverainiste – à Jacques Parizeau était gagnante, autant celle de remplacer Daniel Johnson par Jean Chrétien aurait pu faire éclater le camp fédéraliste.

Aux yeux de la plupart des fédéralistes francophones du camp du Non, le premier ministre fédéral, associé comme il l'était aussi bien au rapatriement sans l'accord du Québec de la Constitution qu'à l'échec de l'accord de Meech, était un boulet.

Ceci expliquant cela, Jean Chrétien s'était laissé convaincre de ne pas prendre plus de place sur la scène référendaire que Pierre Trudeau lors du premier référendum. «J'ai décidé de faire trois discours, exactement le même nombre que Trudeau en 1980. Je suis un batailleur. J'aurais peut-être aimé en faire plus, mais on m'a convaincu de faire comme Trudeau.»

C'est dans le dernier de ces trois discours que Jean Chrétien a fait volte-face sur la reconnaissance constitutionnelle du caractère distinct du Québec, un concept qui ne comptait pas de critique plus influent que Pierre Trudeau. «Avant d'en parler, j'ai appelé Trudeau. Il m'a dit: "C'est toi qui es le patron. Fais ce que tu veux." Mais je ne voulais pas qu'il me contredise. Le débat que j'avais avec Trudeau sur la société distincte, c'est que moi, je trouvais que cela ne voulait rien dire et je ne voulais pas me battre contre quelque chose qui ne voulait rien dire. Ça irritait le reste du Canada, qui ne comprenait pas ce que ça voulait dire. Je trouvais que c'était une bataille pour rien. Mais à un moment donné, je me suis dit: "Si les Québécois la veulent tant que ça [la société distincte], on va la faire."»

Ce n'était pas la première fois que Chrétien enjoignait à Trudeau de garder le silence sur la question de la société distincte, mais c'était la première fois qu'il réussissait.

Pendant le référendum de 1992 sur l'accord de Charlottetown, Chrétien, alors chef de l'opposition officielle, raconte qu'il avait essayé de convaincre son prédécesseur de modérer son opposition à la constitutionnalisation du concept de société distincte. «Je lui avais dit que cela ne valait pas la peine d'en faire une question de vie ou de mort. Que parfois, il fallait être capable de faire des compromis. On a été d'accord pour être en désaccord, mais cela m'a donné des problèmes avec mon caucus. On est restés amis quand même, mais cela ne m'a pas aidé. Cela dit, cela ne m'a pas nui non plus. Je suis devenu premier ministre quand même. »

*   *   *

Jean Chrétien a remporté le référendum de 1995, mais pas la victoire décisive qui aurait mis un terme au débat sur la souveraineté pour l'avenir prévisible. Avec le recul, bien sûr, on peut se demander si le mouvement souverainiste n'a pas échangé une mort rapide contre une mort à petit feu en octobre 1995. Depuis ce vote, les sondages indiquent qu'un partisan du Oui sur cinq a changé d'avis. Le Parti québécois a eu quatre chefs (et bientôt un cinquième) depuis la démission de Jacques Parizeau. Trois d'entre eux – Lucien Bouchard, Bernard Landry et Pauline Marois – ont été premiers ministres. Aucun n'a réussi à rallumer la flamme souverainiste. C'est plutôt le PQ qui s'est étiolé. Quant au Bloc québécois, il vivote sur les banquettes arrière de la Chambre des communes depuis que les élections générales de 2011 ont réduit à quatre le nombre de ses députés.

Le 31 octobre 1995 au matin, l'avenir semblait beaucoup moins rose pour les fédéralistes. Après le référendum, le gouvernement de Jean Chrétien a consacré beaucoup d'énergie et de ressources à mettre en place une loi pour encadrer la participation fédérale à un futur référendum et, le cas échéant, à des négociations sur l'indépendance du Québec.

Après le vote de 1995, le gouvernement Chrétien a, ironiquement, passé plus de temps à monter la garde sur le front du Québec qu'avant le référendum. La vigilance a remplacé l'insouciance. Le résultat, serré, l'imposait politiquement, mais aussi et peut-être surtout parce que Jean Chrétien devait, impérativement, canaliser sur des gestes concrets la frustration des électeurs du reste du Canada d'avoir assisté impuissants au psychodrame référendaire avant que son gouvernement n'en fasse les frais.

Aujourd'hui, Chrétien n'écarte pas la possibilité d'un autre référendum, mais il est persuadé que si cela devait se produire, le camp du Oui serait astreint à des règles d'engagement plus rigoureuses. « Ils ne seraient plus capables de poser la question de 1995. C'est intellectuellement honnête d'avoir une question claire. Ç'a été leur erreur de ne pas poser de question honnête, de vouloir faire ça par la porte arrière. »

Quand nous l'avons interviewé, Chrétien avait quitté la scène politique depuis une décennie. Au cours de ces dix années, la souveraineté et ses porte-flambeaux ont continué à perdre du terrain dans la faveur populaire. Sa victoire de 1995 a bien vieilli, un fait qui embellit manifestement le souvenir qu'il a de ses faits d'armes référendaires. M. Chrétien n'a jamais été porté sur l'autocritique.

Cela dit, lorsqu'il se remémore sa carrière politique, il semble que les souvenirs qu'il chérit le plus sont ceux de périodes de grande adversité plutôt que les traversées tranquilles que tous les gouvernements qui durent finissent par connaître de temps en temps. Comme premier ministre, Jean Chrétien a non seulement failli perdre un référendum ; il a aussi jugulé une crise de finances publiques et jonglé avec la question, polarisante à l'origine, de la participation du Canada à la guerre en Irak ; il a fait face à une guerre interne libérale et à une tentative de putsch. On pourrait penser que, après toutes ces batailles, il serait heureux de se reposer sur ses lauriers. Il affirme plutôt regretter de ne pas avoir eu l'occasion de diriger un gouvernement minoritaire. Il dit que d'être à la tête d'un gouvernement qui aurait marché sur une corde raide contrôlée par l'opposition aurait été le « fun ». De la politique, il se souvient davantage de l'adrénaline de la bataille que de la douleur de l'effort.

Jean Chrétien aime bien avoir le dernier mot. Pendant dix ans, c'est un privilège dont il a joui lors de ses joutes verbales avec les chefs de l'opposition à la période des questions. Il avait l'habitude de dire qu'il aimait bien tourner le fer verbal dans la plaie de ses adversaires dans sa réponse finale, lorsque ceux-ci ne pouvaient plus répliquer. Il est logique que, parmi tous les protagonistes qui ont généreusement accepté de revivre pour nous l'épisode du référendum, il parle le dernier. Il est probable que, pour une fois, aucun des autres ne contestera ses propos. Il se pourrait même qu'il parle en leur nom.

« Qu'est-ce que la politique ? C'est patiner sur de la glace mince. Vous ne savez jamais quand il y aura un trou qui va vous engloutir et que vous allez disparaître à tout jamais. Vous faites une niaiserie et personne ne veut plus vous voir. À la fin de chaque journée, vous vous dites : "J'ai survécu une journée de plus." C'est ça, l'adrénaline de la politique. Vous ne savez jamais ce qui va arriver le lendemain et cela rend la vie excitante ! »

Vues sous l'angle de l'adrénaline, peu de soirées dans l'histoire du Canada ont été plus excitantes que celle du 30 octobre 1995.

Une question de pourcentage

Dans l'équation hypothétique d'un Oui, il y a trop d'inconnues pour arriver à un résultat probant. En jonglant – arbitrairement – avec toutes les variables, il est possible d'aboutir à un certain nombre de scénarios contradictoires.

Par exemple : Preston Manning aurait interprété un Oui comme le feu vert à des négociations dont le seul objet aurait été la sécession du Québec. Comprendre ici qu'il n'aurait pas été question de partenariat. En gros, un gouvernement réformiste aurait été sur la même longueur d'onde que le premier ministre Jacques Parizeau. Ce dernier n'aurait pas hésité à s'engouffrer dans la porte de sortie que lui aurait ouverte Manning. L'humeur du reste du Canada après une défaite fédéraliste aurait pu passer rapidement de l'angoisse à la colère ou à la résignation. Dans ce climat, la demande du Parti réformiste d'un mandat pour séparer le Canada du Québec aurait peut-être passé comme une lettre à la poste.

Il y avait certainement, à l'époque, un courant dans l'opinion publique canadienne qui allait dans le sens d'en finir, d'une manière ou d'une autre, avec la question québécoise. De Jean Charest à Sheila Copps en passant par Mike Harris et Brian Tobin, tous ceux avec qui nous avons discuté de l'état d'esprit du reste du Canada devant l'hypothèse d'un Oui y ont fait allusion. À la fin des rondes de Meech et de Charlottetown, le réservoir de bonne volonté constitutionnelle entre le Québec et le reste du Canada était déjà presque à sec. Après des années de rendez-vous manqués, le cœur n'y était définitivement plus.

Bon nombre de nos interlocuteurs s'attendaient à ce que la communauté d'affaires insiste pour que tout soit fait afin de minimiser l'incertitude et de stabiliser la situation rapidement, quitte à passer, pour ce faire, par la négociation du départ du Québec. Dans ce scénario, est-ce que Lucien Bouchard se serait retrouvé devant Stephen Harper à la table de négociations? Ce dernier était alors le critique aux affaires fédérales-provinciales de Manning et un de ses principaux lieutenants. Il n'est pas improbable qu'il aurait été le vis-à-vis réformiste du négociateur en chef de Jacques Parizeau. Dans ce duel, lequel de ces deux hommes – Bouchard ou Harper – aurait baissé la garde le premier? Les paris sont ouverts. On peut au moins supposer que Harper et son chef auraient accordé plus facilement leurs violons que Bouchard et Parizeau, lesquels ne chantaient pas la même chanson sur le partenariat.

Qu'en est-il, par ailleurs, de l'idée d'André Ouellet de répondre à un Oui en organisant un référendum sous les auspices du gouvernement fédéral? Cela aurait-il abouti, comme l'estime Bernard Landry, à un mandat souverainiste plus décisif, ou est-ce que les Québécois auraient refusé de répondre Oui à une question qui présentait plus crûment la séparation? Et que se serait-il passé si ce référendum avait plutôt porté sur une offre de fédéralisme renouvelé? Les autres Canadiens auraient-ils été en faveur d'une telle offre ou, comme le craignait le premier ministre Harris, le fait de replonger le seau dans un puits constitutionnel contaminé par les échecs de Meech et de Charlottetown aurait-il débouché sur un résultat encore plus toxique?

Il est facile d'imaginer un lien de cause à effet entre un vote souverainiste et l'éviction rapide du pouvoir de Jean Chrétien. Lui-même pouvait concevoir des circonstances qui le pousseraient à démissionner. Cependant, au moins pendant les heures et les jours qui auraient suivi un Oui, il n'aurait pas manqué d'appuis pour rester en poste. Dans la foulée d'un Oui, il est clair que l'idée de reconfigurer la fédération sans sa province francophone n'aurait pas fait consensus au sein de la classe politique canadienne. Plusieurs de ses membres auraient voulu rester dans les tranchées et mener une contre-offensive pour garder le Québec dans le giron canadien. Ce second groupe n'était pas exclusivement composé de politiciens québécois. Des figures de proue provinciales comme Frank McKenna et, possiblement, Roy Romanow étaient prêtes à prendre du service dans un cabinet fédéral d'union nationale pour épauler Chrétien. Le débat du reste du Canada sur les suites à donner à un Oui aurait été tout aussi polarisé que l'avait été le débat référendaire au Québec.

On ne peut pas non plus exclure que les différends au sujet du sens à accorder à une faible majorité auraient provoqué l'implosion du camp du Oui. Mario Dumont, pour un, privilégiait fortement la conclusion d'une nouvelle entente fédéraliste entre sa province et le reste du Canada, et cette solution de rechange à l'indépendance était une voie que Lucien Bouchard aurait pu se résoudre à emprunter. À son arrivée au Parlement en 1988, le futur chef du Bloc s'intéressait davantage au renouvellement du fédéralisme qu'à l'indépendance. Bon nombre de partisans du Oui avaient été attirés dans le camp souverainiste par la perspective d'un partenariat différent avec le Canada plutôt que par celle de l'indépendance, pure et simple, du Québec.

Qu'auraient fait les 30 % de Québécois – comme Jacques Parizeau – pour qui la souveraineté était la seule destination possible de ce voyage ? Auraient-ils accepté, sans broncher, que leur Oui soit récupéré aux fins d'un projet de réforme fédéraliste ?

Manque encore à ce volatile mélange la somme imprévisible des réactions individuelles au Québec et ailleurs à un tel électrochoc politique.

Un Oui aurait-il fait ressortir ce qu'il y a de meilleur chez les Canadiens ou le contraire ? La raison l'aurait-elle vraiment emporté sur l'émotion, comme le laissent entendre aujourd'hui, à tête reposée, la plupart des protagonistes des deux camps ? Au ras des pâquerettes, la démagogie l'avait pourtant emporté haut la main sur le respect réciproque dans le feu des débats constitutionnels qui ont abouti au référendum de 1995.

Aussi souvent qu'autrement, des perceptions fondées sur l'ignorance ou sur des préjugés avaient pris le dessus sur la réalité. À la fin du débat de Meech, par exemple, un certain nombre d'associations de femmes (dans le reste du Canada) prétendaient que la clause portant sur la société distincte permettrait à un futur gouvernement du Québec de forcer les femmes à avoir davantage d'enfants, dans le cadre d'une réédition de la revanche des berceaux. Quelques semaines avant la fin de la ronde de Meech, cet argument a été présenté au comité parlementaire que présidait Jean Charest par un club de « belles fermières » manitobaines. Cela a été l'une des rares fois où le député de Sherbrooke est (un peu) sorti de ses gonds.

Après un Oui, le climat aurait été encore plus tendu qu'au cours des crises constitutionnelles du passé. Contrairement aux débats de Meech et de Charlottetown, la discussion aurait porté sur des enjeux relatifs au pain, au beurre et au portefeuille des électeurs plutôt que sur des concepts constitutionnels abstraits. On ne peut pas présumer que les leaders d'opinion canadiens – tous secteurs confondus – auraient été à la hauteur de la tâche de calmer les esprits. Le référendum fédéral sur l'accord de Charlottetown avait abondamment illustré les limites de l'autorité morale et du pouvoir de persuasion des élites canadiennes.

Le code de silence que s'était imposé une grande partie de l'*establishment* canadien sur tout ce qui touchait à la sécession du Québec aidant, la plupart des électeurs n'auraient eu aucune raison d'être préparés aux questions qui se poseraient après un Oui. Beaucoup d'entre eux auraient été en colère non seulement contre les Québécois par qui le malheur arrivait, mais aussi contre ceux qu'ils auraient tenus pour responsables de ce réveil brutal.

En 1995, le premier ministre Roy Romanow et le chef réformiste Preston Manning avaient été rabroués par des pairs pour avoir voulu discuter de la possibilité et des conséquences d'un Oui. Après le référendum, la rectitude politique a cessé d'exiger, dans le reste du Canada, le respect d'une telle omertà. Mais il est quand même un peu ironique que Stephen Harper – qui, en tant que critique réformiste, avait énergiquement préconisé que le Canada mette cartes sur table dans la partie qui l'opposait au mouvement souverainiste québécois – se cache désormais en tant que premier ministre derrière son propre mur de silence.

Même en tournant le cube Rubik d'un Oui dans tous les sens, il est peu probable qu'on en arrive, *a posteriori*, à la combinaison qui aurait été gagnante en 1995. S'il y a une constante en politique, c'est bien que la suite de grands événements échappe rapidement à la volonté de ceux qui les ont provoqués.

Cent fois plutôt qu'une au fil des quarante années pendant lesquelles j'ai couvert la politique canadienne, la réalité a dépassé l'imagination des plus fins analystes politiques.

Pensez à la résurrection de Pierre Trudeau en 1980. Démissionnaire dans la foulée de la défaite libérale de 1979, il était de retour en selle pour quatre ans quelques mois plus tard. Pensez encore à la vague orange qui a balayé le Québec aux élections fédérales de 2011.

J'ai assisté, à Baie-Comeau, au rassemblement conservateur qui a ponctué la seconde victoire majoritaire de Brian Mulroney en 1988. Qui, ce soir-là, aurait pu imaginer que, seulement cinq ans plus tard, le Parti progressiste-conservateur serait réduit à deux sièges à la Chambre des communes ?

Qui aurait pu prédire que le Parti réformiste – une création de l'ouest du Canada qui était à peine visible sur le radar national et qui n'avait pas remporté un seul siège – et le Bloc québécois – un parti souverainiste fédéral qui n'était même pas encore né dans l'esprit de ses fondateurs – occuperaient l'essentiel des banquettes de l'opposition à la Chambre des communes au scrutin suivant ? Si quelqu'un s'était lancé dans des élucubrations de cette nature en novembre 1988, il ou elle aurait peut-être terminé la soirée dans une camisole de force.

Notre objectif n'a jamais été de tenter d'harmoniser la caco-phonie politique qui aurait ponctué un Oui. Si nous l'avions fait, c'est un roman que vous seriez sur le point de terminer. Nous voulions plus simplement empêcher les pièces du *puzzle* post-référendaire d'être balayées sous le tapis de l'histoire. Ces pièces ne s'emboîtent pas nécessairement pour former une image cohérente du jour qui a failli être, mais beaucoup d'entre elles ont tout de même une place dans le portrait post-référendaire au sens large.

Par exemple, pour établir la genèse de la montée au pouvoir de Stephen Harper, on peut faire pire que de fouiller dans les entrailles du débat référendaire de 1995. Harper n'a pas eu beaucoup d'impact sur la campagne au Québec, mais sa présence, récurrente dans les diverses tables rondes politiques, n'est pas passée inaperçue dans le reste du Canada. Et plusieurs membres de la classe politique silencieuse du Canada anglophone ont admiré, voire envié, la liberté de parole qu'il s'autorisait sur des sujets relatifs à une éventuelle sécession du Québec. Dans bien des cas, il verbalisait ce que bon nombre d'entre eux pensaient, sans jamais oser le dire. C'est un angle qu'il a d'ailleurs continué à exploiter après le référendum. À la Chambre des communes en mai 1996, Stephen Harper avançait ainsi que si le Québec votait jamais pour le Oui avec une faible majorité, les autres Canadiens auraient le gros bout du bâton à la table de négociations. « Si le gouvernement du Québec, disait-il alors, choisissait d'entamer des négociations avec des appuis de l'ordre de 51 ou 52 %, il se placerait dans une position de négociation extrêmement faible par rapport au reste du pays. [...] Lorsque le Québec arriverait à la table des négociations, les Québécois seraient extrêmement faibles et divisés. »

Précisons qu'il n'y a pas que des conservateurs qui nous ont dit avoir trouvé que Harper était l'une des rares voix à articuler un point de vue axé sur la défense des intérêts du reste du Canada durant la période référendaire. Et des électeurs du ROC y ont pris goût. En 2011, l'Ontario a voté avec l'ouest du Canada pour accorder une majorité au gouvernement de Stephen Harper (au début de 2014, il occupait soixante-douze des cent six sièges de la province). L'électorat ontarien – habituellement pointilleux en la matière – ne lui a pas tenu rigueur de la faiblesse chronique de son parti conservateur au Québec. Au total, l'expérience du référendum de 1995 a rehaussé l'attrait d'un premier ministre comme Harper, qui n'est pas redevable au Québec de son pouvoir.

Il n'est pas toujours facile de tracer la ligne entre une essentielle distance critique et l'opinion. C'est peut-être encore plus difficile pour des commentateurs comme nous, dont on attend généralement qu'ils prennent rapidement position sur un enjeu. Quiconque a dû évaluer, à chaud, la performance des chefs le soir d'un débat électoral sait ce que c'est que de faire de l'analyse politique le couteau sur la gorge.

Dans la mesure du possible, nous avons tenté de ne pas faire passer les témoignages de nos sujets à travers le filtre de nos impressions ou de nos opinions. Durant l'année que nous avons passée à réaliser des entrevues, nous avons, au moins, appris à mieux écouter.

Cela dit, il est impossible de revoir le drame politique de 1995 à travers le prisme d'une victoire du Oui sans tirer quelques conclusions, la principale étant que, sur des enjeux fondamentaux comme l'indépendance d'un peuple, la force du mandat obtenu a une importance presque aussi capitale que le mandat lui-même.

En 1995, les zones grises – qui étaient la règle plutôt que l'exception devant un vote serré dans un camp comme dans l'autre – se seraient évaporées devant une victoire décisive du Oui. Forts d'un mandat majoritaire à 60 %, les chefs du camp souverainiste n'auraient eu aucune raison de ne pas s'entendre sur la voie à suivre. Une majorité forte pour le Oui aurait également dissipé le gros du brouillard post-référendaire qui enveloppe encore le camp du Non aujourd'hui. Les Québécois qui se seraient battus dans le camp perdant auraient difficilement pu ne pas prendre acte d'un résultat convaincant et, dans le cas des fédéraux, ne pas céder, sans rechigner, leurs postes de commande à des collègues du reste du Canada.

Il est possible que les conditions favorables à un mandat fort en faveur de la souveraineté ne soient jamais réunies. Cette possibilité alimente autant l'attachement de bien des souverainistes à la règle de la majorité simple que l'insistance de bien des fédéralistes à vouloir hausser la barre référendaire.

Les mêmes personnes qui – si elles étaient des leaders syndicaux – répugneraient à déclencher une grève sur la foi d'un mandat serré, de crainte d'engager leurs membres dans une partie perdue d'avance, n'hésiteraient apparemment pas – sur la même base fragile – à se lancer dans des négociations de sécession qui auraient des répercussions directes sur la vie quotidienne de millions de leurs concitoyens.

Pour autant, le fait que personne – parmi les fédéralistes qui prônent un seuil référendaire plus élevé que la majorité simple – n'ait proposé un pourcentage qui suscite le moindre consensus en dit long sur la difficulté d'en arriver à un compromis acceptable. À cet égard, une décision unilatérale d'Ottawa ne réglerait pas la question. Le lendemain d'un Oui appuyé par une faible mais néanmoins réelle majorité de Québécois, y a-t-il quelqu'un qui croit sérieusement que la vie continuerait comme s'il ne s'était rien passé ? Tout compte fait, l'argument de Stephen Harper (version 1996) reste encore le plus valable : un mandat pour réaliser la souveraineté obtenu à l'arraché serait un problème pour les souverainistes et un atout pour le reste du Canada à la table de négociations.

Certains ténors fédéralistes ont tendance à voir l'exigence d'un seuil plus élevé que la majorité simple pour enclencher des négociations sur l'indépendance du Québec comme un coup de baguette magique, susceptible de faire disparaître le sujet du paysage.

Aujourd'hui, à l'heure où la souveraineté est dans le creux de la vague, il est tentant de leur donner raison. Il faut néanmoins noter qu'il fut un temps – pas très éloigné du vote de 1995 – où près des deux tiers des Québécois auraient donné à leur gouvernement le mandat de séparer la province de la fédération.

Dans les semaines et les mois qui ont suivi l'échec de l'accord de Meech, en juin 1990, l'appui des Québécois à la souveraineté a atteint des sommets. Si le premier ministre Robert Bourassa avait posé la question cet été-là plutôt que de se donner deux ans pour voir s'il ne pouvait pas obtenir l'offre constitutionnelle acceptable qu'il réclamait du reste du Canada, la réponse aurait été décisive.

Il est possible que Bourassa n'ait rien voulu d'autre que de gagner du temps pour laisser la fièvre nationaliste retomber. C'est ce que croit Bob Rae, qui a travaillé en étroite collaboration avec le premier ministre libéral entre Meech et Charlottetown. Aux yeux de l'ancien premier ministre de l'Ontario, le temps consacré à la négociation de l'accord de Charlottetown a été rentable, même s'il a abouti à un autre échec constitutionnel, parce que l'exercice a au moins permis aux esprits de se calmer, des deux côtés du spectre politique. Frank McKenna partage cette analyse. « Après l'échec de Meech, raconte-t-il, j'étais inconsolable à l'idée des conséquences, et Bourassa a dit : "Le sang latin bout en ce moment. Laisse-le refroidir et nous recommencerons à discuter […]" »

Dans une vie antérieure de journaliste, l'ex-ministre péquiste Jean-François Lisée a rédigé deux ouvrages à l'appui de la thèse selon laquelle Bourassa n'a jamais eu l'intention de donner suite à son engagement d'organiser un référendum sur l'avenir politique du Québec. Mais un autre facteur, plus humain, pourrait avoir contribué à l'empressement qu'a mis le premier ministre à saisir la fausse planche de salut de l'accord de Charlottetown pour échapper à cet engagement.

Peu de temps après l'échec de Meech, Bourassa a reçu de ses médecins un diagnostic de cancer. Ce premier ministre hyper-prudent en ce qui avait trait à l'avenir économique du Québec aurait-il jugé responsable de lancer la province dans l'aventure de l'indépendance en sachant qu'il ne serait peut-être plus là pour gérer la suite des choses ? Chose certaine, ce diagnostic est plus susceptible de lui avoir scié les jambes que de l'avoir incité à transformer son flirt avec la souveraineté en tentative de divorce de la fédération canadienne.

Un certain nombre des fédéralistes que nous avons interviewés – notamment l'ancien premier ministre Jean Chrétien – ont soutenu que l'épisode de la bactérie mangeuse de chair dont a été victime Lucien Bouchard en 1994, et surtout l'amputation d'une jambe qui en a résulté, lui ont valu d'être canonisé par l'opinion publique. Comment, demandent-ils à l'unisson, auraient-ils pu s'attaquer efficacement à un personnage que tant d'électeurs vénéraient comme un saint martyr de la politique ?

Depuis le balayage du Québec par le NPD en 2011, certains – dont encore une fois Jean Chrétien – ont suggéré que le même phénomène avait opéré en faveur de Jack Layton.

Ces conclusions sont plus réductrices que convaincantes. Leur grand mérite est d'exempter ceux qui les avancent de la tâche de se regarder dans le miroir pour y voir les raisons de leur relatif insuccès. Elles leur évitent aussi de s'arrêter à une réalité troublante pour les tenants du *statu quo* : en 1995 et en 2011, les Québécois ont démontré qu'ils sont collectivement capables d'exécuter de grands virages en l'espace de seulement quelques semaines.

Il est peu probable que si le premier ministre Stephen Harper avait la malchance de devoir composer avec un grave problème de santé, la sympathie que son sort inspirerait se traduirait par une grande victoire conservatrice québécoise aux élections fédérales suivantes. Mais ceux qui s'obstinent, envers et contre tout, à souscrire à la thèse selon laquelle le destin – sous la forme d'une bactérie malicieuse – a failli renverser le cours de l'histoire en 1995 devraient peut-être considérer que c'est une arme à deux tranchants. Si le premier ministre Bourassa n'avait pas été frappé par un cancer à l'été de 1990, il aurait peut-être été plus enclin à soumettre la question de leur avenir politique aux Québécois plutôt qu'à leur demander d'accepter le fourre-tout mal ficelé de Charlottetown.

S'il l'avait fait, les sondages indiquent qu'il aurait obtenu le mandat référendaire solide que ni les fédéralistes ni les souverainistes ne croient possible aujourd'hui. Tout cela pour dire – en conclusion – que les dieux de la politique ne sont ni souverainistes ni fédéralistes ; ils sont seulement arbitraires.

À LA PLACE D'UN INDEX :
HÉBERT, LAPIERRE ET LES PERSONNAGES

LE CAMP DU OUI

Hébert : LUCIEN BOUCHARD est apparu sur mon écran radar de chroniqueuse parlementaire pour la première fois le 31 mars 1988 : il débarquait à Rideau Hall pour être assermenté comme ministre dans le cabinet de Brian Mulroney. Jusqu'à ce matin-là, il avait été l'ambassadeur du Canada en France. Sa nomination-surprise au poste de secrétaire d'État avait été la grande nouvelle d'un remaniement préélectoral du cabinet fédéral. Bouchard allait devenir une source intarissable de bonnes histoires pour les médias, y compris un de mes rares gros *scoops*.

En mission pour *Le Devoir* un lundi férié de fête de la Reine de 1990, je m'étais rendue, à tout hasard, au bureau de Lucien Bouchard sur la colline du Parlement – à cette époque, il était ministre de l'Environnement – pour voir s'il était là et lui demander de confirmer une rumeur selon laquelle il était mécontent du traitement que le gouvernement fédéral accordait au dossier de Meech. La porte de l'antichambre de son bureau était fermée, mais une fenêtre donnant sur le corridor avait été laissée ouverte, sans doute pour la ventilation. C'est ainsi que j'ai entendu, pétrifiée, l'attachée de presse du ministre dicter la lettre de démission de Bouchard du cabinet et du caucus progressiste-conservateur.

Le Devoir a publié les extraits de sa lettre dans son édition du lendemain. Pendant longtemps, le bureau du premier ministre a cru que j'avais des sources extraordinaires dans l'entourage de Lucien Bouchard et vice-versa. Une bonne ouïe est un atout de taille pour une journaliste politique.

Lapierre : J'ai essayé (en vain) d'empêcher LUCIEN BOUCHARD d'être élu à la Chambre des communes lorsqu'il s'est présenté pour la première fois dans la circonscription de Lac-Saint-Jean, en 1988. Pour le député fédéral libéral du Québec que j'étais alors, son arrivée dans les rangs conservateurs quelques mois seulement avant des élections générales était de mauvais augure. Toutefois, comme critique de l'opposition, j'aimais lui poser des questions à la Chambre des communes parce qu'il était intarissable et que ses réponses nous donnaient des munitions pour continuer à le tourmenter. J'ai été stupéfait par sa démission du gouvernement et par sa décision de tourner le dos à son grand ami Brian Mulroney à quelques semaines de l'échéance pour la ratification de l'accord de Meech. Quand j'ai moi aussi quitté mon parti après l'échec de l'accord et l'accession de Jean Chrétien à la direction du Parti libéral, j'ai sondé Bouchard pour voir si nous ne pourrions pas former une coalition de députés indépendants qui resteraient au Parlement assez longtemps pour que le Québec se donne un nouveau rapport de forces constitutionnel avec le reste du Canada.

Au départ, notre intention n'était pas nécessairement de fonder un parti. Travaillant quotidiennement avec Bouchard, j'en étais venu à apprécier son intelligence, son profond attachement au Québec et même sa naïveté politique. Nous sommes devenus des partenaires politiques. Moi, je faisais le pont avec le Parti libéral au pouvoir à Québec; lui était proche du PQ. J'ai quitté la politique en 1992 et couvert le référendum de 1995 à mes débuts comme commentateur politique. C'est de la galerie des observateurs que j'ai vu à quel point sa fierté et son indignation touchaient la corde sensible des Québécois. Notre relation est devenue plus délicate après son accession au poste de premier ministre ; j'ai eu l'occasion de critiquer sévèrement certaines des politiques de son gouvernement. Notre amitié a survécu aux années de distance professionnelle et continue à ce jour.

Hébert : Le chef de l'Action démocratique, MARIO DUMONT, était l'attraction politique principale d'un souper au homard auquel j'ai participé en juin 2002. Son parti menait dans les intentions de vote et il venait de remporter trois élections partielles. Pendant près d'une heure, je l'ai observé, entouré d'une cour de convives qui sollicitaient son point de vue sur toutes sortes de sujets et lui offraient occasionnellement un coup de pouce pour aider son parti à grimper les échelons qui mènent au pouvoir. Ses nouveaux admirateurs étaient surtout des gens d'affaires, soucieux de se mettre dans les bonnes grâces d'une étoile montante de la politique. Comme illustration du pouvoir d'attraction qu'exerce tout ce qui brille en politique sur ceux qui vivent de contrats du gouvernement, on aurait difficilement pu faire mieux.

La liste des invités au souper était œcuménique : politiciens municipaux, provinciaux et fédéraux de toutes les allégeances, quelques personnalités du monde des affaires et une poignée de journalistes. Pendant la plus grande partie de la soirée, Jean Charest – alors chef de l'opposition libérale à l'Assemblée nationale – est resté tranquillement dans son coin à une des extrémités de la table d'honneur. Il n'a eu à repousser aucun admirateur ce soir-là. Mais la situation était bien différente un an plus tard : entre les deux soupers, Charest avait été élu premier ministre, tandis que Dumont avait dû se contenter d'un lointain troisième rang à l'Assemblée nationale, et c'était désormais pour rencontrer le chef libéral qu'on se bousculait.

Ma rencontre suivante avec Dumont a été moins conviviale. Nous nous sommes tous deux trouvés sur le plateau de *Tout le monde en parle,* vers la fin de la campagne électorale québécoise de 2007. Le chef de l'ADQ était venu vanter son parti. Moi, je faisais la promotion de mon livre sur Stephen Harper et le Québec.

À ce stade de la campagne, Dumont avait le vent dans les voiles, et l'animateur lui a demandé d'estimer le coût de son programme électoral ou, au moins, celui de ses principales promesses. Il n'a pas pu ou n'a pas voulu le faire. Quand on m'a demandé de donner mon opinion sur sa campagne, j'ai dit douter qu'un chef qui n'était pas en mesure de préciser le coût de ses politiques à moins de deux semaines du vote soit prêt à diriger un gouvernement. À défaut d'être un grand moment de mon parcours journalistique, le vif échange qui a suivi a été, semble-t-il, un bon moment de télévision. L'ADQ a perdu ces élections de justesse derrière les libéraux. Pendant le court mandat qui a suivi, Dumont et son parti n'ont pas réussi à convaincre l'électorat qu'ils étaient à la hauteur de la tâche d'opposition officielle qui était la leur, et encore moins à la hauteur pour former un gouvernement.

Lapierre : J'ai rencontré MARIO DUMONT à l'époque où il était le président au visage poupin de l'aile jeunesse du Parti libéral du Québec. Jeune homme intelligent qui adorait parler de politique, il était presque trop mûr pour son âge. Nous avons souvent dîné et joué au golf ensemble, tout en discutant du jeu politique. Dans ce temps-là, il donnait l'impression d'être beaucoup plus un vrai libéral que le politicien de droite qu'il allait devenir.

Lorsqu'il a quitté les rangs du Parti libéral de Robert Bourassa sur une question de principe, j'ai admiré son courage. Il fallait avoir de l'aplomb pour devenir chef d'un nouveau parti et diriger une campagne à un si jeune âge. Il a mis fin abruptement à sa carrière politique après la défaite de 2008. Même si je l'aurais facilement imaginé sur la colline du Parlement, la politique fédérale ne l'a jamais intéressé. Il aurait été une recrue de choix pour Stephen Harper. Lui et moi travaillons aujourd'hui pour le même réseau de télévision. Je crois encore qu'il a un avenir en politique, et qu'on finira par le revoir sur cette scène-là.

Hébert: Je n'avais jamais rencontré JACQUES PARIZEAU, que j'avais suivi de loin à partir de Toronto et du Parlement fédéral, quand, en juillet 1995, j'ai eu vent du commentaire qu'il avait fait à certains ambassadeurs de l'Union européenne sur la fameuse « cage à homards » dans laquelle les Québécois se retrouveraient après un Oui. J'avais reçu, dans une enveloppe brune, la transcription du compte rendu de la déclaration du premier ministre qu'un ambassadeur européen avait fait à un fonctionnaire canadien. Par la suite, j'ai su que les fonctionnaires fédéraux qui supervisaient les opérations référendaires d'Ottawa cherchaient à faire sortir l'histoire. Elle était néanmoins authentique et un des ambassadeurs qui en avaient été témoins l'avait officiellement confirmée avant sa publication.

Après le référendum et le départ de Jacques Parizeau, j'ai eu l'occasion de le voir en action sur d'autres fronts que la souveraineté. Quelques années plus tard, j'ai animé un *panel* politique pour l'Association canadienne des radiodiffuseurs à Vancouver. Preston Manning et Jacques Parizeau faisaient tous deux partie de la table ronde. L'un des faits saillants de la discussion – du moins à mon point de vue – est survenu quand ils se sont entendus pour dire que leur génération de leaders n'avait pas réussi à empêcher la rhétorique partisane de torpiller le débat sur l'avenir du système de santé public canadien.

Il est rare que deux hommes politiques aussi différents mais aussi versés en politique publique réfléchissent à voix haute et ensemble devant un auditoire. C'était un après-midi fascinant. Pour les mêmes raisons, les deux heures que nous avons passées chez M. Parizeau aux fins de cet ouvrage ont été tout aussi mémorables.

Lapierre : Ma toute première rencontre avec JACQUES PARIZEAU a été remarquablement cordiale. En 1984, à titre de ministre d'État à la Santé et au Sport amateur, j'avais hérité du dossier de Loto-Canada. Le premier ministre souhaitait que la loterie fédérale déficitaire soit dissoute. J'ai rencontré Parizeau, alors ministre des Finances du Québec, à sa ferme de Foster et je l'ai sondé sur la possibilité qu'Ottawa cède aux provinces la compétence des loteries et casinos. Il n'aurait pas pu être plus réceptif.

Dix ans plus tard, j'ai beaucoup moins apprécié son approche pure et dure de la souveraineté, son tristement célèbre discours du soir du référendum de 1995, et son ingérence récurrente dans les affaires quotidiennes du mouvement souverainiste. Mais je ne pourrai jamais contester sa compétence en matière de finances et d'économie. Ce n'est que lorsque nous l'avons interviewé que j'ai pu apprécier pleinement la sincérité de son engagement envers sa cause et la clarté de son plan pour mener le Québec à l'indépendance.

Hébert : Jusqu'à ce que nous nous rendions chez lui, à Verchères, ma dernière rencontre avec BERNARD LANDRY datait de la semaine précédant le référendum de 1995. Nous étions tous deux assis dans la même rangée de sièges en attendant de participer (séparément) à une émission d'affaires publiques de Télé-Québec. Tandis qu'il écoutait le philosophe Charles Taylor parler du chagrin qu'il éprouverait si le Oui l'emportait au référendum, Landry s'est tourné vers moi et m'a lancé qu'il songeait à demander à ce fédéraliste anglophone qui s'exprimait si bien de diriger l'une des nouvelles ambassades d'un Québec souverain. Ce qui m'avait frappée dans ce très bref échange, c'est à quel point certains membres du camp du Oui étaient persuadés que la victoire était à portée de la main.

Lapierre : BERNARD LANDRY fait partie du paysage politique d'aussi loin que je me rappelle. Nous nous sommes livré une petite bataille lorsque nous avons fondé le Bloc québécois. Il voulait que ce soit une succursale du Parti québécois. Je me suis battu pour que le Bloc reste une coalition arc-en-ciel indépendante. Il a finalement remporté la lutte après mon départ de la politique. Compétent en économie, il a été à la pointe de la transformation de l'économie québécoise. Il est clair qu'il regrette encore aujourd'hui sa démission de la direction du PQ.

LE CAMP DU NON

Hébert : J'ai couvert LUCIENNE ROBILLARD pour la première fois durant la campagne qui lui a coûté son siège provincial de Chambly aux élections de 1994 au Québec. À cette époque, les candidates-vedettes étaient encore très rares. Ce qui était encore plus rare, c'était que, dans Chambly, les candidates libérale et péquiste qui se faisaient la lutte étaient toutes deux des vedettes. Si la péquiste Louise Beaudoin était élue, elle serait, à coup sûr, nommée au cabinet, et Lucienne Robillard, elle, avait été ministre dans le gouvernement libéral sortant. Le jour où je me suis rendue dans leur circonscription, Jacques Parizeau était venu prêter main-forte à sa candidate, et le chef libéral Daniel Johnson avait fait de même pour Robillard. Ni l'un ni l'autre des deux chefs n'avait semblé mal à l'aise de traiter sa candidate-vedette comme un élément décoratif dans la mise en scène de leur discours du jour.

J'ai revu Robillard dans un rôle moins silencieux alors qu'elle venait d'être désignée porte-parole du gouvernement fédéral au sein du camp québécois du Non par Jean Chrétien. Elle participait à sa première réunion de l'aile québécoise du Parti libéral fédéral. En matière de ferveur fédéraliste, il y a souvent plus que six degrés de séparation entre les libéraux du Québec et leurs cousins fédéraux. Il était évident que bien des militants du PLC considéraient que Robillard ne faisait pas partie de leur clan. Certains étaient manifestement déroutés par le fait qu'une ministre à tendance nationaliste les représente au comité du Non.

À sa demande, Robillard et moi avons parlé, *off the record*, pendant environ une heure dans son bureau de la colline du Parlement après le référendum. En rétrospective, cela devait être à l'époque où elle venait de comprendre que les changements auxquels elle s'attendait dans le dossier Québec-Canada ne se matérialiseraient pas. L'entrevue qu'elle nous a donnée pour le présent ouvrage reflète le malaise qu'elle avait exprimé à l'époque.

Lapierre : À la radio, je n'ai jamais été tendre avec LUCIENNE ROBIL-LARD. J'avais pris l'habitude de l'appeler l'archiduchesse de Westmount (sa circonscription fédérale). Elle n'était pas très médiatique, et sa timidité la faisait parfois paraître hautaine. À ma grande honte, lorsque je me suis joint au cabinet de Paul Martin en 2004, j'ai découvert en Mᵐᵉ Robillard une femme honnête, travailleuse et compétente. Et même si elle n'en faisait pas étalage, c'était l'un des ministres les plus méticuleux à la table du cabinet. À ce jour, j'ai souvent recours à elle pour tester mes idées avant de prendre une position publique délicate sur un enjeu. Son jugement est solide et respectueux des faits. Cette approche n'est pas nécessairement un atout en politique partisane, et cela a probablement joué contre elle dans la saga du référendum.

Hébert : J'ai rencontré JEAN CHAREST pour la première fois à l'été de 1989, quand il était ministre d'État au Sport amateur. Il se trouvait au Maroc pour les Jeux de la Francophonie, un événement sportif et culturel de deux semaines que je couvrais pour Radio-Canada. Même si nous ne le savions pas, nous étions tous deux sur le point de passer à un autre chapitre professionnel. Un mois plus tard, j'ai quitté Radio-Canada pour aller au *Devoir*, et Charest a dû démissionner du gouvernement Mulroney l'hiver suivant, à cause d'un coup de fil donné à un juge au nom de l'un de ses électeurs. Nos chemins se sont croisés de nouveau le printemps suivant, alors qu'il faisait une tournée du pays à titre de président d'un comité parlementaire chargé de tenter de rafistoler l'accord de Meech.

Au fil des ans, je me suis souvent rendue à Sherbrooke – où se trouvaient les circonscriptions fédérale et provinciale de Jean Charest – pour des lancements de campagnes. Durant cette période, il a régulièrement été mon invité au souper annuel de la Tribune de la presse parlementaire à Ottawa. C'est ainsi que je me suis trouvée à être accompagnée, dans l'ordre, par un ministre conservateur fédéral, le chef de l'opposition officielle libérale à l'Assemblée nationale et le premier ministre du Québec.

Lapierre : J'ai rencontré JEAN CHAREST pendant la campagne électorale de 1984. J'étais le jeune député fédéral de Shefford, et il était le jeune candidat conservateur dans la circonscription voisine de Sherbrooke. Pendant des années, nous nous sommes engagés dans un combat de coqs politique pour dominer la région des Cantons-de-l'Est. En 1998, j'ai demandé et obtenu sa démission comme ministre du Sport amateur. J'étais déjà commentateur politique lorsqu'il a fait le saut en politique provinciale. À ce titre, j'ai émis de sérieux doutes sur ses compétences et je n'ai pas été impressionné par sa première campagne comme chef du PLQ.

La dynamique entre nous a changé du tout au tout lorsque je suis devenu le lieutenant québécois de Paul Martin en 2004. Jean Charest était premier ministre et il m'incombait de collaborer avec lui et d'obtenir des résultats politiques pour notre province. Nous avons rodé une excellente relation de travail et, avec le recul, je peux dire que nos réunions ont compté parmi les moments forts de mon bref mandat.

Hébert : J'avais passé un tour avec Jean Charest l'année du souper de la Tribune où j'ai rencontré DANIEL JOHNSON. À ce premier souper du genre après le référendum, j'avais plutôt invité Stéphane Dion. Il venait de quitter le monde universitaire pour devenir ministre des Affaires intergouvernementales et prendre en main le dossier Canada-Québec. La Tribune de la presse essaie, autant que faire se peut, de placer à la même table les invités dont les intérêts (et l'aisance à s'exprimer en français) sont semblables, ce qui fait que Dion et Johnson se sont trouvés assis à proximité l'un de l'autre. Mais il a vite été évident que la soirée risquait d'être longue, car ils n'étaient pas du même avis sur le suivi à donner au référendum.

Avant cette soirée-là, j'avais couvert, en 1994, la première et unique campagne électorale de Johnson en tant que chef de parti, ainsi, évidemment, que la campagne référendaire qu'il avait menée comme président du comité du Non. J'avais assisté à deux de ses rencontres avec l'équipe éditoriale de *La Presse* et avais fait partie d'une table ronde de journalistes qui l'avait interviewé pour une émission d'affaires publiques du dimanche matin. De toute évidence, je ne lui avais pas fait une forte impression !

À mon premier passage à l'émission *Tout le monde en parle*, on m'a demandé le nom du chef que j'avais eu le moins de plaisir à couvrir. La question était aussi bête qu'inattendue, et le seul nom qui m'est venu à l'esprit a été celui de Johnson – lequel avait le mérite supplémentaire de ne plus faire partie des politiciens que je pourrais être appelée à couvrir puisqu'il avait quitté la scène.

Hélas, nos chemins se sont croisés dans un restaurant de Montréal peu de temps après la diffusion de l'émission et il a fait un détour pour venir à ma table me demander ce qui pouvait bien avoir inspiré ma réponse, puisqu'il n'avait aucun souvenir de ce que je l'aie jamais couvert ou interviewé…

Lapierre : DANIEL JOHNSON est toujours resté un mystère pour moi. Je n'ai jamais pu comprendre comment il pouvait aimer la politique, et en même temps se montrer si froid et si distant avec les électeurs. Son entourage ne cessait de nous répéter qu'il était très drôle en privé, mais je n'ai jamais vraiment eu la chance de le voir déployer le sens de l'humour qu'on vantait tant. En tant que ministre et premier ministre, il a toujours maîtrisé ses dossiers. Mais, comme la campagne référendaire l'a confirmé, il n'a jamais pu prononcer de discours enflammé.

LES FÉDÉRAUX

Hébert : J'étais correspondante à Queen's Park quand SHEILA COPPS a fait sa première apparition sur la scène politique. Comme à la Chambre des communes quelques années plus tard, son arrivée à l'Assemblée législative ontarienne a fait du bruit. Au début des années 1980, les femmes étaient rares en politique en Ontario, et aucune n'avait l'esprit aussi combatif et le franc-parler de la nouvelle députée provinciale de Hamilton Centre. À l'époque, le fait qu'elle soit capable de croiser le fer avec ses adversaires dans les deux langues officielles était encore plus remarquable.

En 1984, alors qu'elle avait déjà une défaite au leadership (provincial) à son actif, Copps est passée à la scène fédérale sous la bannière du Parti libéral de John Turner, juste avant que son ancien parti provincial ne remporte le pouvoir. Si elle était restée à Queen's Park, elle serait devenue l'une des plus jeunes ministres au pays. En allant à Ottawa, Copps s'était plutôt engagée dans une traversée du désert de l'opposition qui allait durer huit ans. La deuxième de ses trois tentatives d'accéder à la direction d'un parti – contre Jean Chrétien – a eu lieu durant ses années d'opposition.

J'étais à Hamilton le soir de 2004 où Copps a été chassée de sa circonscription et de la politique par son collègue libéral Tony Valeri, un fidèle de Paul Martin. Je me suis dit à l'époque qu'un parti qui précipitait la chute de l'une de ses icônes était un parti qui avait perdu le nord.

Lapierre : Ma première rencontre avec SHEILA COPPS a eu lieu après son élection comme députée fédérale en 1984 et son intégration dans le caucus libéral à Ottawa. Elle est arrivée un couteau entre les dents, prête à frapper le point le plus faible de l'armure de Brian Mulroney à chaque période des questions. Cela faisait de nous des alliés. Avec d'autres collègues libéraux, nous formions l'équipe d'attaquants du Parti libéral et on a éventuellement surnommé notre groupe le « *rat pack* ». Durant cette période, les médias ont également fini par me couronner du titre de « roi du clip », et, avec Sheila à la tête du groupe, il nous est arrivé d'aller trop loin. J'aimais le fait qu'elle avait toujours le cœur à la bonne place sur les questions liées au Québec, au bilinguisme et à la Constitution. Contre vents et marées, elle campait toujours sur ses positions.

Hébert : À la dernière conférence des premiers ministres, avant l'échec de Meech, en juin 1990, BRIAN TOBIN et moi avons discuté des chances que sa province de Terre-Neuve signe l'entente à temps pour l'échéance de la fin de juin. Il avait prédit, sans hésiter, que ce serait le cas, et je crois qu'il fondait cette certitude, finalement erronée, sur sa propre capacité à convaincre les députés libéraux de l'Assemblée législative de Terre-Neuve d'adhérer à l'accord. Nous n'avons pas eu d'autres vraies conversations avant son départ pour l'Assemblée législative de St. John's une douzaine d'années plus tard.

Lorsque Tobin est revenu sur la colline du Parlement et au cabinet fédéral après avoir passé quelques années seulement à la tête de Terre-Neuve, je me suis demandé comment un homme qui avait pris l'habitude de diriger un gouvernement pourrait se réhabituer à suivre les instructions d'un premier ministre (et de ses sous-fifres). En principe, son retour à Ottawa marquait le début d'une tentative de succéder à Jean Chrétien, que je trouvais problématique, ne serait-ce que parce qu'à l'instar de Preston Manning, Tobin n'avait pas d'aptitudes pour le français. Lorsqu'il a finalement décidé de ne pas participer à la course à la direction de son parti, je me suis dit qu'il avait fait preuve de sagesse en évitant de se faire écraser par le rouleau compresseur de Paul Martin.

Lapierre : J'étais déjà député fédéral quand BRIAN TOBIN a été élu à la Chambre des communes en 1980. J'étais content d'avoir un jeune collègue énergique, qui était un débatteur tenace dans la plus pure tradition de Terre-Neuve. Nous avons tous deux appuyé la candidature de John Turner dans la course à la direction de 1984, profitant de notre jeunesse pour attaquer agressivement la ligue du vieux poêle libérale. En tant que membres du « *rat pack* », nous avons ensuite fait bon usage de nos langues caustiques contre le gouvernement Mulroney.

Hébert : La course à la direction du Parti libéral que PAUL MARTIN a perdue contre Jean Chrétien en 1990 s'est déroulée pendant le débat sur l'accord du lac Meech. Martin était favorable à Meech ; Chrétien ne l'était pas. Beaucoup de correspondants du Québec éprouvaient de la sympathie pour Martin en raison de ses prises de position constitutionnelles. J'avais néanmoins le sentiment que sa campagne manquait de nerf. À l'époque, j'ai écrit que Chrétien – qui était un personnage politique moins bien verni que Martin, mais un politicien plus chevronné – donnait une meilleure prestation dans les débats. L'équipe de Martin, alors coprésidée par Jean Lapierre, n'a pas apprécié. Le candidat malheureux de l'époque et ses conseillers ont dû finir par s'en remettre, puisqu'un peu plus d'une décennie plus tard, alors qu'il était sur le point d'enfin devenir premier ministre, Martin m'a offert un poste, en communications, au bureau du premier ministre. Comme la diplomatie n'est pas mon fort, il a eu de la chance que je refuse son offre.

Lapierre : Ma relation avec PAUL MARTIN date d'avant son entrée en politique. Du temps où il était un homme d'affaires prospère à Montréal, il m'appelait régulièrement pour me demander mon avis sur la politique québécoise. J'ai toujours admiré sa conscience sociale et sa sensibilité aux aspirations du Québec. Il était donc naturel que je l'appuie dans sa course à la direction du Parti libéral en 1990. J'étais coprésident national de sa campagne, avec Iona Campagnolo. Lui et moi sommes restés en contact après mon départ de la politique en 1992, et je lui ai un jour dit que, si jamais il devenait premier ministre, je retournerais au Parlement pour lui donner un coup de main. C'est arrivé en 2004, lorsque j'ai quitté les médias pour me présenter dans la circonscription d'Outremont, et que je suis devenu ministre des Transports et lieutenant de Martin au Québec. J'ai encore beaucoup d'amitié pour lui et j'admire les causes en lesquelles il croit.

Hébert : Quelques mois avant le référendum, RAYMOND CHRÉTIEN a réuni des diplomates qui travaillaient aux États-Unis pour le compte du Canada à l'édifice Pearson, siège à Ottawa du ministère des Affaires étrangères. J'ai été invitée à participer à une table ronde des médias qui portait sur le climat politique canadien.

À cette époque, mon analyse du climat pré-référendaire détonnait par rapport à l'optimisme ambiant dans la capitale fédérale. À la fin de mon intervention, Chrétien avait pris la parole pour préciser qu'il ne partageait pas ma vision négative des perspectives fédéralistes. Je lui avais répondu que je ne voyais pas comment l'argumentaire fédéraliste, fondé comme il semblait l'être sur une glorification, un peu simpliste, de l'appartenance au Canada, allait tenir la route de la campagne référendaire. Mes doutes l'ont peut-être troublé autant que sa certitude que la cause fédéraliste était entendue d'avance m'avait dérangée. Je sais qu'il a, par la suite, transmis mes commentaires au bureau du premier ministre.

Lapierre: J'ai rencontré RAYMOND CHRÉTIEN au début des années 1980 lorsqu'il était fonctionnaire, et moi secrétaire parlementaire du secrétaire d'État aux Affaires étrangères. J'étais impressionné par son approche fondée sur le bon sens, son esprit et son attitude détendue dans un monde de diplomates très sérieux. Il était clairement à sa place à la fine pointe de la diplomatie canadienne.

Hébert: J'ai rencontré la caricature d'ANDRÉ OUELLET quelque temps avant de rencontrer l'homme lui-même. Pendant la campagne de 1984, j'avais assisté à quelques discours au cours desquels Brian Mulroney le présentait comme un épouvantail libéral. En personne, il n'était évidemment pas tout à fait à la hauteur de la description caricaturale qu'en faisait Mulroney. Il se peut également que son passage dans l'opposition l'ait adouci. Au moment où j'ai eu à couvrir ses faits d'armes, à la fin des années 1980, il passait plus de temps à défendre l'accord du lac Meech contre certains de ses collègues libéraux qu'à faire la chasse aux séparatistes. Et quand il a décidé de lancer dans la mare le pavé du remplacement de Daniel Johnson par Jean Charest, il l'a fait dans l'entrevue de fin d'année qui devait, au départ, me permettre de dresser le bilan de l'année en politique étrangère.

Lapierre: ANDRÉ OUELLET est mon mentor politique. Il m'a recruté lorsque je fréquentais encore le collège à Granby. J'étais déjà un jeune libéral. Je suis devenu son adjoint spécial à l'âge de dix-huit ans; il était alors ministre de la Consommation et des Corporations.

Deux ans plus tard, il est allé aux Affaires urbaines et m'a pris avec lui en tant que chef de cabinet. Il m'a encouragé à faire mon droit à l'Université d'Ottawa et m'a appuyé dans toutes mes campagnes électorales dans Shefford. Il m'a enseigné à respecter les gens qui se présentent à des élections et à assimiler la vocation politique au service public.

Hébert : PRESTON MANNING s'est présenté pour une entrevue à mon bureau du *Devoir* à ses débuts de fondateur du Parti réformiste. J'ai été étonnée (et impressionnée) par le fait qu'il se donne la peine d'accorder une entrevue à un journal comme le mien, dont la sympathie pour sa cause était très limitée. Il était, pour sa part, tout aussi étonné qu'un parti basé dans l'ouest du Canada comme le sien m'intéresse.

En 2000, j'ai couvert la course de Preston Manning à la direction de l'Alliance canadienne – le parti qui résultait d'une mutation qu'il avait lui-même imposée au Parti réformiste dans l'espoir d'en élargir les assises. Un *week-end*, je l'ai accompagné lors d'une tournée dans l'est de l'Ontario. Je me souviens qu'après son passage dans leurs maisons ou leurs jardins, des partisans réformistes de la première heure me demandaient si son français était à la hauteur. J'aurais menti si j'avais répondu qu'il le parlait suffisamment bien pour faire campagne au Québec. C'est à ce moment que j'ai commencé à soupçonner que, prenant Manning au mot lorsqu'il disait que son parti devait s'enraciner dans le centre du Canada, beaucoup de réformistes songeaient à se tourner vers Stockwell Day, plus bilingue que Manning, pour les diriger.

Lapierre : La première fois que je me suis trouvé assis en face de PRESTON MANNING, c'était durant l'été de 1990, à l'étage « Or » de l'hôtel Le Reine Elizabeth de Montréal. J'étais en compagnie de Lucien Bouchard, et lui était avec Stephen Harper. Bouchard et moi étions en train de fonder le Bloc québécois, tandis que le Parti réformiste essayait de se faire connaître à l'échelle nationale. Nous avons discuté franchement de ce que nous espérions accomplir à

Ottawa. Son point de vue sur les options qui s'offraient au Québec et sur leurs conséquences potentielles était déjà parfaitement clair.

LES PREMIERS MINISTRES PROVINCIAUX

Hébert : Je ne peux pas penser à ROY ROMANOW sans penser en même temps à Jean Chrétien, parce que j'ai vu le politicien de la Saskatchewan pour la première fois à la rencontre des premiers ministres de 1981 qui a mené au rapatriement de la Constitution l'année suivante. À l'époque, j'étais jeune correspondante pour Radio-Canada à Queen's Park, et Romanow n'était pas encore premier ministre.

Une douzaine d'années plus tard, Romanow avait cessé d'être le compagnon d'armes constitutionnel de Jean Chrétien pour devenir son meilleur allié à la table fédérale-provinciale et, plus tard, celui qu'il a choisi pour présider la Commission royale sur l'avenir des soins de santé au Canada. Jusqu'à ce que je commence mes recherches en vue de la rédaction du présent ouvrage, j'ignorais que Romanow avait exploré, en solitaire, les options qui s'offriraient à la Saskatchewan si le Québec votait Oui. Il semble que l'ancien premier ministre libéral l'ignorait lui aussi.

C'est dans un *scrum* ambulant que j'ai pour la première fois entendu le nom de FRANK MCKENNA. Lorsque les premiers ministres provinciaux se sont réunis à Ottawa pour mettre la dernière touche à l'accord du lac Meech, à la fin du printemps de 1987, le premier ministre du Nouveau-Brunswick, Richard Hatfield, s'est trouvé au milieu d'une mêlée de presse qui bloquait la circulation. Tandis qu'il essayait de marcher de l'hôtel Château Laurier jusqu'à l'édifice Langevin et au bureau de Brian Mulroney, rue Wellington, Hatfield a été englouti par une mer de caméras et de microphones. Tous les journalistes voulaient savoir s'il ferait adopter l'accord du lac Meech à l'Assemblée législative du Nouveau-Brunswick avant de déclencher des élections.

Il ne l'a pas fait et a peu de temps après perdu tous les sièges de la province, raflés par le Parti libéral de McKenna. Le nouveau premier ministre avait de sérieuses réserves sur l'accord ratifié par son prédécesseur. Au cours des trois années suivantes, McKenna a fini par se réconcilier avec le projet de Meech, mais sa victoire électorale a néanmoins donné le départ de la longue descente aux enfers de l'accord. Je comprends qu'il pensait que ses critiques seraient constructives. Je ne suis pas certaine que, sachant tout ce qu'il sait aujourd'hui, il emprunterait le même chemin.

J'ai croisé MIKE HARRIS pour la première fois en 1981, au cours d'une visite électorale éclair à North Bay. Le premier ministre progressiste-conservateur Bill Davis menait une dure campagne pour remporter un gouvernement majoritaire après six années de règne minoritaire. Harris se présentait dans une circonscription libérale que les stratèges conservateurs considéraient comme prenable.

À ce stade de la campagne, les journalistes de la tournée pouvaient réciter par cœur le discours du premier ministre. D'autre part, à l'occasion de ce genre de sauts de puce dans une circonscription, on attend surtout des candidats qu'ils sourient et aient l'air confiants en la victoire. Par conséquent, ce n'est pas Harris qui a fait la plus vive impression sur les journalistes blasés qui suivaient M. Davis, mais plutôt la qualité des gâteaux maison que ses bénévoles avaient préparés pour les médias.

Beaucoup de ces bénévoles étaient francophones, une rareté dans une tournée électorale conservatrice, le parti de Davis n'étant pas considéré comme aussi sympathique aux droits linguistiques minoritaires que le Parti libéral ou le NPD. Pour une fois, ce jour-là, j'ai pu intégrer quelques interventions de partisans conservateurs en français dans mon reportage. Le 19 mars 1981, la circonscription de Nipissing a accordé à Harris son billet d'entrée à l'Assemblée législative ontarienne.

Je travaillais déjà sur la colline du Parlement à Ottawa quand il est devenu premier ministre de l'Ontario une quinzaine d'années plus tard, et je n'ai suivi son mandat que du point de vue, éloigné, des délibérations fédérales-provinciales. Aux rencontres des premiers ministres, son amitié politiquement incorrecte avec Lucien Bouchard le faisait remarquer. Ensemble, les deux premiers ministres ont affronté Jean Chrétien sur toutes sortes d'enjeux, notamment sur le financement des soins de santé. Harris et moi n'avions jamais discuté face à face avant qu'il m'accorde une entrevue pour le présent ouvrage.

Jusqu'à ce que BOB RAE lance sa campagne à la direction du NPD ontarien au début des années 1980, je ne connaissais de lui que le député fédéral plein d'avenir qui avait déposé, en 1979, la motion de censure qui allait mettre fin au bref séjour au pouvoir de Joe Clark et paver la voie au retour au pouvoir des libéraux de Pierre Trudeau en février 1980.

Du temps où j'étais correspondante de Radio-Canada à Queen's Park, je passais beaucoup de temps à chercher des députés provinciaux qui pourraient dire quelques mots en français à la caméra. À cet égard, Rae, qui a été avec Jean Charest l'un des chefs de parti les plus à l'aise dans les deux langues, a été pour moi un ajout providentiel à la liste des députés ontariens. Pendant une brève période, au moment des élections provinciales de 1985, les chefs des trois principaux partis de l'Ontario – le conservateur Frank Miller, le libéral David Peterson et Bob Rae – parlaient suffisamment le français pour être en mesure de donner des entrevues dans cette langue. Cela a même provoqué quelques moments de frustration au sein de la tribune de la presse de Queen's Park, car des correspondants unilingues anglais craignaient, avec raison, de rater des nuances importantes des déclarations des chefs.

J'ai passé la dernière semaine de la campagne électorale ontarienne de 1990 en tournée avec les chefs provinciaux et j'ai pu voir, en direct, la transformation, grâce à la baguette magique de l'électorat, de Bob Rae, chef d'un tiers parti qui faisait une campagne dont on s'attendait à ce qu'elle serait perdante en premier ministre à la tête d'un gouvernement néo-démocrate majoritaire.

Lorsqu'il a essayé, quelques années plus tard, de se réincarner en chef du Parti libéral du Canada et aspirant au poste de premier ministre fédéral, je me suis dit que quelqu'un qui avait pu inopinément renaître de ses cendres dans l'opposition pour prendre le pouvoir à Queen's Park, comme il l'avait fait en septembre 1990, devait avoir une foi presque inébranlable dans la capacité des électeurs de ressusciter un politicien.

Lapierre : Je n'ai jamais eu beaucoup de temps pour BOB RAE lorsqu'il était député néo-démocrate à Ottawa. Il est apparu sur mon radar – et sur celui de beaucoup d'autres Canadiens – lorsqu'il est devenu premier ministre de l'Ontario. Je n'étais pas terriblement impressionné. Mais nul ne pouvait nier sa profondeur, son énergie et son talent d'orateur, qualités qui ont été évidentes durant sa campagne à la direction du Parti libéral fédéral en 2006. Même si je pensais que ses antécédents à la tête de l'Ontario nuiraient à sa victoire au fédéral, il aurait fait un chef intéressant pour mon ancien parti.

LE DERNIER MOT

Lapierre : Je connais JEAN CHRÉTIEN depuis 1974, quand j'étais jeune adjoint de ministre à Ottawa. Je l'ai toujours vu comme un bon vivant, un ministre influent et un politicien réaliste ; mais je n'ai jamais pu me convaincre qu'il avait la profondeur et la « gelée royale » qu'il fallait pour devenir premier ministre. C'est pourquoi j'ai appuyé la candidature à la direction du Parti libéral de John Turner en 1984 et de Paul Martin en 1990. Le peuple du Canada m'a prouvé à chaque élection que j'avais tort.

Nous avons travaillé ensemble au référendum de 1980 et au rapatriement de la Constitution en 1982, et notre relation ne s'est vraiment détériorée que durant la période précédant l'échec de l'accord du lac Meech. Les tensions étant vives, je l'ai un jour appelé l'« oncle Tom du Québec », ce qui était injustifié et tout à fait déplacé. Quoi qu'il en soit, au moment du référendum de 1995, j'ai pensé qu'il était coupé des réalités des Québécois, y compris des fédéralistes comme lui. Son inconscience a presque conduit à la rupture de la fédération.

Hébert : Au printemps de 1984, Radio-Canada m'a envoyée à l'Université Western Ontario pour suivre un mini-cours en droit et journalisme. Mais j'ai séché le cours pour aller à Ottawa assister au congrès libéral durant lequel les militants allaient choisir le successeur de Pierre Trudeau. La victoire de John Turner sur JEAN CHRÉTIEN a été un triomphe des élites du parti sur sa base militante. Sans l'appui à Turner d'une grande partie de *l'establishment* libéral, le résultat du vote et peut-être l'histoire auraient été différents. Je n'ai encore couvert aucun premier ministre aussi longtemps que j'ai couvert en personne Jean Chrétien. Peut-être que cela n'arrivera jamais.

CARTES POSTALES RÉFÉRENDAIRES

JUSTIN TRUDEAU

Justin Trudeau a suivi les résultats du référendum de 1995 en compagnie de son père et de quelques amis de l'Université McGill. Il y avait un seul téléviseur dans la maison de Pierre Trudeau. « Je me souviens que mon père avait été très stoïque tout le long de la soirée. Il n'avait pas trop réagi d'une façon ou d'une autre. À la fin, un de mes amis a dit : "Ç'a été proche" et mon père a répondu : "Le Non a gagné." »

Des principaux chefs fédéraux, Justin Trudeau est celui qui a passé le moins de temps dans les tranchées référendaires de 1995. Il venait de poser son sac à dos, après avoir fait le tour du monde. Il étudiait à McGill. Il ne militait pas dans les hautes sphères d'un parti. « J'ai vécu ça en tant que Québécois fédéraliste, en tant que citoyen qui vivait au Québec et qui était intéressé par ce référendum », dit-il.

C'est à ce titre qu'il a assisté au rassemblement pro-Canada de la fin de la campagne, une expérience marquante dont il croit que les effets à long terme ont été plus importants que son impact à court terme sur la campagne référendaire elle-même. « Je ne sais pas si c'était une bonne ou une mauvaise tactique, mais c'est un moment où les Canadiens ont pu exprimer leur attachement au Québec. Je crois que c'était un moment important, qui a eu une vie au-delà du contexte stratégique référendaire. »

Il a voté le jour du référendum, mais il n'est pas certain que son bulletin a été compté. «J'ai poussé très fort sur le crayon pour inscrire mon vote et il se peut que mon bulletin ait été écarté.» Il dit que cela ne le trouble pas, car il estime que, si son bulletin de vote et d'autres bulletins semblables au sien ont été rejetés, la majorité des votes pour le Non était peut-être encore plus importante que ce qu'indiquait le compte officiel. Surtout, il est heureux d'avoir été à Montréal ce soir-là. «Je me souviens d'avoir été content d'avoir été là parce que c'était un moment très important pour le Québec. Je n'avais pas été très conscient ni très présent au moment du référendum de 80. J'avais neuf ans et je vivais à Ottawa.»

Son père, Pierre, grande vedette fédéraliste du premier référendum, a été complètement absent de la scène durant la campagne de 1995. Justin Trudeau n'est pas de ceux qui croient que la décision d'exclure l'ancien premier ministre était un impair. «Je n'ai pas trouvé cela bizarre que mon père ne soit pas impliqué. Ce n'était pas son référendum. Il était une personne privée. Une autre génération s'en occupait.»

Le chef libéral a tiré deux leçons de l'expérience de 1995. La première est commune à la plupart des fédéralistes qui se sont battus dans le camp du Non et elle porte sur la nécessité d'énoncer une question plus claire. «Je sais qu'il y a beaucoup de gens qui ont voté Oui pas pour la séparation, mais parce qu'ils voulaient un meilleur *deal* pour le Québec à l'intérieur du Canada. Le manque de clarté sur ce sur quoi on votait a donné un résultat qui ne reflétait pas l'appui réel pour la souveraineté.»

La seconde leçon, qui a moins à voir avec le référendum et qui n'est pas spécifique au Québec, tourne autour de l'idée qu'il y a un écart important entre les messages tactiques sur lesquels planchent si assidûment les politiciens et les stratèges et la réception, plus ou moins attentive, que leur réserve l'électeur moyen. «À l'époque, je n'avais aucunement conscience des tactiques des camps du Oui ou du Non. J'ai vraiment consommé la campagne comme un citoyen intéressé, mais comme simple citoyen. Ce que j'en retiens, maintenant que ma vie est beaucoup dans la tactique et la stratégie, c'est que même quelqu'un comme moi, qui étais aussi intéressé en tant que citoyen par l'enjeu référendaire, ne suivait pas vraiment qui avait dit quoi ou qui avait fait quel discours. »

THOMAS MULCAIR

Thomas Mulcair a passé la journée du référendum de 1995 à transporter des électeurs jusqu'aux bureaux de vote de sa circonscription. C'était la deuxième campagne référendaire du futur chef du NPD fédéral, mais sa première en tant que député à l'Assemblée nationale. Il avait remporté la circonscription provinciale de Chomedey sous la bannière libérale un an auparavant. Ce dont il se souvient le plus de ce jour-là, c'est la crainte qu'avaient ses électeurs de voir leur bulletin de vote rejeté pour des détails techniques. « On avait beaucoup de bénévoles, des bénévoles expérimentés. Des madames qui mangent de la politique. Elles revenaient des bureaux de scrutin en larmes. Elles racontaient qu'il y avait eu des chicanes, qu'un monsieur avait dit qu'une croix qui n'était pas égale, qui dépassait, ne comptait pas. » Après le référendum, c'est un aspect de la journée du vote auquel il est revenu avec acharnement à plusieurs reprises.

Comme Justin Trudeau, Mulcair a assisté au rassemblement pro-Canada. Il estime que l'événement a aidé la cause fédéraliste. « Le Québécois moyen se disait : "Au moins, ils s'occupent de nous autres." » Il est beaucoup moins élogieux en ce qui a trait à la prestation de Jean Chrétien durant la dernière semaine de campagne. « Pendant toute la campagne, on [les libéraux du Québec] attendait un signal quelconque d'Ottawa. Rien n'est arrivé jusqu'au jour où, tremblotant, blanc comme un drap, presque incohérent, Jean Chrétien est apparu à la télé, ayant l'air dix ans plus vieux que son âge, pour balbutier quelque chose que personne ne comprenait. C'était sa manière d'essayer de dire qu'il y aurait du mouvement… »

Mulcair décrit la conversion de dernière minute du premier ministre à la cause de la société distincte comme « un *mea culpa* appuyé par un message corporel [*body language*] qui a peut-être aidé en quelque part en faisant dire aux gens : "On les a rendus nerveux. On les a eus au moins là-dessus." »

Mulcair raconte qu'il a été témoin de l'« effet Bouchard » sur le pas des portes de sa circonscription. Il se souvient, en particulier, d'un électeur, déterminé à voter Oui, qui lui avait dit : « Vous, j'ai voté pour vous. Je n'aurai pas de problème à le refaire la prochaine fois, mais M. Bouchard, il a tellement souffert pour nous ! »

Le chef du NPD croit que s'il y avait un autre référendum, la question devrait inévitablement être plus claire. Mais sur l'idée – qu'il rejette – de hausser le seuil à atteindre pour enclencher des négociations sur la souveraineté au-delà de 50 % plus un, il est intraitable. Selon lui, hausser ce seuil équivaudrait à offrir au reste du Canada une excuse, un voile protecteur, pour éviter de regarder en face les points faibles de sa relation avec le Québec.

Thomas Mulcair est convaincu qu'à la source de l'épreuve de force de 1995, il y avait un profond malaise exacerbé par un manque de respect, de civilité, réciproque. « S'insulter les uns les autres, se blesser les uns les autres, j'oserais croire qu'aujourd'hui, de manière générale, on n'a plus la même facilité à le faire », avance-t-il, en se remémorant la crise constitutionnelle du début des années 1990 et les excès de langage qu'elle a suscités dans certains milieux. On peut toujours espérer que l'avenir lui donnera raison !

REMERCIEMENTS

Une nuée d'anges gardiens de toutes les couleurs politiques a contribué au présent ouvrage.

Nous leur avons promis de respecter leur anonymat, mais leurs récits ont tous enrichi le nôtre. Ils se reconnaîtront sans doute au fil des chapitres qui touchent leurs anciens patrons politiques. C'est à l'honneur des uns et des autres que, vingt ans plus tard, les conseillers qui épaulaient les protagonistes du référendum de 1995 leur sont restés aussi fidèles.

Sans Stephen Hogue et Lisette Lapointe, les indispensables entrevues avec Jean Chrétien et Jacques Parizeau n'auraient peut-être pas eu lieu. Nous espérons qu'à la lecture de l'ouvrage, l'ancien premier ministre du Canada et l'ancien premier ministre du Québec ne leur en voudront pas trop d'avoir intercédé en notre faveur.

C'est Craig Pyette, éditeur principal chez Knopf Canada, qui m'a poussée à écrire un second livre. Je ne lui en veux plus depuis qu'il a consacré des heures à passer le texte au peigne fin pour le rendre plus clair.

Nous avons dédié ce livre aux trois petits-enfants de Jean et aux deux miens. Mais notre récit n'a rien d'un conte de fées. Il leur faudra grandir encore un peu avant de le lire.

TABLE DES MATIÈRES